Hans-Georg Link

Die un-vollendete Reformation

Hans-Georg Link

Die un-vollendete Reformation

Zur konziliaren Gemeinschaft von Kirchen und Gemeinden

EVANGELISCHE VERLAGSANSTALT
Leipzig

BONIFATIUS

Bibliografische Information der Deutschen Nationalbibliothek

Die deutsche Nationalbibliothek verzeichnet diese Publikation in der Deutschen Nationalbibliografie; detaillierte bibliografische Daten sind im Internet über http://dnb.ddb.de abrufbar.

Coverfoto: Ökumenischer Gottesdienst am 3. Mai 2015 in der Klosterkirche des Karmel Heilig Blut am Rande der KZ-Gedenkstätte Dachau anlässlich des 70. Jahrestages der Befreiung des Konzentrationslagers Dachau – mit Reinhard Kardinal Marx, Erzbischof von München und Freising und Vorsitzender der Deutschen Bischofskonferenz, Bischof i. R. Ulrich Fischer, Mitglied des Rats der Evangelischen Kirche in Deutschland, und Metropolit Augoustinos Labardakis, Vorsitzender der Orthodoxen Bischofskonferenz in Deutschland.
Foto: Jörg Koch © 2015 KNA, www.kna-bild.de

Umschlaggrafik: Christian Knaak, Dortmund

ISBN 978-3-89710-671-0 (Bonifatius)
ISBN 978-3-374-04282-1 (Evangelische Verlagsanstalt)

Druck und Bindung: Pustet, Regensburg

Jürgen Moltmann
dem Lehrer, Freund und Inspirator
zum 90. Geburtstag

„Der Gott der Hoffnung
erfülle euch mit aller Freude und Frieden
im Glauben,
daß ihr immer reicher werdet an Hoffnung
durch die Kraft des Heiligen Geistes."

Römerbrief 15,13

Inhalt

Vorwort

Zum ersten Mal begehen wir eine Jahrhundertfeier der Reformation im *ökumenischen Zeitalter*. Damit wird sie aus der babylonischen Gefangenschaft befreit, in der sie während der Jahrhunderte des Konfessionalismus gehalten war. Heute entdecken wir neu, dass sich die reformatorische Bewegung nicht auf einige wenige Leitfiguren in Wittenberg, Genf oder Straßburg reduzieren lässt. Wir gewinnen einen neuen Blick für die „erste" Reformation, die sich ein Jahrhundert zuvor in Böhmen mit *Jan Hus* und seinen Anhängern ereignet hat. Luther schrieb nach der Leipziger Disputation 1519 an seinen Freund *Georg Spalatin*: „Wir sind alle unbewusst Hussiten."[1] Eng verbunden sind damit die europäischen Dimensionen der reformatorischen Bewegung, die von Prag über Zürich, Genf und Straßburg bis nach Cambridge in Großbritannien u. a. reichen. MaW. die Reformation war nie nur eine deutsche, sondern von Anfang an eine europäische Bewegung.

Aus *ökumenischer Perspektive* sehen wir heute deutlicher als früher den zweischneidigen Charakter der Reformation. Luther war mit dem Anspruch in die Öffentlichkeit getreten, die gesamte Kirche an Haupt und Gliedern zu erneuern. Nach einer Generation hatten es die Menschen in Europa jedoch nicht mit einer erneuerten Kirche zu tun, sondern stattdessen mit zwei einander feindlich gesonnenen christlichen Konfessionen. Insofern ist die Reformation *un-vollendet* geblieben.

Das trifft in besonderer Weise auf die reformatorische Forderung nach einem wahrhaft freien christlichen *Konzil* zu, die Luther schon im Jahr 1518 gegenüber Papst *Leo X.* erhoben hatte, die sich aber Zeit seines Lebens nicht erfüllen sollte. In ökumenischem Licht betrachtet ist sie bis zum heutigen Tag nicht verwirklicht worden. Der Protestantismus hat seine eigene, in der Vorrede zum Augsburger Bekenntnis ausgesprochene Konzilsforderung jahrhundertelang vergessen, während der Katholizismus mit dem Zweiten Vatikanischen Konzil die erneuernde und wegweisende Kraft von Konzilen wieder ans Tageslicht gefördert hat. Aber ein universales Konzil, das für alle Christen verbindlich sprechen könnte – wie es die 4. Vollversammlung des Ökumenischen Rates der Kirchen 1968 in Uppsala ins Auge gefasst hat – hat es seit altkirchlicher Zeit nicht mehr gegeben.

Stattdessen ist es im 20. Jahrhundert zur Wiederentdeckung von *Konziliarität* bzw. *Synodalität* als Wesensmerkmal jeder Kirche gekommen. In diesem Buch gehe ich den konziliaren Erneuerungen nach, die sich in den reformatorischen, katholischen und orthodoxen Kirchen während der letzten 70 bis100 Jahre ereignet haben (Kapitel III bis V). Um den Protestantismus an seine eigenen konziliaren Ansätze zu erinnern, beginne ich mit *Luthers* Auseinandersetzung mit der Konzilsfrage, die Auswirkungen bis zu *Bonhoeffers* Plädoyer für ein ökumenisches Konzil gezeitigt hat (Kapitel II).

Fünf Jahrhunderte nach dem Auseinanderbrechen der Westkirche geht es heute nicht zuerst um das Zustandekommen eines universalen Konzils als vielmehr um das Zueinanderfinden der verschiedenen Konfessionen zu *„konziliarer Gemeinschaft"*. Sie ist das ökumenische Gebot der Stunde im Jahr 2017 und darüber hinaus. Dazu unterbreite ich Vorschläge in diesem Buch (besonders in den Kapiteln I, VI und VII). Deshalb laufen die konziliaren Erinnerungen von Kapitel II bis V auf Vorschläge zur „konziliaren Gemeinschaft von Kirchen und Gemeinden heute" in Kapitel VI zu. Denn es genügt nicht, nach 500 Jahren ein einmaliges „Christusfest" zu feiern oder der positiven wie negativen Ereignisse im 16. Jahrhundert mit Tagungen und Ausstellungen zu gedenken. Heute kommt es entscheidend darauf an, die Entwicklungen, die die Kirchen seit 500 Jahren voneinander entfernt haben, in sichtbaren konkreten konziliaren Schritten zueinander zu bringen, sodass sie – wie es Papst *Franziskus* gesagt hat[2] – zu bereichernden „Geschenken" füreinander in konziliarer Gemeinschaft umgewandelt werden.

Das Buch beginnt mit einer ökumenischen Standortbestimmung im Vergleich von reformatorischer und konziliarer Bewegung und mündet in einen Ausblick auf drei notwendige künftige konziliare Versammlungen. Wer sich nicht auf alle Einzelheiten der konziliaren Entwicklungen einlassen möchte, dem seien die

jeweiligen Zusammenfassungen der Kapitel und die „konziliaren Schritte 2017“ von Kapitel VI besonders empfohlen.
Ich widme dieses Buch *Jürgen Moltmann* zu seinem 90. Geburtstag. Er hat meinen theologischen Lebensweg von meinem ersten Wuppertaler Semester 1959 über die Promotion in Tübingen 1973[3] bis zur Genfer Arbeit am Studienprojekt zum Apostolischen Glauben[4] als Lehrer mit Rat und Tat begleitet. Er hat seine Schüler jahrelang Anfang Januar zu theologischen Tagungen nach Tübingen eingeladen, auf denen wir seine und unsere Themen miteinander besprechen konnten. Er hat mich wie ungezählte andere Menschen mit seiner „Theologie der Hoffnung“ (1964), seiner Öffnung zur orthodoxen Welt (1979) sowie mit seinem kreativen trinitarischen Denken bis in die jüngste Zeit hinein dank seiner zahlreichen Veröffentlichungen[5] zuhöchst inspiriert und zutiefst geprägt. Dies alles haben wir im April 2016 anlässlich seines 90. Geburtstages in Bremen mit einem Symposion und Gästen aus USA, Japan und Korea redend, singend und festlich miteinander speisend gefeiert. Ich schätze mich glücklich, zu Jürgen Moltmanns ersten Schülern zu gehören, und sage meinem Lehrer, Freund und Inspirator von Herzen öffentlich Dank.
Zu danken habe ich auch dem *Altenberger Ökumenischen Gesprächskreis*, bei dessen halbjährlichen Zusammenkünften in Bad Honnef wir uns in den letzten fünf Jahren mit der Frage auseinandergesetzt haben: Was heißt Reformation heute?[6] Insbesondere danke ich meinem Freund *Rudolf Weth* und meinem Bruder *Christian Link*, deren wegweisende Beiträge auch in dieses Buch eingegangen sind.[7] Ich danke meiner Frau *Bärbel* für ihre aufmerksamen und kreativen Korrekturvorschläge. Und ich danke Herrn Dr. *Michael Ernst* vom Bonifatius Verlag Paderborn für seine Manuskriptbetreuung sowie Frau Dr. *Annette Weidhas* von der Evangelischen Verlagsanstalt Leipzig für die Aufnahme des Buches in beider Verlagsprogramm.

Köln, im September 2016

Hans-Georg Link

Vorwort – Anmerkungen

1. Brief vom 14. Februar 1520.
2. Evangelii Gaudium vom 24. November 2013, Z. 246, S. 167.
3. Vgl. dazu mein Vorwort in: Geschichte Jesu und Bild Christi. Die Entwicklung der Christologie Martin Kählers in Auseinandersetzung mit der Leben-Jesu-Theologie und der Ritschl-Schule, Neukirchen 1975, S. VIII.
4. Vgl. dazu den von mir herausgegebenen Quellenband: Gemeinsam glauben und bekennen. Handbuch zum Apostolischen Glauben, Neukirchen/Paderborn 1987; J. Moltmanns Beiträge finden sich vor allem in dem von L. Vischer herausgegebenen Sammelband zur Filioque-Frage: Geist Gottes – Geist Christi. Ökumenische Überlegungen zur Filioque-Kontroverse, BÖR 39, Frankfurt/Main 1981, S. 11ff, 144ff.
5. Exemplarisch erwähne ich nur drei seiner wegweisenden Veröffentlichungen: (1) Kirche in der Kraft des Geistes. Ein Beitrag zur messianischen Ekklesiologie, München 1975. (2) Trinität und Reich Gottes. Zur Gotteslehre, München 1980. (3) Hoffen und Denken. Beiträge zur Zukunft der Theologie, Neukirchen 2016.
6. Vgl. unsere jüngste Veröffentlichung: H.-G. Link/D. Sattler (Hg.) , Zeit der Versöhnung (ZdV). Wege zur ökumenischen Zukunft der Reformation, Göttingen 2017.
7. In diesem Zusammenhang erwähne ich lediglich: L. Vischer/U. Luz/ Chr. Link, Ökumene im Neuen Testament und heute, Göttingen 2009, bes. S. 225ff.; R. Weth, Heilung der Erinnerungen, in: Zeit der Versöhnung 2017.

Einführung:
Der Kampf um die Wahrheit des Evangeliums und um die Einheit der Kirche

Eine ökumenische Meditation über das Jerusalemer Apostelkonzil: Apostelgeschichte 15,1-35

1 Der Konflikt

Die Gemeinschaft zwischen Heidenchristen und Judenchristen steht in Antiochia auf dem Spiel. Der Konflikt entzündet sich an der Frage der Beschneidung für Heidenchristen. In Antiochia, wo die Anhänger Jesu zuerst „Christen" genannt wurden (Apostelgeschichte 11,26), wird sie nicht praktiziert, „einige" Judenchristen aus Jerusalem fordern sie hingegen ultimativ. Dahinter stehen weit schwerwiegendere Fragestellungen nach der Taufe ohne oder mit Beschneidung, nach der Tisch- und Abendmahlsgemeinschaft, nach der Geltung der Tora, schließlich nach dem Gott des Mose und dem Gott Jesu Christi. Zwei Glaubensweisen stoßen hier aufeinander. Für Paulus geht es dabei um „die Wahrheit des Evangeliums" (Galater 2,5). Auf des Messers Schneide steht die Alternative: *Zusammenbleiben oder Zerbrechen der Gemeinschaft* im Ur-Christentum zwischen Juden- und Heidenchristen.
Es geht also ums „Eingemachte". Konflikte bis aufs Blut gab es bereits an der Wiege des Christentums. Sie werden nicht unter den Teppich gekehrt, sondern ausgetragen und ausgehalten. Beide Konfliktparteien kommen zu Wort mit ihren Anliegen. Am Ende verliert keiner der beiden Kontrahenten sein Gesicht. Aber die Schwere der Auseinandersetzung wird nicht verschwiegen. Wegen der Bedeutung und Tragweite dieses Konfliktes stellt Lukas ihn in die Mitte seiner Apostelgeschichte.
Wie Jesus so erweist sich auch das frühe Christentum als konfliktfähig. Konflikte beginnen sogar schon innerhalb des Jüngerkreises, z. B. über die Machtfrage, „wer der Größte sei" (Markus 9,34). Später geht es für das junge Christentum um Auseinan-

dersetzungen mit dem römischen Kaiserkult, mit der Gnosis, mit dem militärischen Mithras-Kult. Fast immer sind es Konflikte auf Leben und Tod. Das frühe Christentum hat gesiegt, weil seine Anhänger weder die Konflikte noch den Tod gescheut haben: „Das Blut der Märtyrer ist der Same der Kirche." Große und schwer zu bewältigende Konflikte hat es von Anbeginn der Jesus-Bewegung und des Christentums gegeben. Die entscheidende Frage lautet, wie man mit ihnen umgegangen ist und ob man sie bewältigt hat.

2 Die Lösungsstrategie

In Antiochia entscheidet man sich für den Weg nach Jerusalem, um den Konflikt dort zu klären. Diese Entscheidung ist in verschiedener Hinsicht bemerkenswert. Zunächst hat man in Antiochia offensichtlich die Tragweite der Auseinandersetzung erfasst, die man nicht allein ausfechten will. Fragen von derart grundsätzlicher Bedeutung gehören vor ein gemeinsames Gremium. Sodann stehen die Gemeinden in Antiochia und Jerusalem in so enger Verbindung miteinander, dass sie sich besuchen, aufeinander achtgeben und nicht ohne einander Grundsatz-Entscheidungen treffen. Drittens respektiert man in der aufstrebenden Metropole der Heidenchristen die Autorität der „Apostel und Ältesten" in Jerusalem. Man sucht deren Erfahrung und Kompetenz auf, um zu einer tragfähigen gemeinsamen Lösung zu gelangen. Auch Paulus, der Pionier der Heidenmission, berichtet davon, dass er das Gespräch besonders mit denen in Jerusalem, „die das Ansehen hatten" (Galater 2,2) gezielt gesucht hat. Mit anderen Worten, man beschreitet von Antiochia aus von Anfang an den *konziliaren Weg* geschwisterlicher Beratung. Statt den Konflikt für sich allein in der Provinz Syrien zu bearbeiten nach dem Motto: Wir schaffen das schon allein, was geht das die anderen an?, heißt die Lösungsstrategie von vornherein: Nicht ohne einander, schon gar nicht gegeneinander, sondern entschlossen miteinander.
Diese Marschroute ist beileibe nicht immer beibehalten worden. Gerade die Rivalitäten zwischen Antiochia und Alexandria,

zwischen alexandrinischer und antiochenischer Schule galten in altkirchlicher Zeit als sprichwörtlich. Auch Jerusalem verlor seinen ursprünglichen Rang an Konstantinopel, später an Rom; in der altkirchlichen Pentarchie der fünf Patriarchatssitze nahm es schließlich den *letzten* Platz ein. Heute beklagen sich Christen im Nahen Osten, angesichts der Bedrohungen durch den sog. Islamischen Staat von Christen in westlichen, europäischen Ländern nicht genug unterstützt zu werden. Besuche bei unseren bedrängten Glaubensgeschwistern sind selten geworden. Dabei wäre es im Blick auf das gewaltsame Vorgehen islamistischer Kämpfer gegen *alle* Christen, denen sie im Osten oder Westen begegnen, hohe Zeit für Solidaritätsbesuche und für eine gemeinsame Suche nach einer Strategie gegenüber militanten und terroristischen Gruppierungen des Islam. Die Erklärung des Ökumenischen Rates der Kirchen von Busan 2013 über „die Bekräftigung der christlichen Präsenz und des christlichen Zeugnisses im Nahen Osten"[1] ist ein wichtiger Schritt in die richtige Richtung.

3 Die Rolle der Gemeinden

Sie sind von Anfang an an der Bewältigung des Konfliktes beteiligt. Der Beschluss, eine Delegation von Antiochia nach Jerusalem zu entsenden, wird von der ganzen Gemeinde gefasst, wahrscheinlich in einer Gemeindeversammlung. Dort wird die Delegation ausgesucht, inhaltlich ausgerüstet, unter Gebet ausgesandt und wohl noch ein Stück weit, vielleicht bis zur Stadtgrenze, begleitet. Ebenso wird die antiochenische Delegation in Jerusalem zuerst von der dortigen Gemeinde gastfreundlich in Empfang genommen. Nach Abschluss der Beratungen beschließt dann die Jerusalemer Gemeinde samt Aposteln und Ältesten, ihrerseits ebenfalls eine offizielle Delegation nach Antiochia zu schicken, um den selbsternannten Führern des Konfliktes aus den eigenen Reihen das Handwerk zu legen. Am heidenchristlichen Ausgangsort wird dann wieder als erstes eine Gemeindeversammlung einberufen, die die schriftlichen und mündlichen Berichte aus Jerusalem mit Freude entgegennimmt.

Man gewinnt von der Darstellung des Lukas den Eindruck, dass die Gemeinden in Antiochia ebenso wie in Jerusalem als ganze beteiligt sind. Ihre Beschlüsse, die sie an beiden Orten fassen, sind nur in der Form offizieller und öffentlicher Gemeindeversammlungen denkbar. Es handelt sich bei dem Konflikt nicht (nur) um eine Auseinandersetzung zwischen einzelnen Personen, sondern zwischen Gruppen, z. B. der Partei der Pharisäer, die in der Gemeinde um die Vorherrschaft kämpfen. So kennen wir es auch aus der Gemeinde in Korinth mit ihren Spaltungen (vgl. 1. Korinther 1,10-17) und von den Machtkämpfen der Deutschen Christen in der Zeit des Nationalsozialismus um die Oberhand in den Gemeinden.
Zur Bewältigung des Konflikts wird das Delegationsprinzip eingeführt, sodass sich eine Dreistufung ergibt: Gemeindeversammlung, Delegation und deren Wortführer. Die Delegierten bleiben aber zurück- und eingebunden in die Gesamtgemeinde: Sie sendet aus und nimmt wieder in Empfang; die Delegierten berichten ihrerseits von Gottes Taten und ihren Erfahrungen. Die *Rezeption* von ausgehandelten Ergebnissen ist Sache der ganzen Gemeinde. Das gilt noch heute so in der orthodoxen Welt mit den Ergebnissen von Konzilen. Ob sie als „ökumenisch“ anerkannt werden, entscheidet sich an der nachfolgenden Rezeption durch Ortskirchen und Gemeinden: das Pleroma der Kirche. Im Westen können sich unsere Gemeinden zu intensiverer Rezeption von Teilnehmenden und Ergebnissen ökumenischer Versammlungen eingeladen und herausgefordert sehen.

4 Der Beratungsprozess

An dem eigentlichen Beratungsverfahren über den Konflikt nehmen offenbar nur „Apostel und Älteste“, also die Autoritäten und Leiter der Gemeinden, aktiv teil. Es ist eine nüchterne Erfahrung: Nicht alle Personen können bei allen Dingen mitreden; hier gehören Auftrag, Sachverstand und geistliches Urteilsvermögen dazu. Es wird nicht verschwiegen, dass es sich um langwierige und kontroverse Auseinandersetzungen handelt,

bei denen es wohl auch stimmlich hoch hergeht, bevor „die ganze Menge“ zum Schweigen kommt (V. 12).
Die eigentlichen Beratungen verlaufen in einem geordneten Dreischritt: Zunächst wird der Sachverhalt, also der Gegenstand des Konflikts – hier: die Beschneidungsfrage – geprüft. Dann kommt es zur Entscheidung in der Sachfrage – hier: pro oder contra Beschneidung. Die Jerusalemer Autoritäten helfen dabei mit ihren Reden zur Urteilsfindung. Schließlich erfolgt die öffentliche Zustimmung oder Ablehnung. Hier kommt sie durch die Abfassung eines „Offenen Briefes“ zum Ausdruck. Paulus berichtet davon, dass die Jerusalemer Säulen ihm und Barnabas die rechte Hand gegeben, also ihre zustimmende Entscheidung in öffentlicher Geste ausgedrückt haben (Galater 2,9).[2]
Je schwieriger sich ein Konflikt gestaltet, desto wichtiger ist es, dass er in *geordneten Bahnen* bewältigt wird. Dazu gehören 1. eine klare Verfahrensregelung, 2. in der Sache und ihrer Handhabung kompetente Personen, 3. eine Gemeindeöffentlichkeit, die nicht zulässt, dass hinter verschlossenen Türen verhandelt wird. Bei Luthers Prozess (1518-1521) ist gegen diese Regelungen dadurch eklatant verstoßen worden, dass man ihm kein einziges Mal Gelegenheit gegeben hat, seine Sache selber vorzutragen und zu begründen.[3] Kirchliche Auseinandersetzungen leiden bis heute oft unter unklaren Verfahrensweisen, mangelnder Kompetenz der Beteiligten und einer fehlenden Öffentlichkeit.

5 Die handelnden Personen

Es kommen nur Petrus und Jakobus, zwei der drei Jerusalemer Autoritäten, mit einer je eigenen Rede zu Wort. *Petrus,* der Sprecher des Jüngerkreises und einer der Leiter der Jerusalemer Urgemeinde, hält die erste, entscheidende Rede, die die Lösungsrichtung anzeigt. Der springende Punkt liegt darin, dass es Gott selbst ist, der auch den Heiden seinen Geist geschenkt und dadurch den Unterschied zu den Juden aufgehoben hat. Entscheidend kommt es nun nicht mehr auf die Beschneidung an, sondern auf den Glauben an Jesus Christus: „Wir (Juden) glauben ebenso wie sie (die Heiden), durch die Gnade des Herrn Jesus gerettet zu werden“ (V. 11). In dieser evangelischen Schlussfolgerung stimmt Petrus mit dem Selbstzeugnis von Paulus (Galater 2,16) vollständig überein.

Jakobus, der Bruder Jesu, die andere Jerusalemer „Säule“, schlägt mit dem Schriftbeweis und seinem Kompromissvorschlag die praktische Brücke zur jüdischen Tradition. Er macht aus dem reichen prophetischen Erbe Israels einen der ältesten Propheten: *Amos* zum Kronzeugen für die Einbeziehung von Heiden in Gottes endzeitliches Heil. Mit dreien seiner vier praktischen Vorschläge sorgt Jakobus dafür, dass die Tischgemeinschaft zwischen Juden und Heiden aufrechterhalten werden kann.

Paulus und *Barnabas* werden von Lukas nicht mit eigenen Worten zitiert. Ihre Rolle besteht darin, von den großen Taten Gottes zu berichten, die er auf ihrer ersten Missionsreise unter den Heiden getan hat.

Auf diese Weise zeichnet *Lukas* das Bild einer *großen Übereinstimmung* zwischen den Leitfiguren der urchristlichen Mission, so unterschiedlich ihre Herkunft und Funktion im Einzelnen auch sein mag. Die historische Entwicklung wird komplizierter verlaufen sein, aber Lukas, dem Schreiber der dritten Generation, kommt es hier darauf an zu zeigen, dass die maßgebenden Personen in Jerusalem den Leitfiguren in Antiochia in nicht in den Rücken gefallen sind, sondern im Gegenteil ihnen den Rücken kräftig gestärkt haben. Indem Petrus mit dieser seiner letzten Rede sich nahtlos mit Verkündigung und Praxis des Paulus zusammenschließt, entsteht das Bild einer einheitlichen urchristlichen Mission von Jerusalem über Antiochia und die verschiedenen Missionsreisen „bis an das Ende der Welt“. In der Mitte der Apostelgeschichte geschieht die Stabübergabe von Petrus an Paulus, von dem anschließend nur noch die Rede ist, und ihre gemeinsame Botschaft lautet*: In der Bewältigung der größten Krise des Urchristentums stehen seine maßgebenden Leiter in einem Geist und einem Verhalten zusammen.* An diesem Zeugnis der urchristlichen Autoritäten und ihrer Zusammenkunft in Jerusalem sollen sich alle späteren kirchlichen Autoritäten orientieren.

Zwei weitere Botschaften gibt Lukas den nachfolgenden Generationen mit auf den Weg: Das entscheidende *Kriterium* bei allen Konflikten, wie groß sie auch sein mögen, ist nach Auskunft von Petrus der gemeinsame Glaube an den Herrn Jesus Christus. Das ist der Maßstab, an dem sich entscheidet, ob man ein weiteres „Joch auf den Nacken der Jünger" (V. 10) legen darf und wie man es gegebenenfalls zu rechtfertigen vermag. Welche zusätzlichen Bedingungen darf man von Christen fordern, wenn es um Kirchengemeinschaft im Glauben an den gemeinsamen Herrn geht?
Um aber wieder in Gemeinschaft miteinander zu kommen oder sie nicht auseinanderbrechen zu lassen, bedarf es kluger *Kompromisse* für das Zusammenleben. Jakobus ist mit seinen Vorschlägen an die äußersten Grenzen des für Juden gerade noch Tragbaren gegangen. Für die wieder neu zu gewinnende konziliare Gemeinschaft von Christen muss man ebenfalls an die äußersten Grenzen des Tragbaren gehen. Das hartnäckige Bestehen auf dem jeweiligen Status Confessionis mag nach innen und auch nach außen den Eindruck unerschütterlicher Standfestigkeit erwecken. Es fragt sich nur, ob es im Blick auf die von Jesus geforderte Einheit seiner Jünger ein Schritt in die richtige Richtung ist oder ein Joch, „das weder unsere Väter noch wir haben tragen können" (V. 10 b).

6. Der Brief von Jerusalem an Antiochia

Er hält das Ergebnis der Beratungen schriftlich fest. Er ist ein autoritatives verbindliches Schreiben, zugleich das Modell eines schriftlichen Konzilsbeschlusses: Er soll gelesen, befolgt und bewahrt werden. Dieser erste „Konzilsbeschluss" ergeht nicht in der Form einer unpersönlichen Erklärung urbi et orbi, sondern eines persönlichen Schreibens an Menschen in drei klar benannten Gebieten: Antiochien, Syrien und Cilicien. Ebenso deutlich stellen sich die Absender vor: nicht eine anonyme Versammlung, sondern deren verantwortliche Apostel und Älteste in Jerusalem, die man kennt. Absender wie Adressaten werden als „Brüder" (bzw. „Schwestern" bzw. „Geschwister") bezeichnet.[4] Der Brief redet seine Empfänger auf gleicher Augenhöhe an; er ist kein Lehrschreiben, das von oben nach unten gerichtet wäre. Ähnlich empfiehlt das Ökumenismus-Dekret des Zweiten Vatikanischen Konzils das Gespräch mit „getrennten Brüdern“: „Dazu sind gemeinsame Zusammenkünfte, besonders zur Behandlung theologischer Fragen, sehr dienlich, bei denen ein jeder mit dem anderen auf der Ebene der Gleichheit spricht (par cum pari)“[5].

Die Grußformeln zu Beginn und am Ende des Briefs entsprechen einerseits griechischem Sprachstil, andererseits macht zumindest der Schluss deutlich, dass es sich nicht nur um Konvention, sondern um Segen und Zuspruch handelt. Der Brief will Ermutigung, nicht Entmutigung vermitteln und so ist er in Antiochia auch aufgenommen worden.

Inhaltlich geht es um drei Gesichtspunkte: die Delegation, den Konflikt und den Kompromiss. Den längsten Teil, etwa die Hälfte des ganzen Briefes, nimmt die Erläuterung der Delegation in Anspruch. Personalfragen haben hier Vorrang vor Sachfragen. Die Ausführungen beginnen sogar mit Kritik an der eigenmächtigen Reise nach Antiochia „einiger von uns, denen wir doch nichts aufgetragen hatten“ (V. 24). Die dadurch ausgelöste Verwirrung soll durch die Entsendung einer offiziellen Gemeindedelegation von bewährten Männern korrigiert werden. Zu einer solchen Gemeinde- und Personalentscheidung gehört Mut.

Der bis zur Zerreißprobe belastende Grundkonflikt wird eindeutig gelöst, indem von Beschneidung gar nicht mehr gesprochen wird. Nur vier Maßnahmen zur Regelung des praktischen Zusammenlebens werden allerdings für unerlässlich gehalten. Es ist ein Kompromiss, der den Bedenken von jüdischer Seite Rechnung trägt. Die Kunst des Kompromisses hat in der Reformationszeit gefehlt: Luther hat sie nicht besessen, eher schon Melanchthon. Sie ist bis heute nicht sonderlich ausgeprägt, sonst wären wir z. B. in der Gottesdienst- und Abendmahlsfrage schon weiter vorangekommen.

Das entscheidende Wort zur *Lösung des Konflikts* in Antiochia lautet: keine weiteren Lasten auferlegen außer den unabdingbar notwendigen. Das Evangelium der Befreiung von entfrem-

denden Vorschriften soll zur Geltung kommen, nicht einengende Gesetze, die niemand einhalten kann. Welche Vorschriften müssen heute fallen, um dem Evangelium konziliarer Gemeinschaft verschiedener Christen zum Durchbruch zu verhelfen?
Die Verbindlichkeit der Entscheidung im antiochenischen Konflikt wird nicht formal, sondern inhaltlich mit dem Zusammenspiel von Heiligem Geist und Gemeinde begründet. In den Beratungen, ihrer Leitung und ihrem Ergebnis wird die Macht des guten Geistes Gottes erfahren. Damit es auch heute so geschieht, beginnt bzw. begann jede Plenarversammlung des Zweiten Vatikanischen Konzils in Rom und des Panorthodoxen Konzils in Kreta mit dem Herabrufen des Heiligen Geistes auf die Versammelten. Das ist eine gute Praxis für jede Form von konziliarer Zusammenkunft.

7 Das Ergebnis

Es geht in dem antiochenischen Beschneidungskonflikt um Grundfragen des Christseins: Sowohl die Wahrheit des Evangeliums als auch die Einheit der Kirchengemeinschaft stehen auf dem Spiel. Darin liegt die einzigartige Bedeutung des Apostelkonzils von Jerusalem, dass es ihm gelungen ist, beide grundlegenden Aspekte nicht nur zu bewahren, sondern jeweils sogar verstärkt zur Geltung zu bringen. Auf welchem Wege das geschehen und wie es gelungen ist, will Lukas mit seiner Darstellung in der Mitte der Apostelgeschichte klarmachen und zugleich allen nachfolgenden Generationen von Christen ins Stammbuch schreiben.
Die *Wahrheit des Evangeliums*, das kompromisslose Vertrauen auf Gottes Heil und Gegenwart in Person und Geist Jesu Christi, bleibt der Dreh- und Angelpunkt für jeden Christen. Es hieße, Gott zu versuchen, wollte man neben den Christusglauben eine weitere heilsnotwendige Bedingung stellen, z. B. die Beschneidung (V. 10). Darin sind sich Petrus und Paulus vollständig einig. Heute ist es Papst *Franziskus*, der für das Evangelium der Barmherzigkeit in Jesu Namen kämpft und es gegenüber anderen kirchlichen und weltlichen Machtansprüchen verteidigt.

Die *Gemeinschaft* innerhalb und zwischen den Gemeinden von Antiochia und Jerusalem ist zunächst dadurch gerettet worden, dass man den Konflikt um die Beschneidungsforderung ernst genommen und ihre Vertreter auch hat zu Wort kommen lassen. Man hat sie angehört und ist ihnen mit den vier notwendigen Verhaltensregeln entgegengekommen. Dank des gefundenen Kompromisses hat keine Seite ihr Gesicht verloren. Um der Gemeinschaft unter Christen willen muss man zu solchen durchaus schmerzhaften Kompromissen bereit sein. Es ist viel einfacher und bequemer, unter dem Vorwand der Traditions- und Bekenntnistreue sich auf den eigenen Bereich und die eigene Kirche zurückzuziehen. Daher steht im Blick auf die konziliare Gemeinschaft die Frage der *Gemeinschaftsfähigkeit* unserer Kirchen zur Diskussion.

In Antiochia ging es konkret um die Frage der *Tischgemeinschaft* zwischen Juden- und Heidenchristen, die auch die Feier des Abendmahls einschloss. Der katholische Theologe *Franz Mussner* hat dazu die These vertreten: „Das Wesen des Christentums ist miteinander essen."[6] In sakramentale Hinsicht haben wir das bis heute nicht erreicht. Was in Antiochia dank des Apostelkonzils vermieden worden ist, gehört zur traurigen Realität unserer seit Jahrhunderten getrennten Kirchen. Es wird allerhöchste Zeit, dass wir den Ausschluss am Tisch des Herrn, diese Form der kirchlichen Apartheid am Altar, überwinden. „Auch gute Gründe für die Verweigerung der Gemeinschaft am Tisch des Herrn können zur Ursache dafür werden, die Wahrheit des Evangeliums zu verfehlen."[7]

In der größten Krise des frühen Christentums hat sich die Einberufung und Durchführung des Apostelkonzils in Jerusalem bewährt, um die Wahrheit des Evangeliums und die Einheit der Kirche zu retten und zu stärken. Das Vorbild, das Lukas uns damit vor Augen führt, kann der seit Luthers Zeiten getrennten westlichen Christenheit dabei helfen, erneut zu *konziliarer Gemeinschaft* zusammenzufinden.

Einführung – Anmerkungen

1. In: H.-G. Link/D. Heller/K. Raiser/B. Rudolph (Hg.), „Gott des Lebens, weise uns den Weg zu Gerechtigkeit und Frieden". Offizieller Bericht der Zehnten Vollversammlung des Ökumenischen Rates der Kirchen vom 30. Oktober bis 8. November 2013 in Busan (Zit. Busan 2013), Leipzig/Paderborn 2014, S. 409 ff.
2. Zu diesem Verfahren vgl. G. Schille, Die Apostelgeschichte des Lukas, ThHKNT V, Berlin 1989, 3. Aufl., S. 319.
3. Dazu s. u. II,1.1.
4. Der griechische Plural von „Bruder" kann Männer und Frauen umfassen, ist also am besten mit „Geschwister" zu übersetzen; vgl. dazu W. Klaiber, Der Galaterbrief, Neukirchen 2013, S. 18.
5. In: K. Rahner/H. Vorgrimler (Hg.), Kleines Konzilskompendium (KKK). Alle Konstitutionen, Dekrete und Erklärungen des Zweiten Vaticanums ..., Freiburg i. Br. 1966, Z. 9, S. 239.
6. Zitat bei W. Klaiber, aaO. S. 69.
7. W. Klaiber, aaO. S. 69.

I.
Reformatorische und konziliare Bewegung

1 Nach 500 Jahren: Wohl und Wehe der Reformation

1.1 Beginn und Ergebnis im 16. Jahrhundert

Wie soll das Jahr 2017 begangen werden? Für evangelische Christen steht die Freude über die Wiederentdeckung des Evangeliums in der Reformationszeit im Vordergrund. Es soll ein Jubiläum gefeiert werden. So kündigt es Präses *Nikolaus Schneider* in seinem Vorwort zur Programmschrift der Evangelischen Kirche in Deutschland (EKD) „500 Jahre Reformation 2017“ an: „Wir wollen in der Freude über die geistlichen Gaben der Reformation das Jubiläum in ökumenischer Weite feiern.“[1]

Zur ökumenischen Weite gehört an erster Stelle aus historischen und geographischen Gründen die römisch-katholische Kirche, die Präses Schneider anlässlich des Besuches von Papst *Benedikt XVI.* im Erfurter Augustinerkloster am 23. September 2011 ausdrücklich zum Mitfeiern eines Christusfestes eingeladen hat.[2] Aus katholischer Sicht steht allerdings meist ein anderer Gesichtspunkt im Vordergrund: das Zerbrechen der Westkirche in zwei Konfessionen, also die westliche Kirchenspaltung als „Ergebnis“ der Reformation. Kardinal *Kurt Koch*, der Präsident des Päpstlichen Rates zur Förderung der christlichen Einheit, hat im Blick darauf mehrfach die skeptische Frage aufgeworfen, ob man ein solches Ereignis überhaupt feiern könne und dürfe.[3] Aus dieser Sicht kann bestenfalls von einem „Reformationsgedenken“ die Rede sein.

Bis jetzt ist auch noch nicht erkennbar, wie das Feiern des Evangeliums und das Gedenken der Kirchenspaltung zusammengebracht werden können. Ich mache in diesem Buch den Vorschlag, weder nur zu feiern noch allein zu gedenken, vielmehr nach 500 Jahren Kirchenspaltung das Jahr 2017 als Chance zu

begreifen und zu ergreifen, konkrete Schritte hin zu konziliarer Kirchengemeinschaft miteinander zu unternehmen.
Was war der *Beginn* und was das *Ergebnis der Reformation* im 16. Jahrhundert? Es gehört zu *Martin Luthers* kirchengeschichtlicher Bedeutung, dass es ihm gelungen ist, seine reformatorische Entdeckung von Gottes zuvorkommender und bedingungsloser Zuwendung gleichzeitig in ein umfassendes Programm kirchlicher Erneuerung umzusetzen. Das beginnt spätestens mit der Leipziger Disputation vom Sommer 1519, bei der es erstmals programmatisch um Folgerungen aus Rechtfertigungserkenntnis für die Gestalt der Kirche ging: „Auch Konzilien können irren", war sozusagen das Fanal für Luthers beginnende und immer schärfer werdende Kritik an der spätmittelalterlichen Gestalt der Papstkirche seiner Zeit. Nur ein Jahr später hat er sie in zwei programmatischen Reformationsschriften breit entfaltet: 1. An den christlichen Adel deutscher Nation. Von des christlichen Standes Besserung; 2. Von der babylonischen Gefangenschaft der Kirche. Darin entwickelt Luther seinen reformatorischen Ansatz von der *Taufe* her, dem Sakrament der Rechtfertigung, und entfaltet ihn mit seiner Lehre vom allgemeinen Priestertum aller Getauften: „Denn was aus der Taufe gekrochen ist, das kann sich rühmen, dass es schon zum Priester, Bischof und Papst geweiht sei, obwohl es nicht jedem ziemt, solches Amt auszuüben."[4] Dass er damit sowohl mit der hierarchischen Überordnung des Klerus über die Laien als auch erst recht mit dem Papsttum seiner Zeit in Konflikt geraten musste, liegt auf der Hand. Luther ging es mit seinem reformatorische Programm deshalb ums Ganze: *die Erneuerung der gesamten Kirche an Haupt und Gliedern*. Dafür stand er 1521 in Worms ein und dafür war er bereit, sein Leben zu opfern.
Allerdings zeichnete sich bereits mit seiner Exkommunikation durch Papst *Leo X*. am 3. Januar 1521 ab, dass es für einen aus der Kirche Verbannten sehr schwer werden würde, eben diese Kirche insgesamt für sein reformatorisches Programm zu gewinnen. Es ist auch nicht gelungen. Je länger Luther wegen der zusätzlichen Reichsacht von Kaiser *Karl V.* auf das Kurfürstentum Sachsen mit *Friedrich dem Weisen* in seiner Bewegungsfreiheit eingeschränkt wurde, desto intensiver widmete er sich

sozusagen einem modellhaften Aufbau eines alternativen, evangelischen Kirchentums im Kurfürstentum Sachsen, das seine Ausstrahlung auf viele Gebiete im In- und Ausland nicht verfehlte. Mit jedem Jahr schwand die Chance zu einer Erneuerung der ganzen Kirche ein Stück mehr. Die römische Zentrale trat in den Hintergrund, die Wittenberger Alternative rückte in den Vordergrund. Als der geistliche und kirchliche Kampf in militärische Auseinandersetzungen umschlug, besonders im Schmalkaldischen Krieg 1547, war die letzte Chance zu einer einvernehmlichen Lösung vertan. Der Augsburger Religionsfriede von 1555 konnte nur noch bestätigen, was inzwischen eingetreten war: Statt der einen Kirche standen sich nun zwei rechtlich anerkannte Konfessionen gegenüber. Das Zeitalter des *Konfessionalismus* hatte begonnen.
Die Reformation, die als Erneuerungsbewegung für die ganze Kirche an Haupt und Gliedern begonnen hatte, endete eine Generation später mit dem *Auseinanderbrechen* der Westkirche in zwei einander feindlich gegenüberstehende Lager: die evangelische und die römisch-katholische Konfessionskirche. Das macht Tragik und Trauma, aber auch Neuanfang und Kreativität der Westkirche seit 500 Jahren aus.

1.2 Positive und negative Auswirkungen

Aus heutiger Entfernung zu den kirchengeschichtlichen Ereignissen im 16. Jahrhundert lassen sich Wohl und Wehe der Reformation deutlicher erkennen. Ich fasse sie hier unter jeweils 7 Gesichtspunkten zusammen:

„Zu positiven Auswirkungen der Reformation
1. Mit der Rechtfertigungstheologie ist es gelungen, *Christus* wieder in den Mittelpunkt des Christentums zu rücken (vgl. Die Gemeinsame Erklärung zur Rechtfertigungslehre von 1999).
2. Die *Bibel* ist zur grundlegenden Orientierung für das Christentum geworden.
3. Der *Wortgottesdienst* mit Schriftlesungen und Predigt hat einen großen Aufschwung erlebt.

4. Der *Gemeindegesang* hat Ausbreitung, Demokratisierung und Musik der Reformation entscheidend befördert.
5. Die *Katechismen* von Luther (1529) und Heidelberg (1563) sind mehr noch als das Augsburger Bekenntnis zur Zusammenfassung evangelischen Glaubens geworden.
6. Das *alltägliche Leben* ist durch reformatorische Berufsethik (Luther) und Gestaltung (*Calvin*) umgekrempelt worden. Schulen, Universitäten und Synoden (*Melanchthon*) haben – allgemeines Priestertum aller Getauften – demokratische Tendenzen gefördert.
7. Auch die *katholische* Frömmigkeit, Theologie und Kirchengestaltung hat von der Reformation profitiert und im Zweiten Vatikanischen Konzil viele Impulse aus dem 16. Jahrhundert aufgenommen.

Zu negativen Auswirkungen der Reformation
1. Luthers Ziel einer Erneuerung der ganzen Kirche ist nicht erreicht worden, stattdessen wurde 1555 in Augsburg die *Spaltung* der Westkirche besiegelt.
2. Die polemischen und entstellenden *Auseinandersetzungen* seit der Leipziger Disputation 1519 haben das Klima zwischen Kirchen und unter Christen trotz mancher Verständigungsversuche über 400 Jahre lang bis in die Mitte des 20. Jahrhunderts hinein verhärtet.
3. Aus seelsorgerischen Anliegen sind theologische Kontroversen, machtpolitische Auseinandersetzungen und schließlich militärische Kämpfe geworden. Diese *nicht-theologischen Faktoren* sind zu lange verkannt und nicht hinreichend aufgearbeitet worden.
4. Schon der Bauernkrieg 1525 und der Schmalkaldische Krieg 1547 und erst recht der *Dreißigjährige Krieg* des 17. Jahrhunderts (1618-1648) haben die Erneuerungsabsicht der Reformation in ihr Gegenteil verkehrt und die evangelische wie die katholische Kirche um ihre Glaubwürdigkeit gebracht. Aufklärung und Säkularisierung sind auch Folgen gescheiterter kirchlicher Reformbemühungen.
5. Der Spaltung im Gefolge der Reformation sind weitere gefolgt: Baptisten, Methodisten, Presbyterianer, Kongregationalis-

ten ... Der *Zersplitterung* des Protestantismus ist bis heute kein Einhalt geboten worden. Konfessionalismus ist zuerst ein innerprotestantisches Problem.
6. Wie die katholische Kirche die Waldenser so haben die reformatorischen Kirchen die *Täufer* blutig verfolgt.
7. Die *Auseinanderentwicklung* der evangelischen und katholischen Richtung hat sich im Lauf der Jahrhunderte *verselbstständigt,* Strukturen entwickelt und Mentalitäten geprägt."[5]

1.3 Die Un-vollendete

Abschließend frage ich über diese Licht- und Schattenseiten hinaus: Was blieb *un-vollendet* bei dem Unternehmen „Reformation", das ursprünglich beabsichtigt war, aber auf der Strecke geblieben ist? Unter dieser Fragestellung hebe ich drei Gesichtspunkte hervor:

(1) *Die konziliare Dimension*
Im folgenden Kapitel lege ich dar, wie und inwiefern Luther zeitlebens am Konzil als oberster Instanz in der Kirche festgehalten hat. Auch in der Vorrede zum Augsburger Bekenntnis wird ein Konzil gefordert und *Johannes Calvin* dachte ernsthaft über ein „evangelisches Konzil" nach. Das Konzil von Trient hat zwar formal Vertreter der Reformation eingeladen, war aber inhaltlich so päpstlich dominiert, dass es reformatorischen Forderungen nach der Schrift als oberster Instanz von vornherein nicht entsprechen konnte. Danach geriet der konziliare Gedanke auf beiden Seiten in Vergessenheit. Die katholische Richtung entwickelte sich immer zentralistischer, die evangelische immer individualistischer.
Während es die katholische Kirche geschafft hat, mit dem *Zweiten Vatikanischen Konzil* die orientierende Kraft eines Konzils für den eigenen Bereich und darüber hinaus zu neuem Leben zu erwecken, hat es der Protestantismus bisher nur zu weltweiten Zusammenschlüssen von konfessionellen Weltbünden wie dem Lutherischen Weltbund und dem Reformierten Weltbund gebracht. Eine europäische evangelische Synode gibt es bis heute

nicht, geschweige denn eine weltweite. Mit anderen Worten, der *Protestantismus* hat seine individualistische und kongregationalistische Engführung bis heute nicht überwunden. Er muss das reformatorische Niveau des Konzilsgedankens erst wieder erreichen.

(2*) Eine evangelische Kirchengestalt*

Die reformatorische Bewegung hat mit Kirchenleitern und Kirchenleitungen keine allzu guten Erfahrungen gemacht. Selber hat sie nicht die Kraft aufgebracht, alte Bischofssitze evangelisch zu besetzen und eigene Bischöfe zu etablieren. Luthers Versuch, *Nikolaus von Amsdorf* in Zeitz-Naumburg als ersten evangelischen Bischof einzusetzen, überzeugte nicht. Er hat seine Bemühungen, stattdessen Landesfürsten als Beschützer und vor allem als Leiter von evangelischen Kirchentümern zu gewinnen, als Notlösung betrachtet. Denn er hat schnell erkannt, dass die Landesfürsten auf dem Feuer der Reformation nur allzu gern ihr eigenes politisches Süppchen kochen wollten, ohne sich um das Wohl der jungen evangelischen Kirchen allzu sehr zu kümmern. Das gesamte *landesherrliche Kirchenregiment* war eine Notmaßnahme! Dass es Jahrhunderte lang – bis 1918! – beibehalten worden ist, entsprach ganz gewiss nicht Luthers Vorstellungen von Kirchenverfassung. Außerdem hat es die evangelischen Kirchentümer wechselnden politischen Interessenten ausgesetzt und zu unguter Politisierung im Protestantismus beigetragen.

Das ist bis heute ein wunder Punkt in vielen evangelischen Kirchen. Zwar gibt es inzwischen auch evangelische Bischöfe. Weil aber evangelische Christen (zu) selten gute Erfahrungen mit ihren Kirchenführern gemacht haben, haben sie oft bis heute kein entspanntes und vertrauensvolles Verhältnis zu ihren Kirchenleitungen. Diese wiederum verstehen sich (zu) oft nur als Verwalter, Organisatoren oder Kirchenpolitiker und zu selten als Seelsorger, Hirten oder Wegweiser der ihnen anvertrauten Gläubigen. Durch unglückliche Umstände schon in der Reformationszeit und politische Fehlentwicklungen in den nachfolgenden Jahrhunderten ist die ganze Frage einer evangelischen Kirchenverfassung, die dem Evangelium, der altkirchlichen Entwicklung und der *Eigenständigkeit der Kirche* gegenüber staatlichen Stellen entspricht, zu kurz gekommen, noch nicht hinreichend aufgearbeitet, also bislang weitgehend auf der Strecke geblieben. Dass evangelische Kirchenverfassungen in der Regel nicht über die Grenzen der eigenen Landeskirche hinaus konzipiert sind, ist eine der größten Schwächen des gegenwärtigen Protestantismus.

(3) *Die Erneuerung der Gesamtkirche*
Der alte Luther hat erheblich mit Depressionen darüber zu kämpfen gehabt, dass die Kirche über seinen reformatorischen Bemühungen zerbrochen ist und „seine“ evangelischen Kirchentümer nach dem „Platzregen des Evangeliums“ nicht immer die von ihm erwarteten Früchte zeitigten. Gewiss hat er mit seiner oft maßlosen Kritik am Papsttum nicht unwesentlich zu dieser Entwicklung selbst beigetragen, worüber er sich nicht zu jeder Zeit im Klaren war. Es hat jedenfalls seine letzten Lebensjahre verdunkelt und ihn immer pessimistischer werden lassen, dass von seinem umfassenden Erneuerungsprogramm für die ganze Kirche am Ende seines Lebens nur Teile, Stücke, Rudimente übrig geblieben sind.
Es bleibt eine offene Wunde und ein *Geburtstrauma*, dass es der Reformation nicht gelungen ist, die damalige Kirche insgesamt zu erneuern und deswegen selbst in späterer Zeit konfessionalistisch und teilweise provinziell geworden ist. Mich erschreckt es zuweilen, wie wenig man sich in der heutigen evangelischen Kirche darüber Gedanken macht, dass sie *nicht* die Kirche ist, die den Reformatoren vor Augen gestanden hat. Darin ist die Reformation am meisten *un-vollendet* geblieben! Dieser einschneidendste Mangel kann heute nur noch von beiden Seiten in konziliarer Gemeinschaft behoben werden.

2 Der neue Weg zueinander: Phasen und Ergebnisse

Es waren zunächst drei Ereignisse, die die neue ökumenische Bewegung im 20. Jahrhundert maßgebend auf den Weg gebracht haben: 1. das Sendschreiben des Ökumenischen Patriarchats von Konstantinopel:„An die Kirchen Christi überall", vom Januar 1920 mit dem Vorschlag für einen „Bund der verschiedenen christlichen Kirchen"[6]; 2. die Gründung des Ökumenischen Rates der Kirchen am 23 August 1948 in Amsterdam auf der Grundlage seiner „Basis"[7]; 3. die Verabschiedung des Ökumenismusdekrets auf dem Zweiten Vatikanischen Konzil am 21. November 1964.[8] Die ökumenische Entwicklung, die seit dem Konzil in Deutschland eingesetzt hat, kann man in drei Phasen gliedern.

2.1 Aufbrüche (1965-1999)

Der ökumenischen Öffnung des Konzils folgten mehr als 30 Jahre, in denen auf den verschiedensten Ebenen Aufbrüche von Christen, Gruppen und Kirchen zueinander sich ereigneten. Ich rufe nur einige wenige Ereignisse in Erinnerung. Die Aufbruchsbewegung zueinander begann mit dem öffentlichen Podiumsgespräch, das Präses *Joachim Beckmann* und Kardinal *Lorenz Jäger* am 30. Juli 1965 – noch während des Konzils! – auf dem 12. Deutschen Evangelischen Kirchentag in Köln miteinander zum Thema führten: „Katholiken und Protestanten angesichts des Konzils." Dieses Gespräch wurde zu einer Initialzündung, weil hier erstmals seit Luthers Begegnung mit Kardinal Cajetan 1518 wieder zwei hochrangige Kirchenführer auf deutschem Boden öffentlich miteinander über Glaubensfragen sprachen – nach 447 Jahren! Anfang Juli 1971 fanden sich Tausende zum Ökumenischen Pfingsttreffen in Augsburg zusammen; sein Schlussgottesdienst stand unter dem Motto der damaligen Jahreslosung: „Nehmt einander an, wie Christus euch angenommen hat" (Römer 15,7). Im Jahr 1974 traten sowohl die römisch-katholische als auch die orthodoxe Kirche der Arbeitsgemeinschaft Christlicher Kirchen (ACK) bei, die dadurch zu einem repräsentativen Gremium für die christlichen Kirchen in der Bundesrepublik aufgewertet wurde. Am 12. Januar 1982 verabschiedete die Plenarversammlung der Kommission für Glauben und Kirchenverfassung bei Lima einstimmig, also einschließlich katholischer und orthodoxer Mitglieder, die Konvergenzerklärungen zu Taufe, Eucharistie und Amt, auf die zahlreiche und auch die katholische Kirche geantwortet haben. Im Mai 1987 trat die erste Europäische Ökumenische Versammlung in Basel zusammen: „Frieden in Gerechtigkeit". 1992 wurde erstmals ein ökumenisches „Jahr der Bibel" ausgerufen. Ihren Höhepunkt erreichte diese Annäherungsbewegung mit der Unterzeichnung der Gemeinsamen Erklärung zur Rechtfertigungslehre am 31. Oktober 1999 in der Augsburger St.-Annen-Kirche durch ranghohe Vertreter des Lutherischen Weltbundes und des Vatikans.

Mit diesen Erinnerungsdaten will ich keinesfalls den Eindruck erwecken, als sei diese Bewegung zueinander reibungslos verlaufen. Gerade dem letztgenannten Datum war ein erbitterter Kampf für und gegen die Gemeinsame Erklärung zur Rechtfertigungslehre vorausgegangen, an den sich viele noch erinnern werden. Das Besondere dieser Zeit zwischen 1965 und 2000 lag vielmehr darin, dass sich in den meisten Kontroversen der Wille zur ökumenischen Verständigung durchgesetzt hat.

2.2 Rückschlag (2000-2013)

Die Bewegung zueinander erlitt einen schweren Einbruch mit der vatikanischen Erklärung Dominus Iesus vom 6. August 2000 – ausgerechnet am Hiroshima-Datum! –, die bekanntlich den reformatorischen Kirchen absprach, „Kirchen im eigentlichen Sinn" zu sein (Z. 17). Im Gefolge dieser Erklärung kühlte das ökumenische Klima in Deutschland erheblich ab. Im ersten Jahrzehnt des neuen Jahrhunderts kam es zu einer Wiederbelebung konfessioneller Abgrenzungen. Das Tauziehen um die Frage der eucharistischen Gastfreundschaft vor und während des Ersten Ökumenischen Kirchentages in Berlin 2003 nahm neurotische bis hysterische Formen an. Die evangelische Seite konterte die katholische Abgrenzung mit dem Programm einer „Ökumene der Profile", das ebenfalls zu einer gewissen Selbstabgrenzung beigetragen hat.

Aber auch während dieser schwierigsten Phase im Ringen der Konfessionen miteinander gab es vorwärts weisende Ereignisse, die zur Konsolidierung der ökumenischen Entwicklung beigetragen haben. Ich erinnere in diesem Zusammenhang an die Verabschiedung der Charta Oecumenica „für die wachsende Zusammenarbeit unter den Kirchen in Europa“ 2001, an die gegenseitige Anerkennung der Taufe von 11 ACK-Kirchen am 27. April 2007 im Magdeburger Dom sowie an die große Feier des Brotbrechens (Artoklasia) mit orthodoxen Kirchen während des Zweiten Ökumenischen Kirchentages 2010 auf dem Münchener Odeonsplatz.

2.3 Neue Hoffnung (seit 2013)

Mit der Wahl von Papst *Franziskus* am 13. März 2013 ist die Christenheit in eine neue Phase ökumenischer Hoffnung eingetreten. Das macht gleich sein erstes Apostolische Schreiben „Evangelii Gaudium ... über die Verkündigung des Evangeliums in der Welt von heute“ deutlich. Es rückt das Evangelium der Barmherzigkeit in die Mitte des Christseins und des neuen Pontifikats, wie es nach *Johannes XXIII.* kein Papst mehr getan hat. Hier tut sich eine überraschende, hocherfreuliche inhaltliche Nähe zur reformatorischen Botschaft von der Rechtfertigung allein aus Gnade auf. Dieser evangelische Ansatz von Papst Franziskus wirkt sich auch auf die ökumenischen Beziehungen aus: „Und wenn wir wirklich an das freie und großherzige Handeln des Geistes glauben, wie viele Dinge können wir voneinander lernen! Es handelt sich nicht nur darum, Informationen über die anderen zu erhalten, um sie besser kennen zu lernen, sondern darum, das, was der Geist bei ihnen gesät hat, als ein Geschenk aufzunehmen, das auch für uns bestimmt ist.“[9] Zehn Jahre nach dem ängstlich abgrenzenden Geist der Enzyklika über die Eucharistie von 2003[10] vertritt nun Papst Franziskus einen Geist der Großherzigkeit, des gegenseitigen sich Beschenkens und voneinander Lernens.
Mit anderen Worten, Papst Franziskus nimmt das neue Paradigma des *„rezeptiven Ökumenismus“* auf, das in Durham/Großbritannien von *Paul Murray*[11] entwickelt worden, aber auf dem Kontinent, auch in Deutschland, noch weitgehend unbekannt

geblieben ist. Mit seinen Besuchen im Jahr 2015 bei den Waldensern in Turin und der evangelisch-lutherischen Gemeinde in Rom hat der Papst Zeichen der Versöhnung und der Gemeinschaft gesetzt, die zu weiteren ökumenischen Hoffnungen Anlass geben. Im Blick auf das beginnende reformatorische Gedenkjahr hat er mit seiner Ankündigung, am 31. Oktober 2016 zusammen mit dem Lutherischen Weltbund im schwedischen Lund einen ökumenischen Gottesdienst unter der Überschrift „Vom Konflikt zur Gemeinschaft“[12] zu feiern, bereits zu erkennen gegeben, dass er zu den Kirchen der Reformation eine vertiefte Beziehung eingehen will. Aus evangelischer Sicht kann man sich über diesen neuen *ökumenischen Frühling*, der diesmal vor drei Jahren in Rom begonnen hat, nur freuen und hoffen, dass er lange andauern wird. Dieser Kairos soll auch der konziliaren Gemeinschaft im Jahr 2017 zugutekommen.

2.4 Ein inhaltlicher Lernprozess

Rückblickend auf die drei Phasen des Weges zueinander in den vergangenen fünfzig Jahren stelle ich die Frage, was er *inhaltlich* ausgetragen hat, besonders für die Kirchen Reformation. Wie sind sie auf dem ökumenischen Weg verändert worden? Ich fasse die Ergebnisse unter 10 Gesichtspunkten zusammen [13]:

1. Die Trennmauern zwischen den Kirchen sind großenteils abgetragen: an die Stelle von Abgrenzung ist *Zusammenarbeit* getreten.
2. Die Begegnungen haben zu einer gewissen *Erneuerung* des kirchlichen Lebens beigetragen: ecclesia semper reformanda.
3. Die Kirchen haben gelernt, besonders auf dem Gebiet von *Dienst und Diakonie* zusammen zu arbeiten.
4. In der Mission herrscht nicht mehr der Proselytismus, einander Mitglieder abzujagen, sondern das *Teilen der Gaben* und Ressourcen (sharing).
5. Das Bewusstsein für die Trennung, die alle Kirchen unglaubwürdig macht, hat zu einer neuen *Suche nach der Einheit* geführt.

6. Zugleich ist auch ein neues *konfessionelles* Bewusstsein entstanden: Konfessionalismus behindert, Konfessionalität bereichert.
7. Die Sicht auf die *universale* Dimension der Kirche ist vergrößert worden.
8. Ein neues *Zusammengehörigkeitsbewusstsein* von Christen ist entstanden: Wir gehören zusammen; wir arbeiten zusammen; wir beten zusammen.
9. Das Miteinander auf verschiedenen Ebenen und Gebieten hat zwar noch nicht zu einer theologisch-kirchlichen, wohl aber zu einer gewissen praktischen Weise gegenseitiger *Anerkennung* geführt.
10. Da wir die sakramentale Einheit noch nicht erreicht haben, ist der ökumenische Weg miteinander ein wachsender auf *Zukunft* hin orientierter Prozess.

3 Die ungelöste Frage nach dem ökumenischen Ziel

Nachdem die reformatorische Bewegung nicht zur Erneuerung der Gesamtkirche geführt hat, sondern ganz gegen ihre ureigene Absicht in eine Aufspaltung der Westkirche geraten ist, die dann Jahrhunderte lang das Feld beherrscht hat, kann und sollte man sich daran freuen, wie weit sich die evangelische und katholische Kirche in den vergangenen fünfzig Jahren einander wieder angenähert haben. Pointiert gesagt: In der zweiten Hälfte des 20. Jahrhunderts hat sich im Verhältnis der beiden Kirchen zueinander mehr getan als in den gesamten 400 Jahren zuvor.

3.1 Nach 50 Jahren

Dennoch sind Ermüdungserscheinungen auf dem Weg zueinander unübersehbar. Sie hängen nach meiner Beobachtung mit den erwähnten Auseinandersetzungen um die Jahrtausendwende 1999/2000 über die Gemeinsame Erklärung zur Rechtfertigungslehre einerseits und die Erklärung Dominus Iesus

andererseits zusammen. Seitdem ist spätestens deutlich geworden, dass sich der Weg zueinander länger, steiniger und insgesamt mühsamer gestalten wird, als es viele zu Zeiten des römischen Konzils in den sechziger Jahren erwartet hatten. Insofern leben wir heute ernüchterter, aber auch realistischer miteinander. Uns ist deutlich geworden, dass eine Auseinanderentwicklung über mehrere Jahrhunderte nicht in wenigen Jahrzehnten bewältigt werden kann. Heutzutage brauchen wir mehr Geduld und vor allem einen langen Atem miteinander, den in Zeiten einer zugleich schnell- und kurzlebigen Eventkultur nicht viele Menschen aufbringen. Auf einem langen Weg braucht man auch Zeiten der Ruhe, der Besinnung, der Entspannung, um danach mit neuer Kraft weitergehen zu können. Sich das klarzumachen, hilft dabei, nicht jeden ökumenischen Stillstand gleich zu einer neuen Eiszeit zu dramatisieren. Augenmaß ist hier gefragt!
Aber woran liegt es, dass sich die Kirchen im Blick auf das Gedenkjahr 2017 bisher jedenfalls schwertun, einen neuen Aufbruch zueinander zu wagen? Sie haben ihre „Unschlüssigkeit", die ihnen *Konrad Raiser* schon um 1990 herum bescheinigt hat[14], immer noch nicht hinter sich gelassen. Das hängt zu einem großen Teil mit der unbeantworteten Frage zusammen, *zu welchem Ziel* die ökumenische Reise führen soll. Wer nicht weiß, wohin er unterwegs ist, läuft Gefahr, sich schon auf dem Weg zu verirren. Das Problem liegt hier darin, dass jede Kirche ihre eigenen Vorstellungen von Kirchengemeinschaft hat, die sie gern zum Maßstab für die anderen erhebt. Dass aber auf diese Weise keine gemeinsame Zielführung zustande kommen kann, liegt auf der Hand.

3.2 Unterschiedliche Einheitsvorstellungen

Um welche verschiedenen Vorstellungen von Kircheneinheit handelt es sich? Ich stelle sie kurz vor. Die *orthodoxe* Kirche – Singular! – versteht sich als „die authentische Fortsetzung der einen, heiligen, katholischen und apostolischen Kirche, wie sie im Glaubensbekenntnis bekannt ist und durch die Lehre der

Kirchenväter bestätigt wird“[15]. Dementsprechend erwartet sie von allen nicht-orthodoxen Kirchen die Übernahme der patristischen Tradition, der sieben altkirchlichen Konzile, der konziliaren Kirchenstruktur, der apostolischen Sukzession und vor allem des apostolischen Glaubens. Sie akzeptiert weder den päpstlichen Primat noch die Gleichheit aller Konfessionen. Ihr Wahrheitselement liegt aber darin, dass zur Kirchengemeinschaft die Rückbesinnung auf die Grundlagen der Alten Kirche unabdingbar dazugehört.

Die *römisch-katholische* Kirche teilt mit der orthodoxen weitestgehend die inhaltlichen Bestimmungen der Kircheneinheit. Sie anerkennt aber auch bei anderen Kirchen „vielfältige Elemente der Heiligung und der Wahrheit, die ... auf die katholische Einheit hindrängen“[16]. Symbol und Kern dieser Einheit ist im Petrusamt des Bischofs von Rom gegeben. Seine Anerkennung gehört für „Schwesterkirchen“ nach katholischem Verständnis unerlässlich dazu. Das wiederum stellt für andere Kirchen das größte Hindernis der Einheit dar. Dennoch bleibt festzuhalten, dass Kirchengemeinschaft eine sichtbare personale Vertretung, vor allem gegenüber der nicht-christlichen Welt benötigt.

Bei den meisten *evangelischen* Kirchen hat sich das vom Lutherischen Weltbund vertretene Konzept der „Einheit in versöhnter Verschiedenheit“ durchgesetzt.[17] Es betont, dass die konfessionellen Traditionen und Identitäten erhalten bleiben und nur unvereinbare Gegensätze und Verwundungen der Vergangenheit miteinander versöhnt werden müssen. Hier stellt sich jedoch die Frage, ob es nicht ein zu statisches Modell ist, das die Kirchen versöhnt nebeneinander leben lässt, ohne zu einer sichtbaren Gemeinschaft vorzustoßen. Aber als ein wichtiger Schritt auf dem Weg zu gegenseitiger Versöhnung ist es heute wohl das Gebot der Stunde.

Jede dieser *Einheitsvorstellungen* hat zumindest *ein* wichtiges Wahrheitselement: aus orthodoxer Sicht sind es die altkirchlichen Grundlagen, aus katholischer Perspektive die personale Einheit des päpstlichen Primats, nach evangelischer Auffassung die Versöhnung untereinander. Bisher ist es jedoch nicht gelungen, diese unterschiedlichen Gesichtspunkte zu einer gemein-

samen *Zielperspektive* zu verbinden. Wenn es im Jahr 2017 zu einem neuen ökumenischen Aufbruch zueinander kommen soll, brauchen wir aber eine gemeinsame Aussicht, wohin wir miteinander gehen wollen und sollen.
Ich schlage dafür das Modell der *konziliaren Gemeinschaft* vor. Es ist bereits vor gut 40 Jahren von der Fünften Vollversammlung des Ökumenischen Rates 1975 in Nairobi entwickelt worden. Es verbindet mit dem neutestamentlichen Schlüsselwort der Gemeinschaft – Koinonia! – die altkirchliche Entwicklung von Konzilen zu dem ökumenischen Konzept der „konziliaren Gemeinschaft". Dieses Modell enthält so viele Dimensionen und Perspektiven, dass es in der Lage ist, die bisherigen Vorstellungen von kirchlicher Gemeinschaft zu einer zukunftsorientierten Sicht zusammenzuführen.

4 Auf dem Weg zu „konziliarer Gemeinschaft"

4.1 Begriffsklärungen

Was bedeutet „konziliare Gemeinschaft"? Das *Hauptwort „Gemeinschaft"* umfasst die Beziehung zwischen Gott und uns Menschen und untereinander. Nach christlichem Verständnis ist Gott in sich selber die Beziehung von Vater, Sohn und Geist: eine trinitarische Liebesbeziehung. Dank des Lebens, des Todes und der Auferweckung Jesu Christi bekommen wir Menschen Anteil an dieser göttlichen Gemeinschaft. Die Gottesbeziehung zu uns und unsere Beziehung zu Gott sind das große Geschenk, das der dreieinige Gott in Jesus Christus durch seinen Geist uns Menschen macht. Diese uns in Jesus Christus geschenkte Gemeinschaft zwischen Gott und der Menschheit auf der Erde *sichtbar* zu machen, ist die eigentliche ökumenische Aufgabe.
Wie wird diese sichtbare Gemeinschaft verstanden? Das orthodoxe Sendschreiben von 1920 spricht von „Annäherung" (raprochement) der Kirchen. Die Basis des Ökumenischen Rates der Kirchen von 1948 nennt ihre Gemeinschaft eine fellowship. In der Einheitserklärung von Canberra 1991 ist von Koinonia der Kirchen die Rede, die in „konziliaren Formen des Lebens und

Handelns“ zum Ausdruck kommt.[18] Hier ist die neutestamentliche Ebene von Gemeinschaft erreicht, die sowohl die vertikale Beziehung zwischen dem dreieinigen Gott und uns Menschen als auch die horizontale Ebene innerhalb der menschlichen Gemeinschaft umfasst.

Das *Adjektiv „konziliar“* ist von dem Substantiv *„Konzil“* abgeleitet. Dieses Lehnwort aus dem Lateinischen hat zwei Bedeutungen: 1. die repräsentative *Versammlung* eines Ortes (concilium), 2. der Vorgang der *Beratung* (consilium). Im Neuen Testament ist mehr die Zusammenkunft gemeint (z. B. Apostelgeschichte 4,15; 5,21); in der ökumenischen Bewegung häufiger die Beratung noch getrennter Kirchen. Die deutsche Sprache unterscheidet zwischen Konzil und Rat.

Das Kompositum *„konziliare Gemeinschaft“* kann daher entweder das Ereignis einer repräsentativen Zusammenkunft bezeichnen oder die Struktur einer gemeinschaftlichen Beratung. *„Konzil“* bezeichnet die repräsentative Zusammenkunft; *„Konziliarität“* die Struktur der Beratung auf den verschiedensten Ebenen. „Konziliare Gemeinschaft“ umfasst also sowohl die neutestamentliche Form der repräsentativen Zusammenkunft als auch die altkirchliche Struktur von Bezierung und Beratung. Daher ist die Formulierung „konziliare Gemeinschaft“ geeignet, heute sowohl eine repräsentative ökumenische Zusammenkunft als auch die Strukturen gemeinsamer Beratung zum Ausdruck zu bringen. In der gegenwärtigen ökumenischen Situation geht es weniger darum, auf ein neues konziliares Ereignis hinzuarbeiten, als vielmehr konziliare Strukturen des Zusammenwirkens auf allen Ebenen des kirchlichen Lebens zu entwickeln.

4.2 Eine Leitvorstellung mit Strukturen, Themen, Prozessen

Im Einzelnen gehören zu konziliarer Gemeinschaft drei Elemente: 1. gemeinsame Strukturen und Formen, 2. inhaltliche Themen der Beratung und 3. Wege, die miteinander beschritten werden: konziliare Prozesse.[19] Bei konziliaren *Strukturen* handelt es sich um vielfältige Formen von Synodalität auf den verschiedenen Ebenen des Zusammenlebens. Sie haben in orthodoxen und reformatorischen Kirchen schon eine lange Tradition und werden neuerdings auch von Papst Franziskus für die römisch-katholische Kirche empfohlen. Zu konziliaren *Themen* gehören zunächst die Bedingungen für ein ökumenisches Konzil: das gemeinsame Bekennen des apostolischen Glaubens, die gemeinschaftliche Feier der Eucharistie und die gegenseitige Anerkennung als Kirchen Jesu Christi, die gemeinsame Beratungen und Entscheidungen allererst ermöglicht. Im weiteren Sinne gehören aber auch Herausforderungen dazu, vor die die heutige Christenheit insgesamt gestellt ist, wie die Fragen nach Gerechtigkeit, Frieden und Bewahrung der Schöpfung, Gewalterfahrungen und Friedensverantwortung sowie die Begegnung mit anderen Religionen. Konziliare *Prozesse* sind Wege, die miteinander gegangen werden, um dem Ziel umfassender Gemeinsamkeit näher zu kommen. Das können Zusammenkünfte sein wie die Europäischen Ökumenischen Versammlungen oder weltweite Vorgänge mit vielfältigen Initiativen wie der Konziliare Prozess zu Gerechtigkeit, Frieden und Bewahrung der Schöpfung.[20]

So erweist sich die konziliare Gemeinschaft als ein Modell für kirchliche Einheit, das die positiven Elemente der anderen Einheitsvorstellungen zu integrieren in der Lage ist. Es setzt die Verschiedenheit der konfessionellen Partner voraus, die erhalten bleibt und nicht aufgelöst wird. Es geht nicht um eine pyramidale, sondern um eine zirkulare Gemeinschaft auf Gegenseitigkeit.[21] Es handelt sich um ein gemeinsames Leben von Kirchen und Gemeinden, die miteinander versöhnt sind und als Versöhnte immer stärker zusammenwachsen und ihr Leben miteinander teilen (sharing).

Konziliare Gemeinschaft von Kirchen und Gemeinden ist also zugleich eine gegenwärtige Erfahrung in unterschiedlicher Ausprägung, ein gemeinsamer Weg in thematischer Auseinandersetzung und gemeinschaftlichem Handeln und eine Zielvorstellung eines wahrhaft ökumenischen Konzils. Sie reicht vom ersten Schritt, den Christen aufeinanderzu tun, bis zur gemeinsamen Abendmahlsfeier auf einem ökumenischen Konzil. Deshalb schlage ich die „konziliare Gemeinschaft“ als *ökumenische Leitvorstellung* für Kirchen und Gemeinden vor. Denn es kommt darauf an, dieses vom Ökumenischen Rat der Kirchen in dreißigjähriger Arbeit zwischen 1961 und 1991 entwickelte Modell heute mit Fleisch und Blut, Geist und Leben zu erfüllen und so schrittweise Wirklichkeit werden zu lassen. Es ist keineswegs überholt, es ist nur noch nicht überzeugend in Gemeinden und Kirchen umgesetzt worden.

4.3 Zusammenfassung: Von vergangenen zu zukünftigen konziliaren Versammlungen

In diesem Buch werde ich den konziliaren Ansätzen in den verschiedenen kirchlichen Traditionen nachgehen. Es beginnt mit Luthers Auseinandersetzung mit der Konzilsfrage, die bis zu Bonhoeffers Vorschlag eines ökumenischen Konzils reicht (Kapitel II). Daran schließen sich einige Vollversammlungen des Ökumenischen Rates an, die als vorkonziliare Zusammenkünfte zu verstehen sind (Kapitel III). Es folgt die Wiederentdeckung der Kirche als Gemeinschaft im Zweiten Vatikanischen Konzil (Kapitel IV). Dann geht es um das Panorthodoxe Konzil, das im Sommer 2016 auf der Insel Kreta stattgefunden hat (Kapitel V). Aus diesen konfessionellen Erfahrungen leitet das wichtigste und deshalb ausführlichste Kapitel VI Folgerungen ab für die konziliare Gemeinschaft von Kirchen und Gemeinden insgesamt. Seine abschließenden Vorschläge für konziliare Schritte 2017 greifen das orthodoxe und angelsächsische Modell des Bundes (covenant) auf und führen es weiter. Das letzte Kapitel VII lenkt den Blick auf drei notwendige künftige konziliare Versammlungen in den Jahren 2021, 2030 und 2054 und versteht sich als konstruktiv kreative Anregung über das Jahr 2017 hinaus.

Zusammenfassend geht es in diesem Buch darum, die unvollendete reformatorische Bewegung mit einer von allen Kirchen getragenen konziliaren Bewegung aufzunehmen und in eine konziliare Gemeinschaft aller Beteiligten zu überführen. Die westliche Kirchenspaltung darf nicht das letzte Wort behalten. Es wird Zeit, im Jahr 2017 damit zu beginnen, die im Lauf von fünf Jahrhunderten entwickelten Gaben der verschiedenen

Kirchen als Geschenke füreinander zusammenzuführen und so zum Segen für alle werden zu lassen. Das kann 500 Jahre nach dem Beginn der Reformation nur gelingen, wenn wir es alle miteinander lernen, *konziliar zu denken, zu leben und zu handeln.*

Kapitel I – Anmerkungen

1. Rechtfertigung und Freiheit. 500 Jahre Reformation 2017. Ein Grundlagentext des Rates der EKD, Gütersloh 2014, S. 9.
2. Vgl. seine Ansprache vom 23. September 2011 im Erfurter Augustinerkloster, in: Apostolische Reise Seiner Heiligkeit Papst Benedikt XVI. nach Berlin, Erfurt und Freiburg, 22. bis 25. September 2011. Predigten, Ansprachen und Grußworte, VAS Nr. 189, Bonn 2011, S. 66 ff.
3. Vgl. dazu: Reformationsgedenken in ökumenischer Sicht, in: P. Bosse-Huber u. a. (Hg.), 500 Jahre Reformation. Bedeutung und Herausforderung, Zürich/Leipzig 2014, S. 349ff.
4. An den christlichen Adel deutscher Nation: Von des christlichen Standes Besserung, in: K. Bornkamm/G. Ebeling (Hg.), Martin Luther. Ausgewählte Schriften (MLAS), I. Aufbruch zur Reformation, Frankfurt/Main 1983, 2. Aufl., S. 156f.
5. In: Rundbrief der deutschen Region der Internationalen Ökumenischen Gemeinschaft, Nr. 82, Köln, März 2016, S. 13; vgl. auch ZdV (s. o. Vorwort, Anm. 6).
6. In: N. Thon (Hg.), Quellenbuch zur Geschichte der Orthodoxen Kirche, Sophia Bd. 23, Trier 1983, S. 492ff.
7. Text von 1961, in: Busan 2013 (s. o. Einführung, Anm. 1), S. 577.
8. In: KKK (s. o. Einführung, Anm. 5), S. 229ff.; zum Folgenden vgl. auch IV, 5.2.
9. VAS Nr. 194, Bonn 24. November 2013, Z. 246, S. 167.
10. Ecclesia de Eucharistia von Papst Johannes Paul II. ... über die Eucharistie in ihrer Beziehung zur Kirche, VAS Nr. 159, Bonn 17. April 2003, bes. S. 31 ff.
11. Paul Murray, Receptive Ecumenism and the Call for Catholic Learning. Exploring a Way for Contemporary Ecumenism, Oxford 2008.
12. Vgl. den Liturgie-Entwurf der Liturgische(n) Arbeitsgruppe der lutherisch/römisch-katholischen Kommission für die Einheit (Hg.), Ökumenischer Gottesdienst. Vom Konflikt zur Gemeinschaft. Gemeinsames lutherisch-katholisches Reformationsgedenken im Jahr 2017, Leipzig/Paderborn 2016, 28 S.
13. Dabei lasse ich mich von einer Übersicht von A. Keshishian leiten, Conciliar Fellowship. A Common Goal, Geneva 1992, S. 74ff.
14. K. Raiser, Ökumene im Übergang. Paradigmenwechsel in der ökumenischen Bewegung, München 1989, S. 11 ff.

15. Botschaft des Heiligen und Großen Konzils der Orthodoxen Kirche, in: KNA-ÖKI 26, 28. Juni 2016, Z. 1, S. I.

16. Kirchenkonstitution Z. 8, in: KKK (s. o. Einführung, Anm. 5), S. 131.

17. Vgl. dazu G. Gassmann, Art. Einheit, in: Evangelisches Kirchenlexikon (EKL), 3. Aufl., Bd. I, Göttingen 1986, Sp. 1002ff.

18. In: W. Müller-Römheld (Hg.), Im Zeichen des Heiligen Geistes. Bericht aus Canberra 1991 (Canberra 1991), Frankfurt/Main 1991, S. 174.

19. Vgl. dazu A. Keshishian (s. o. Anm. 13), From Ecumenical Fellowship to Conciliar Fellowship, S. 72ff.

20. Zu Einzelheiten s.u. VI, 3-6.

21. Vgl. dazu A. Keshishian, aaO. S. 69.

II.
Konziliare Ansätze im Protestantismus

1 Martin Luthers Auseinandersetzung mit der Konzilsfrage

Das Thema „Konzil" ist für Martin Luther nie eine akademische Angelegenheit gewesen, vielmehr zeitlebens eine höchst existenzielle Frage. Sie hat ihn vom Beginn seines Prozesses mit der römischen Kurie im Jahr 1518 bis in seine letzten Lebensstunden im Februar 1546 hinein begleitet, also praktisch die gesamte Zeit seines reformatorischen Wirkens: fast 30 Jahre lang. Im Anfang seiner Auseinandersetzung mit Rom hat er an ein künftiges Konzil appelliert, 20 Jahre später wurde er nach mehrfachen Verschiebungen dieses Konzils immer skeptischer im Blick auf dessen Zustandekommen und seinen Erfolg. Aber losgelassen hat ihn die Konzilsfrage zeitlebens so wenig wie seine Auseinandersetzung mit dem Papsttum.

1.1 In seinem Ketzerprozess (1518 bis 1521)

Es begann im Jahr 1518. Luther hatte nach der Veröffentlichung seiner 95 Thesen am 31. Oktober 1517 über die Wirksamkeit der Ablässe Ende Mai 1518 ein Widmungsschreiben an Papst *Leo X.* geschickt, in dem er vertrauensvoll seine Bereitschaft bekundete, sich dem Urteil des Papstes zu unterwerfen.[1] Statt einer päpstlichen Antwort erhielt er jedoch Anfang August eine kuriale Vorladung nach Rom. Damit war der offizielle Ketzerprozess gegen ihn eröffnet, was ihn zutiefst erschütterte. Dank geschickter Verhandlungen erreichte es der sächsische Kurfürst *Friedrich der Weise,* dass Luther nicht in Rom, sondern am Ort des Augsburger Reichstages 1518 vom päpstlichen Legaten, Kardinal *Cajetan,* empfangen wurde. Cajetan begegnete Luther zunächst in väterlicher Zuwendung, bestand aber später auf dessen Widerruf seiner Thesen, insbesondere gegen den päpstlichen Ablass, ohne dass darüber ein inhaltliches Gespräch geführt worden wäre. Denn der kluge Theologe Cajetan hatte scharfsinnig erkannt, dass Luthers Ansatz bei dem persönlichen Christusglauben statt bei den kirchlichen Ablassversprechen auf eine neue und andere Kirche hinausläuft.[1a] Luther hatte hingegen eine theologische Erörterung über Ablass und Glauben erwartet und war deshalb nicht bereit, den diskussionslos geforderten Widerruf zu leisten. Cajetans Verhalten war Luthers zweite Enttäuschung mit Rom.

Daher wandte er sich am 16. Oktober 1518 noch in Augsburg in einer Berufungs- und Appellationsschrift von dem „schlecht informierten an den besser zu informierenden Herrn Leo X."[2] Nachdem er ebenfalls keinerlei Antwort erhalten hatte, verfasste Luther am 28. November 1518 von Wittenberg aus eine Berufung an ein künftiges Konzil: „Dieses Konzil müsste rechtmäßig und an einem sicheren Ort stattfinden, zu dem ich freien Zutritt habe"[3]. Dieser Schritt Luthers belegt, dass sein Zutrauen zum Papst innerhalb eines halben Jahres dermaßen erschüttert war, dass er sich nur noch von der nach seiner Meinung obersten Instanz der Kirche, einem Konzil, Hoffnung und Hilfe erwartete. Gleichzeitig war damit die Autoritätsfrage in der Kirche gestellt, die Luther schon vor Cajetan so beantwortet hatte, dass für ihn an erster Stelle die Heilige Schrift stand, an zweiter das Konzil und erst an dritter der Papst.

Auch diese Appellation Luthers an ein freies Konzil blieb ohne Antwort. Stattdessen kam es im Juli 1519 in Leipzig zu einer öffentlichen Disputation zwischen Martin Luther und dem Kanzler der humanistischen Universität Ingolstadt *Johannes Eck*. Dabei ging es zunächst um den päpstlichen Primat, den Luther nur nach menschlichem Recht als „Ehrenvorrang" gelten ließ. Damit handelte er sich von Eck den Vorwurf der böhmischen Häresie ein, der ihn in die Nähe von *Johannes Hus* und *John Wyclif* brachte, die beide auf dem Konstanzer Konzil 1415 verurteilt worden waren. Luther konterte damit, dass er einige verurteilte Thesen von Hus zum Primat und zur Kirche als christlich und evangelisch in Schutz nahm. Das nutzte Eck wiederum aus, um Luther zu dem Eingeständnis zu nötigen, dass ein legitim versammeltes Konzil folglich geirrt habe. Obwohl es ihm nicht angenehm war, musste Luther die Irrtumsfähigkeit des Konzils zugestehen.[4] Damit hatte er den Konflikt um die höchste Autorität in der Kirche weiter zugespitzt. Auch Konzile können irren, wie es in Konstanz mit der Verbrennung von Jan Hus am 6. Juli 1415 geschehen ist: Das war das Ergebnis der Leipziger Disputation, zu dem Johannes Eck Martin Luther genötigt hatte. Wenige Monate später hat Luther sich in einem Brief rückblickend auch zu Jan Hus bekannt: „Ich habe bisher unbewusst den ganzen Johannes Hus gelehrt und gehalten... Kurz, wir sind alle unbewusst Hussiten. Ja, auch Paulus und Augustin sind richtige Hussiten."[5]

In seiner ersten großen reformatorischen Schrift vom Juni 1520: *„An den christlichen Adel deutscher Nation: Von des christlichen Standes Besserung",* setzt sich Luther zu Beginn mit drei Mauern auseinander, die die „Romanisten" in seinen Augen errichtet haben, um Reformen zu verhindern: 1. die geistliche Gewalt über der weltlichen; 2. das päpstliche Auslegungsmonopol der Schrift; 3. das päpstliche Berufungsmonopol für ein Konzil.[6] Bei allen drei Themen geht es um Autoritäts- bzw. Machtfragen des Papsttums. Im Blick auf den päpstlichen Anspruch, allein ein Konzil zu berufen oder zu bestätigen, hält sich Luther an die Schrift und stellt mit Berufung auf das Apostelkonzil (Apostelgeschichte 15,6) lapidar fest, „dass nicht Sankt Peter das Apostelkonzil einberufen hat, sondern alle Apostel und die Ältesten". Auch zum ersten Konzil im Jahr 325 hält er einen Trumpf in der Hand: „Auch das berühmteste Konzil von Nizäa hat der Bischof von Rom weder berufen noch bestätigt, sondern der Kaiser Konstantin." Daraus zieht Luther einen kühnen Schluss: „Wenn es die Not fordert und der Papst der Christenheit anstößig ist, soll sich darum kümmern, wer es zuerst kann als ein treues Glied des ganzen Körpers, dass ein rechtes, freies Konzil abgehalten werde."[7] Luther geht also von der Not aus, in der sich die Christenheit derzeitig befindet und der um der Menschen und ihres Heiles willen durch ein Konzil baldmöglichst Abhilfe geschaffen werden soll. Nicht grundsätzlich, sondern nur wenn und weil nach Luthers Meinung der Papst dadurch „anstößig" ist, dass er ein Konzil „verhindern" will, soll es von einem „treuen Glied" der Kirche einberufen werden. Obwohl der Abschluss des V. Laterankonzils erst gut drei Jahre zurück lag, sah Luther die durch den Ablassaufruhr und die römische Reaktion darauf hervorgerufene Lage als derart bedrängend an, dass sie nur durch ein schnellstens einzuberufendes Konzil bewältigt werden konnte. Natürlich war er nicht der Meinung, dass jedes beliebige „treue Glied“ der Kirche das bewerkstelligen könnte oder sollte, vielmehr sah er als Alternative zum Papst nur die weltliche Macht: „Dies vermag niemand so gut wie das weltliche Schwert, insbesondere weil sie nun auch Mitchristen sind.“[8] Um in seiner ersten, wichtigsten und am weitesten verbreiteten Reformationsschrift gleich unter Beweis zu stellen, wie dringlich es ihm mit der Durchführung eines nächsten Konzils war, an das er schon knapp zwei Jahre zuvor appelliert hatte, lieferte Luther gleich eine Tagesordnung von nicht weniger als 26 Punkten mit, die zur Bewältigung „durch weltliche Gewalt oder ein allgemeines Konzil“[9] anstünden. Darunter befinden sich nach Luthers Erfahrungen mit der Kurie zahlreiche papst- und rom-kritische Themen, bei denen die wirtschaftlichen Fehlgriffe auffallen, die er der geistlichen wie der weltlichen Obrigkeit zum Vorwurf macht. Er prangert „die römische Habgier ... in Christi und St. Peters heiligen Namen“ ebenso an wie das „Kreditwesen“, „das größte Unglück für die deutsche Nation... Hier müsste man wahrlich auch den Fuggern und dergleichen Gesellschaften einen Zaum ins Maul legen.“[10] In seinem Katalog der 26 Konzilsthemen zeigt Luther erstmals das breite Spektrum kirchlicher und weltlicher Bereiche auf, in denen er eine Reform als unerlässlich ansieht. Weil er es dem Papst und der Kurie nicht mehr zutraut, so zahlreiche und grundlegende Reformen anzugehen, wendet er sich mit seinem Anliegen in der Adelsschrift erstmals programmatisch an die weltliche Öffentlichkeit: „Gott gebe uns allen und insbesondere dem christlichen Adel deutscher Nation einen rechten, geistlichen Mut, um der armen Kirche das Beste zu tun. Amen.“[11]

Nachdem Papst *Leo X.* am 15. Juni 1520 eine Bannandrohungsbulle gegen Luther ausgefertigt hatte, die ihm nach Empfang 60 Tage Zeit zum Widerruf einräumte, erneuerte Luther am 17. November seine „Appellation oder Berufung an ein christliches freies Konzil“. Darin beklagt er sich, weder inhaltlich gehört noch offiziell eines Besseren belehrt worden zu sein: „Deshalb appelliere ich und berufe mich mit dieser Schrift auf ein zukünftiges freies, sicheres Konzil für mich und für alle, die mir anhängen und zukünftig anhängen werden.“[12] In dieser Schrift spricht Luther deutlich aus, dass „ein christliches allgemeines Konzil, besonders in Sachen des christlichen Glaubens, über dem Papst steht und er keine Gewalt hat zu verwehren, von ihm an dieses zu appellieren.“ Mag dieses Argument die Vermutung beflügeln, Luther sei nur ein Erneuerer des Konziliarismus des Konstanzer Konzils, so führt er wenig später seine entscheidende These ins Feld: „Des Papstes Gewalt ist weder über noch mit allen seinen Anhängern gegen, sondern für und unter der Schrift und der göttlichen Wahrheit.“[13] Luther ist davon überzeugt, dass ein christliches Konzil der Schrift und ihrer Wahrheit folgen wird, was er beim Papst gerade nicht zu erkennen vermag. So ist auch diese zweite öffentliche Berufung Luthers auf ein künftiges Konzil in Rom nicht gehört und er stattdessen am 3. Januar 1521 von Papst Leo X. offiziell exkommuniziert worden.[14]

Obwohl der im Sommer 1518 gegen Luther eröffnete Ketzerprozess mit seiner Exkommunikation sein offizielles Ende gefunden hatte, bekam er dennoch wenige Monate später eine Vorladung nach Worms, um auf dem ersten Reichstag unter der Leitung des jungen Kaisers *Karl V.* Rede und Antwort zu stehen. Nachdem die offizielle Kirche nichts mehr mit ihm zu tun haben wollte, erhielt er nun vor höchsten weltlichen Autoritäten eine Chance zu seiner Verteidigung. Allerdings ging es auch hier nicht um eine inhaltliche Auseinandersetzung mit Luthers bahnbrechenden Thesen zu Gott, Rechtfertigung und Kirche, sondern ausschließlich um die Autoritäts-, also um die Machtfrage. Luther sollte lediglich zu der Frage Stellung nehmen, ob er bereit sei, alle seine Schriften „weiter (zu) vertreten oder (zu) widerrufen“, was von ihm erwartet wurde. Er hatte damit gerechnet, mit einzelnen seiner Thesen konfrontiert zu werden und sie in inhaltlicher Disputation einer Klärung näher zu bringen. Stattdessen alle seine bisherigen Schriften, die im Verhandlungssaal aufgestapelt lagen und deren Titel einzeln verlesen wurden[15], pauschal widerrufen zu sollen, wie es schon

Cajetan von ihm gefordert hatte, versetzte Luther einen derartigen Schock, dass er um einen Tag Bedenkzeit bat. Am nächsten Tag, dem 18. April 1521, hatte er sich wieder gefangen und antwortete auf die Frage nach seinem Widerruf mit seiner berühmten Rede, die mit den Worten schloss: „Wenn ich nicht durch Schriftzeugnisse oder einen klaren Grund widerlegt werde – denn allein dem Papst oder den Konzilien glaube ich nicht; es steht fest, dass sie häufig geirrt und sich auch selbst widersprochen haben –, so bin ich durch die von mir angeführten Schriftworte überwunden. Und da mein Gewissen in den Worten Gottes gefangen ist, kann und will ich nichts widerrufen, weil es gefährlich und unmöglich ist, etwas gegen das Gewissen zu tun. Gott helfe mir. Amen."[16] Luther fasst hier kurz und einfach, wie es von ihm gefordert worden war, seine „Hierarchie der Wahrheiten" zusammen: An oberster Stelle steht für ihn die Schrift, das Wort Gottes, in dem sein Gewissen gefangen ist. An zweiter Stelle kommen klare Vernunftgründe zu stehen, sozusagen der gesunde Menschenverstand mit seiner (formalen) Logik. Erst an dritter Stelle führt Luther Papst oder Konzilien an, die er hier – anders als noch 1518 – nebeneinander auf dieselbe Stufe stellt. Diese reformatorische Hierarchie ist der spätmittelalterlichen diametral entgegengesetzt, wo der Papst an erster, die Konzilien an zweiter und Vernunft, Gewissen, Schrift u. a. m. erst an dritter. Stelle rangieren.

Luther erklärt sich in seiner Rede durchaus zum Widerruf bereit, wenn er „mit Propheten- und Evangeliumsworten", also aus der Schrift, widerlegt wird. Unter dieser Voraussetzung gilt: „Denn ich werde, wenn ich belehrt worden bin, bereit sein, jeden Irrtum zu widerrufen und meine Bücher als erster ins Feuer werfen."[17] Er widerspricht auch nicht grundsätzlich theologisch, wie Protestanten oft gemeint haben, dem Papst und Konzilen. Er stellt lediglich als historisches Faktum fest, „dass sie häufig geirrt und sich auch widersprochen haben", wobei er, wie er einige Tage später erläuterte, lediglich an das Konzil von Konstanz gedacht hat.[18] Er sagt nur, dass er sich deswegen nicht „allein", also nicht ausschließlich, auf Papst und Konzile verlassen will. Weil ihm jedoch niemand aus der Schrift als erster und oberster Instanz seine „Irrtümer" nachgewiesen hat, deshalb

„kann und will ich nichts widerrufen". Zum Schluss beruft er sich ein letztes Mal auf seinen absoluten Maßstab, dem er nichts und niemanden überzuordnen bereit ist: Gott und sein Gewissen.

Was besagt das für unser Thema: Luthers Auseinandersetzung mit der Konzilsfrage? Noch vor Luthers Auftritt vor dem Wormser Reichstag hatte einer seiner erbittersten Gegner, der päpstliche Nuntius *Hieronymus Aleander*, die Stimmung in Deutschland so beschrieben: „Ganz Deutschland ist in hellem Aufruhr; neun Zehntel erheben das Feldgeschrei ‚Luther', ... alle aber haben die Forderung eines Konzils auf ihre Fahnen geschrieben, das in Deutschland abgehalten werden soll."[19] Daraus geht schon hervor, dass Luther nicht im Traum daran dachte, sich grundsätzlich von seiner Forderung nach einem Konzil zu verabschieden. Das wird auch durch die Fortsetzung der Verhandlungen in Augsburg 1521 bestätigt: Als ihm seine Verhandlungspartner wenige Tage später vorschlugen, seine Sache statt von Kaiser und Reichsständen von und vor einem Konzil behandeln zu lassen, gab er sofort seine Zustimmung; auch jetzt mit der Maßgabe, dass das Konzil seine Urteile über Luthers reformatorische Theologie aus der Schrift begründen müsse. Sein zentraler Einwand gegen Konstanz bestand ja genau darin, dass es seine Hauptartikel nicht aus der Schrift gewonnen habe. Luther war jedoch seinerseits durchaus bereit, „die Entscheidung eines Konzils hinzunehmen, sofern diese nicht gegen Gottes Wort ausfalle"[20].

Damit ist die erste Phase von Luthers Auseinandersetzung mit der Konzilsfrage abgeschlossen. Nachdem er zu Beginn seines römischen Prozesses ausdrücklich an ein künftiges Konzil appelliert hatte – was er nie zurückgenommen hat –, haben ihn die leidvollen Erfahrungen, die er im Verlauf dieses Prozesses hat machen müssen, dazu gebracht, zurückhaltender und vorsichtiger im Blick auf die Konzile zu urteilen.

1.2 *Im Konflikt mit dem angekündigten und verschobenen Konzil (1532-1539)*

Mit Luthers offizieller Exkommunikation am 3. Januar 1521, seiner Weigerung am 18. April zu widerrufen und dem Inkrafttreten des Wormser Ediktes am 26. Mai, das ihn für vogelfrei erklärte, war der Ketzerprozess gegen ihn offiziell beendet und seine Hoffnungen auf ein künftiges Konzil gescheitert. Dadurch, dass er von seinem beschützenden Kurfürsten *Friedrich dem Weisen* auf der Wartburg für ein knappes Jahr als Junker Jörg aus dem öffentlichen Verkehr gezogen wurde, beruhigte sich zumindest die Aufregung um seine Person, aber auch der allgemeine Konflikt, da die Fronten fürs erste abgesteckt waren. An die Stelle persönlicher Auseinandersetzungen zwischen Luther und seinen Kontrahenten traten Konflikte und Lösungen innerhalb der reformatorischen Bewegung. Aufgaben, die mit dem Aufbau neuer kirchlicher Strukturen in Gottesdienst, Gemeinde und ihrer Leitung zu tun hatten, drängten sich immer unabweisbarer in den Vordergrund.

Damit trat das Thema Konzil für ein gutes Jahrzehnt bei Luther in den Hintergrund. Nachdem er Schriften von *Johannes Hus* gelesen hatte[21] und ihn mehrfach öffentlich als wahren Christen verteidigt und seine Verbrennung als Irrtum des Konstanzer Konzils gebrandmarkt hatte, lag ihm an einer Verbindung zur gemäßigten Utraquisten-Kirche wie zu den radikalen Böhmischen Brüdern. Er hoffte auf eine Vereinigung der evangelischen Böhmen und Deutschen, um die reformatorische Bewegung in Europa zu stärken.[22] Doch zu einer wirksamen Annäherung kam es nicht, sodass die Kontakte nach einigen Jahren zum Erliegen kamen.

In seiner literarischen Auseinandersetzung mit *Erasmus von Rotterdam* über den (un)freien Willen kam Luther noch einmal auf das Konstanzer Konzil zu sprechen, das seit der Leipziger Disputation für ihn selbst eine derart verhängnisvolle Rolle gespielt hatte. Es war nach seiner Meinung der historisch schlagende Beweis dafür, dass es mit seiner Verbrennung des Wahrheitszeugen Jan Hus nicht zur wahren Kirche Christi zählt. Erasmus blieb dagegen bei der Autorität der bisherigen Kirche und meinte, die Bibel sei teilweise dunkel und bedürfe kirchlicher Erhellung. Damit schieden sich auch in dieser Kontroverse die Geister: Erasmus blieb bei der traditionellen Kirche, während Luther seinen reformatorischen Weg fortsetzte. „Trotzig bekannte er sich zu dem vom Konstanzer Konzil verdammten Satz: „Alles geschieht aus göttlicher Notwendigkeit."[23]

Die Konzilsfrage wurde für Luther erst wieder nach dem Nürnberger Religionsfrieden von 1532 zu einem wichtigen Thema; denn dieser Friede sollte nur bis zum Zustandekommen eines Konzils gelten. Auf Drängen von Kaiser *Karl V.* ließ sich Papst *Clemens VII.* die Zusage für ein baldiges Konzil in Bologna abbringen. Im Sommer 1533 erkundete eine päpstliche Gesandtschaft in Wittenberg die evangelische Bereitschaft zur Teilnahme. „Von da an war das Konzil ein Thema, das die evangelischen Stände und mithin auch Luther jahrelang beschäftigte. Dabei ging es um die folgenschwere Frage, ob es endlich doch noch zur Reform der Gesamtkirche kommen würde ..."[24] Nach dem Scheitern einer Verständigung auf dem Augsburger Reichstag 1530 sprachen sich jetzt *Luther* und *Melanchthon* gleich in mehreren Gutachten – wie schon in Worms 1521 – für die evangelische Teilnahme aus. Dazu kam es jedoch erst gar nicht, weil Clemens VII. im März 1534 das Konzil auf unbestimmte Zeit verschob. Luther reagierte darauf mit einer lateinisch verfassten anonymen „Ausschreibung eines heiligen freien christlichen Concilii", dessen Autor der Heilige Geist selbst ist. „Gegen die Machenschaften des verstockten Papstes beruft er (der Heilige Geist) nun aufgrund eines trinitarischen Ratschlusses unter Umgehung aller päpstlichen Winkelzüge selbst das Konzil ein."[25]

Der Vorgang zeigt, wie viel Luther am Zustandekommen des Konzils gelegen war. Als im Herbst 1535 erneut eine Gesandtschaft des neuen Papstes *Paul III.* wegen eines neuerlichen Konzilsvorhabens in Wittenberg vorfühlte, sprach sich Luther wiederum eindeutig für die Teilnahme an einem christlichen und freien Konzil aus, immer mit der Maßgabe seiner Unterordnung unter die Autorität des Wortes Gottes. Gegenüber dem päpstlichen Nuntius *Vergerio* erklärte Luther ausdrücklich, „er werde sich dem Konzil stellen, auch wenn er dabei verbrannt werden würde"[26]. Auch diese Zusage seiner Konzilsteilnahme hat Luther zeitlebens nicht zurückgenommen. Der Schmalkaldische Bund sagte ebenfalls seine Mitarbeit an dem neuerlich ins Auge gefassten Konzil zu. Am 2. Juni 1536 berief Papst Paul III. das Konzil für Pfingsten 1537 nach Mantua ein. Daraufhin ersuchte der sächsische Kurfürst *Johann Friedrich* Martin Luther, angesichts dessen kränklichen Gesundheitszustandes, der seine Teilnahme am Konzil fraglich erscheinen ließ, sein theologisches Testament zu formulieren, das notfalls auf dem Konzil verlesen werden könnte. Luther ging sofort darauf ein und schrieb die später sogenannten *„Schmalkaldischen Artikel"*, die von den Theologen des Schmalkaldischen Bundes Anfang 1537 dort in Schmalkalden diskutiert und unterzeichnet, aber nicht förmlich verabschiedet wurden. Dennoch gelten sie seit 1544 als lutherische Bekenntnisschrift. Luther veröffentlichte sie im Sommer 1538.

In der Vorrede erläutert Luther seinen Auftrag, die evangelische Lehre zusammenzufassen: „Falls der Papst mit den Seinen einmal so kühn werden sollte, ohne Lug und Trug, im Ernst und wahrhaftig ein rechtes, freies Konzil zu halten, wie er wohl verpflichtet wäre, sollte man sie (diese Schmalkaldischen Artikel) öffentlich übergeben und als Bekenntnis unseres Glaubens vorlegen."[27] Diese Artikel haben also nach Luthers Willen dieselbe Funktion und Autorität, wie das Bekenntnis, das *Philipp Melanchthon* sieben Jahre zuvor für den Augsburger Reichstag verfasst hat: das Augsburger Bekenntnis.

In der Vorrede, die Luther erst 1538 für die Veröffentlichung der Schmalkaldischen Artikel schrieb, nachdem das Konzil erneut verschoben worden war, befasst er sich grundsätzlich mit der Frage eines Konzils. Seine Hauptthese lautet: „Ich möchte fürwahr sehr gerne ein rechtes Konzil sehen." Darunter versteht er eine Versammlung, die sich mit „notwendigen kirchlichen Angelegenheiten" befasst. Das sind an erster Stelle die reformatorischen Themen: Christus, Rechtfertigung und Glaube, an zweiter Stelle „unzählige große Stücke ... im weltlichen Stande", nämlich Missstände von Geiz und Wucher bis zu „Fressen, Spielen, Luxus": „Mit zehn Konzilen und zwanzig Reichstagen (wird man das) nicht wieder zurecht bringen." Die Vorrede zu den Schmalkaldischen Artikeln spricht sich durchaus für „ein rechtes, freies Konzil" aus, sieht aber bei Papst *Paul III.* faktisch nicht die Bereitschaft dazu. Deshalb bittet sie am Schluss: „Lieber Herr Jesus Christus, halte du selber Konzil."[28]

In der inhaltlichen Auseinandersetzung über die Stellung des Papstes berufen sich die Schmalkaldischen Artikel ebenso wie die Apologie des Augsburger Bekenntnisses auf die „alten Konzilien": „Vielmehr ist der Papst nur Bischof oder Pfarrer der Kirche zu Rom", ein „Bruder" neben und mit anderen, wie ihn *Cyprian* von Karthago angeredet hat. (28a) Mit diesem Rückgriff auf die Konzile der Alten Kirche untermauern die Schmalkaldischen Artikel ihren Anspruch, den „alten" unverfälschten christlichen Glauben zur Sprache zu bringen gegenüber den Neuerungen der Päpste.

Am wichtigsten ist der Mittelteil der Schmalkaldischen Artikel, die Artikel, „die das Amt und Werk Jesu Christi oder unsere Erlösung betreffen". Denn sie entfalten die Rechtfertigungslehre, Christus und den Glauben an ihn: „Von diesem Artikel kann man in nichts weichen oder nachgeben, mag Himmel und Erde oder was nicht bleiben will, einfallen."[29] Von diesem Kern reformatorischer Lehre aus beurteilt Luther nun das Fegefeuer, das Papsttum, die römische Messe und weitere Konfliktpunkte mit der römischen Kirche. In diesem Zusammenhang der Auseinandersetzung über die Messe fällt auch das böse Wort Luthers, das uns bis heute zu schaffen macht: „Also sind und bleiben wir ewiglich geschieden und gegeneinander."[30] Diese und andere Äußerungen muss man zeitgeschichtlich biografisch auf dem Hintergrund von Luthers schwerer Erkrankung und seinen Todesahnungen, von denen er in der Vorrede spricht[31], einordnen; theologisch zu halten sind sie jedoch nicht.

In unserem Zusammenhang ist nur noch der Artikel „Von der Kirche" von Bedeutung. Auch hier fällt Luther ein überaus hartes Urteil über die römische Kirche: „Wir gestehen ihnen nicht zu, dass sie die Kirche seien, und sie sind es auch nicht." Mit anderen Worten, Luther behauptet nicht nur, dass die römische Kirche „nicht Kirche im eigentlichen Sinn"[32] ist, vielmehr bestreitet er ihr das Kirchesein grundsätzlich und insgesamt. Und dann folgt seine berühmte Formulierung für die Kirche: „Denn es weiß, gottlob, ein Kind von sieben Jahren, was die Kirche ist:

nämlich die heiligen Gläubigen und die Schäflein, die ihres Hirten Stimme hören."[33] Luther versteht die Kirche in ihrem Kern also weder hierarchisch noch papal noch statisch als Gebäude, vielmehr personal, christusbezogen und gottesdienstlich, wie das auch im Augsburger Bekenntnis (Art. 7) der Fall ist.
Bei den abschließenden Unterschriften von Theologen, die damit diese Schmalkaldischen Artikel für sich ratifizieren, fällt die Zusatzbemerkung von *Philipp Melanchthon* aus dem Rahmen: „Ich, Philippus Melanchthon, halte diese obengenannten Artikel auch für richtig und christlich; vom Papst aber meine ich, wenn er das Evangelium zulassen wollte, dass ihm – um des Friedens und der allgemeinen Einheit willen mit denjenigen Christen, die schon unter ihm sind und in Zukunft sein werden – seine Superiorität über die Bischöfe, die er jure humano hat, auch von uns zuzugestehen ist."[34] Damit erweist sich Melanchthon gegenüber „Papst Luther" nicht nur als der kirchenrechtlich flexiblere, sondern auch als der Ökumeniker unter den Reformatoren, der hier eine Brücke zum Papsttum baut, die noch heute tragfähig ist und künftig hoffentlich noch mehr als bisher beschritten werden wird.
Dass Luther in kurzer Zeit diese Artikel zu Papier gebracht hatte, sie mit Theologen in Schmalkalden diskutierte und sie als evangelisches Votum für das Konzil unterzeichnen ließ: all das zeigt, wie viel ihm und den Theologen am Zustandekommen des Konzils gelegen war, in dem er eine letzte Chance erblickte, doch noch eine Reform der Kirche an Haupt und Gliedern zuwege zu bringen. Papst *Paul III.* hingegen sah sich innerhalb eines Jahres dreimal veranlasst, das Konzil zu verschieben: zuerst am 20. April 1537 um ein halbes Jahr, dann am 8. Oktober wiederum um sechs Monate mit Verlegung des Konzils von Mantua nach Vicenza, schließlich am 25. April 1538 seine Verschiebung auf unbestimmte Zeit. Dieses Verhalten des Papstes brachte bei Luther das Fass zum Überlaufen. Er griff nun in seinen öffentlichen Äußerungen zum Mittel der Satire. Er publizierte einem Brief „Beelzebub an die heilige päpstliche Kirche": Der versprach seine Hilfestellung bei der „Ausrottung der Galiläer" und gab der römischen Kirche die Zusicherung, „dass der ‚Geist des Galiläers' auf dem Konzil gewiss nicht anwesend sein werde"[35]. Eine rö-

mische Denkschrift von 1538 zur Reform der Kirche konnte ihn nun nicht mehr überzeugen. Weitere satirische Verunglimpfungen Roms folgten aus Luthers Feder bis hin zu einem von ihm entworfenen Holzschnitt eines Spottwappens des Papstes, dass er als „Vergeltungsaktion“[36] verstanden wissen wollte.

1.3 In der Schrift: „Von den Konziliis und Kirchen“ (1539)

Als Papst Paul III. im Sommer 1538 das Konzil doch wieder anberaumte, und zwar auf Ostern 1539, war auch Luther wieder zur Stelle, um nach seinem inhaltlichen Bekenntnis von 1537 nun zum Thema Kirche und Konzil grundsätzlich Stellung zu nehmen. Seine weit über 100 Seiten umfassende Schrift „*Von den Konziliis und Kirchen*“ war im März 1539 abgeschlossen, rechtzeitig vor Beginn des nach Vicenza einberufenen Konzils, das dann am 21. Mai endgültig abgesagt wurde. Luther nimmt in dieser Schrift so ausführlich zu Fragen eines rechten Konzils und der wahren Kirche Stellung, wie er es vorher und nachher nicht getan hat. Sie ist als sein abschließendes Wort zur Sache zu verstehen. Im ersten Teil geht es um das Konzil aus der Sicht von Schrift und Kirchenvätern. Der ausführlichste Mittelteil befasst sich mit den vier altkirchlichen Hauptkonzilien von Nizäa (325), Konstantinopel (381), Ephesus (431) und Chalcedon (451), um daran anschließend Wesen und Aufgaben eines Konzils zu erörtern. Im abschließenden dritten Teil „Von der Kirche“ entfaltet Luther sein Verständnis von Kirche unter sieben Gesichtspunkten. Für unsere Fragestellung nach Luthers Auseinandersetzung mit dem Konzilsthema ist der zusammenfassende Schluss von Teil II am wichtigsten.

(1) Aus dem ersten Teil dieser Schrift sind Luthers grundlegende Überlegungen von besonderer Bedeutung, die er mit dem „ersten Konzilium der Apostel zu Jerusalem“ verbindet, „dass wir unsere Sachen aufs Allergewisseste spielen und nicht fehlen können“[37]. Er beginnt mit dem berühmten Zitat aus der Apostelgeschichte: „Es gefällt dem Heiligen Geist und uns …“[38] Dass der Heilige Geist bei dieser Versammlung zugegen war, unterliegt für Luther natürlich keinem Zweifel. Den-

noch stellt er fest, dass das unmittelbar folgende Aposteldekret faktisch in der Kirchengeschichte nicht zum Zuge gekommen ist.[39] Drittens zieht Luther daraus die Folgerung: „Denn wo wir das zulassen, dass Menschen Macht haben, des Heiligen Geistes Ordnung und Gebot zu ändern..., wie viel weniger sollen des Papstes Gewalt und Dekrete gelten, da wir nirgend so gewiss sind, dass der Heilige Geist bei ihnen sei wie bei den Aposteln."[40]. Es ist ein Schluss a majore ad minorem: Wenn es so schon dem grünen Holz ergangen ist, wie viel mehr gilt es dann für das trockene! Damit kommt Luther zu seiner grundsätzlichen These zurück: Nicht die Beschlüsse von Konzilen, sondern nur Gottes eigenes Wort der Schrift kann unbedingte Autorität für sich beanspruchen: „Wo die Heilige Schrift nicht getan und gehalten hätte, wäre die Kirche der Konzilii und Väter halben nicht lange geblieben."[41]

(2) Das bedeutet jedoch keineswegs, wie man Luther oft und gern missverstanden hat, dass Konzile für ihn damit bedeutungslos geworden wären. Im zweiten Teil „Von den Konziliis und Kirchen" erläutert er ausführlich die ersten vier „Hauptkonzilia" und ihre grundlegende Tragweite für die christliche Kirche. „Das Nizänum handelt allein, dass Christus wahrhaftiger Gott sei. Das zu Konstantinopel, dass der Heilige Geist Gott sei. Das zu Epheso, dass Christus nicht zwo, sondern eine Person sei. Das zu Chalcedon, dass Christus nicht eine, sondern zwei Naturen habe, als Gottheit und Menschheit."[42] An die Erörterung dieser vier Hauptkonzile schließt Luther seine Erkenntnisse über „Wesen und Aufgabe eines Konzils". Er fasst sie unter 10 Gesichtspunkten zusammen:[43]

1. Ein Konzil hat keine Macht, neue Glaubensartikel zu setzen.
2. Ein Konzil soll neue Glaubensartikel verdammen, wie es in Nizäa mit der Lehre des *Arius* geschehen ist.
3. Ein Konzil hat keine Macht, neue gute Werke zu gebieten.
4. Ein Konzil soll böse Werke, die der Liebe widerstreiten, verdammen.
5. Ein Konzil hat keine Macht, den Christen neue Zeremonien wie Speise, Trank und Kleider aufzuerlegen, deren Nichtbeachtung als Todsünde gilt.

6. Ein Konzil soll solche Zeremonien nach der Schrift verdammen.
7. Ein Konzil hat keine Macht, sich in weltliche Rechte einzumischen.
8. Ein Konzil soll solche neuen Rechte verdammen.
9. Ein Konzil hat keine Macht, Dekrete zugunsten bischöflicher Gewalt zu erlassen, sondern soll sie verdammen.
10. Ein Konzil *hat* die Macht, Tage, Orte und Zeiten für Gottesdienste festzulegen, „da man zusammenkommen könne, ... zu predigen und öffentlich die Sakramente zu reichen und zu beten, singen, Gott loben und danken etc. ... Summa, man muss es haben und kann´s nicht entbehren, soll anders die Kirche bleiben."[44]

Diese 10 Gesichtspunkte verdeutlichen, wie entschieden Luther die Macht von Konzilen beschneidet. Er sieht ihre Aufgabe zunächst in negativer Hinsicht darin, falsches Lehren und Handeln zu verdammen: Anathemisat Ecclesia! Er versteht Konzile als Hofgerichte der Kirche, „nicht anders denn ein Konsistorium". Ein Konzil soll nur in Zeiten der Not zusammentreten, wenn sein abgrenzendes Urteil gefordert ist. Zur Begründung verweist Luther immer wieder auf Nizäa und seine Verurteilung der arianischen Lehre. So wie auf einem Reichstag über zeitliche Dinge gerichtet wird, so halten große Konzile nach und unter dem ewigen Wort Gottes Gericht über neue oder andere Artikel des Glaubens. Wie die klassischen vier Konzile der Alten Kirche soll jedes Konzil „allein mit des Glaubens Sachen zu tun haben und das, wenn der Glaube Not leidet"[45]. Nicht um den Papst, seine Macht und Dekrete soll es dabei gehen, sondern allein um den Glauben an Christus. „Dies ist ja, meine ich, eine Sache, wichtig genug, darum man ein stattlich, scharf, gewaltig Konzilium halten sollte. Hie sollten Kaiser und Könige zutun und den Papst, wo er nicht wollte, dazu zwingen, wie die Kaiser in den vier Hauptkonzilen getan haben."[46] Dazu sieht Luther Kaiser und Könige berufen, „weil sie Christen sind", damit viele tausend Menschen „durch ein Konzilium wieder ... zum rechten alten christlichen Glauben kommen". Wenn aber ein solches Hauptkonzil nicht zu erreichen ist, „so könnte dennoch Kaiser *Carolus* und die deutschen Fürsten wohl ein Provinzial(konzil) halten in deutschen Landen“[47].

Da Luther aber nach den Erfahrungen mit dem ständigen Verschieben kaum noch auf das Zustandekommen eines solchen Konzils zu hoffen wagt[48], gibt er seinem Konzilsanliegen noch eine andere, überraschende Wende: „Darum sollten alle Herren dazu tun, dass man Pfarren und Schulen erhielte, denn wo wir die Konzilia ja nicht haben können, *so sind die Pfarren und Schulen, wiewohl kleine, doch ewige und nützliche Konzilia*“[49]. Mit dieser kleinen Hoffnung tröstet sich Luther über das Ausbleiben des großen Konzils hinweg: „Müssen wir denn an einem Konzilio verzweifeln ..., indes wollen wir die kleinen Konzilia und die jungen Konzilia, das ist Pfarren und Schulen, fordern.“[50] Wenn das Konzil im großen nicht zu erreichen ist, dann soll es wenigstens im kleinen Bereich der Gemeinden beginnen! Denn ein Konzil ist ein „großer Prediger“ und hat eine „starke Stimme“, die man weithin hört. Abschließend schöpft Luther Hoffnung aus dem Spiel von Kinderbischöfen, die Gott zu „rechten Bischöfen macht und machen wird“. Mit dieser Vorstellung von Gemeinden und Schulen als *kleinen Konzilen* hat Luther eine revolutionäre Idee entwickelt, deren theologische Sprengkraft im Protestantismus und darüber hinaus bis heute auf ihre Explosion wartet.

(3) Im dritten Teil seiner Schrift wendet Luther sich nun von den Konzilen der Kirche zu. Er geht vom Glaubensbekenntnis aus, das von der sancta et catholica ecclesia spricht; Luther übersetzt: „ein heiliges christliches Volk“: „Weil christliche Kirchen und christliche Heiligkeit ein gemeinsamer Name und ein gemeinsames Ding in allen Kirchen und bei allen Christen in der Welt ist, deshalb sagt man: katholisch.“[51] Luther führt 7 Merkmale an, an denen man dieses christliche heilige und katholische Gottesvolk erkennt: (1) das heilige Gotteswort, (2) das heilige Sakrament der Taufe, (3) das heilige Sakrament des Altars, (4) der Gebrauch der Schlüssel, öffentlich und insgeheim, wo man „Sünde vergibt und straft“[52], (5) Ämter aufgrund der Einsetzung Christi[53], (6) das Gebet, „dass man Gott öffentlich lobt und dankt“[54], und (7) das Heilmittel des heiligen Kreuzes, dass das heilige christliche Volk „leiden muss, damit es seinem

Haupt Christus gleich werde"[55]. Luther nennt sie „die rechten sieben Hauptstücke", „sieben Heilmittel"; „ich möchte sie auch gern die sieben Sakramente nennen"[56]. Er führt auch noch weitere „äußere Zeichen" an und bezieht sich dabei auf die zweite Tafel der Gebote, durch die Gottes Volk „mehr und mehr eine neue Schöpfung... in Christus" wird. [57]

Abschließend benennt Luther „drei Hierarchien oder Rechte Gottes", mit denen er das menschliche Zusammenleben ordnet: 1. das Haus mit Eltern, Kindern und Gesinde, 2. die Stadt, das weltliche Regiment, Rathaus und Schloss, „die die Bürger schützen müssen", und 3. die Kirche: „Wenn da der Heilige Geist regiert, so nennt Christus es eine tröstliche, süße, leichte Last"[58]. Wer dem Volk Gottes andere, schwere Lasten darüber hinaus aufbürdet und sei es der Papst, dem schleudert Luther das paulinische „der sei verflucht" entgegen.[59]

Mit dieser Schrift „Von den Konziliis und Kirchen" aus dem Jahr 1539 hat Luther sein theologisch ausgereiftes und abschließendes Wort zu den Themen Konzil, Papst und Kirche als sein ekklesiologisches Vermächtnis niedergelegt. Er hat sich auch später noch hin und wieder dazu geäußert[60], aber nicht mehr in der theologischen Ausführlichkeit und Folgerichtigkeit wie in dieser Schrift, mit der für ihn das Thema Konzil und Kirche auch innerlich abgeschlossen war.

1.4 In den letzten Jahren seines Lebens

Statt des immer wieder hinausgezögerten Konzils fand im Sommer 1541 der *Regensburger Reichstag* statt, während dessen es nach Frankfurt, Hagenau und Worms ein letztes Mal zu Religionsgesprächen kam.[61] Im Verlauf der Regensburger Verhandlungen wurde Luther in Wittenberg immer wieder um Stellungnahmen gebeten, mehr als ihm lieb war. Noch weniger als in Augsburg 1530 war er jetzt für die ausgehandelten Regensburger Kompromisse zu gewinnen. Er lehnte die nicht eindeutige Formulierung zur Rechtfertigungslehre – es war von doppelter Gerechtigkeit Christi und der Menschen die Rede –, insbesondere zum Verhältnis von Glauben und Werken ab, zumal sich daraus keinerlei Folgerungen für die Kirche und ihre Gestalt ergaben. Er empfahl den evangelischen Delegierten in Regensburg, bei seinen Schmalkaldischen Artikeln zu bleiben, und statt sich auf irgendeinen Kompromiss einzulassen, ging er nun zum Gegenangriff über und forderte seinerseits von Papst, Kardinälen und Bischöfen den Widerruf ihrer Irrtümer. Darin zeigt sich einerseits das in Jahren der Auseinandersetzung gewachsene Selbstbewusstsein Luthers samt der Standfestigkeit der reformatorischen Bewegung, andererseits ist aber auch eine gewisse Erstarrung in Luthers schroffen Äußerungen nicht zu verkennen, dessen Sache Kompromisse und Diplomatie nie gewesen sind.

Das noch zu seinen Lebzeiten am 13. Dezember 1545 eröffnete *Konzil von Trient* und seine Ankündigung hat Luther nur noch am Rande zur Kenntnis genommen. Nach seinen jahrzehntelangen Erfahrungen mit Papst und Kurie erwartete er sich jetzt nichts mehr von ihnen: „Hinsichtlich des Reichtags (in Worms) und (!) Konzils (in Trient) sorge ich nichts, glaube ich nichts, hoffe ich nichts, denke ich nichts. Es ist alles ganz eitel“, schrieb er im Juni 1545 an seinen Freund *Nikolaus von Amsdorff.*[62] Im Unterschied zu seiner Stellungnahme zum Mantua-Konzil 1537, dessen evangelische Beschickung er befürwortet hatte, war er jetzt dazu nur noch bereit, wenn der Papst zuerst die Überordnung des Konzils über seine eigene Autorität anerkannte, wie es das Konstanzer Konzil formuliert hatte. Das aber stand in keinem Fall zu erwarten.[63] Zum begonnenen Konzil in Trient bemerkte Luther nur noch, „es werde sich lange hinziehen und kein Ende finden“, und betete: „Der Herr erhebe sich und zerstreue seine Feinde.“[64] Eine positivere Einstellung konnte er zu Trient offenbar nicht mehr gewinnen; die negative Sicht auf seine Gegner verdunkelte am Ende seines Lebens auch sein eigenes Wahrnehmungsvermögen. Wie sehr ihn jedoch das Thema bis an sein Lebensende verfolgte, zeigen seine letzten Gebetsmahnungen wenige Stunden vor seinem Tod in Eisleben. Er empfahl „die Sache Gottes und sein Evangelium“ der Fürbitte seiner Getreuen, „denn die zu Trient im Concilio meinen´s nicht gut mit ihm.“[65]

Luthers Auseinandersetzung mit der Konzilsfrage hat von seiner

Begegnung mit Kardinal Cajetan im Herbst 1518 bis in seine letzten Lebensstunden hinein angedauert: 27 Jahre lang!

1.5 Zusammenfassung: Luther und das Konzil

Blickt man auf Luthers faktisch lebenslange Auseinandersetzung als Reformator mit der Konzilsfrage zurück, dann empfiehlt es sich, die verschiedenen Stadien und Ebenen, auf denen sie sich abgespielt hat, zu unterscheiden: die biographisch-zeitgeschichtliche, die historische und die theologische.

(1) *Biographisch* berief sich Luther 1518 zu Beginn seines Ketzerprozesses gegenüber Kardinal Cajetan auf den Papst und als dieser nichts von sich hören ließ, auf ein künftiges Konzil. Es galt ihm damals als höchste, unhinterfragbare Autorität; das änderte sich erst mit der Leipziger Disputation. Am Ende seines Lebens erwartete er sich praktisch nichts mehr vom gerade begonnenen Trienter Konzil, obwohl es am 22. Januar 1546 beschlossen hatte, sich auch der Kirchenreform anzunehmen.

In zwei Lebensphasen hat sich Luther besonders intensiv mit der Konzilsfrage auseinandergesetzt. Die erste fiel in die *Zeit seines Ketzerprozesses 1518/1520*, als er sich von einem künftigen Konzil Unterstützung für sein reformatorisches Anliegen erwartete. Daher spricht er in der Adelsschrift 1520 grundsätzlich positiv über das Konzil.

Die zweite Phase von Luthers Auseinandersetzung mit dem Konzil wurde durch die verschiedenen päpstlichen Ankündigungen und Verschiebungen eines Konzils *in den Jahren 1532-1539* ausgelöst. Durch die enttäuschenden Erfahrungen, die er in dieser Zeit vor allem mit dem Verhalten der Päpste machte, wurde seine Einstellung gegenüber dem einzuberufenden Konzil immer skeptischer. Sie ist aus den zeitgeschichtlichen Umständen heraus durchaus verständlich, darf aber nicht vorschnell verallgemeinert werden. Es liegt eine gewisse Tragik darin, dass Luther, der anfänglich hoffnungsvoll an ein künftiges Konzil appelliert und immer wieder seine Einberufung erhofft hatte, zu seinen Lebzeiten es nicht erlebt hat und das Konzil von Trient, dessen Beginn er noch miterlebte, nicht mehr als „sein“

Konzil akzeptieren, vielmehr nur noch als Versammlung seiner Feinde wahrnehmen konnte. Auf seine biografische Auseinandersetzung mit der Konzilsfrage haben sich immer länger werdende zeitgeschichtliche Schatten gelegt.
(2) *Historisch* hat sich Luther im strengen Sinn nur mit drei Konzilen befasst: dem Apostelkonvent, dem ersten Konzil von Nizäa 325 und dem Konstanzer Konzil hundert Jahre vor seiner Zeit. Das zeitlich viel näher liegende V. Laterankonzil (1512-1517), das kurz nach Luthers Romreise (1510/11) begann und zu seinen Lebzeiten stattfand, spielt erstaunlicherweise in Luthers schriftlichen Äußerungen so gut wie keine Rolle, als ob er es nicht zur Kenntnis genommen hätte.
Zum *„Apostelkonzil"*, wie er es nennt, bemerkt er u. a., dass es nicht von Petrus, sondern von allen Aposteln gemeinsam anberaumt worden ist. Daher ist auch nicht allein, so folgert Luther, der jeweilige Nachfolger Petri berechtigt, ein Konzil einzuberufen. Ihm fällt auf, dass das Aposteldekret, das er natürlich für authentisch hält, sich in der Kirchengeschichte nicht durchgesetzt hat. Das zeigt ihm die zeitgeschichtliche Begrenzung von Konzilsbeschlüssen, die keine zeitlose Geltung für sich in Anspruch nehmen können.
Nizäa 325 stellt für Luther das historische Idealmodell eines Konzils dar: Es ist nicht von einem Papst, sondern von Kaiser *Konstantin* einberufen worden. Es gab mit *Arius* und seiner adoptianischen Christusauffassung eine akute Bedrohung des Glaubens, die vom Konzil mit der Verurteilung des Arius erfolgreich abgewehrt worden ist. Es hat als Hauptsache ein gemeinsames Glaubensbekenntnis verabschiedet; die meisten anderen in Nizäa behandelten Themen sind für Luther „Nebensache" und nicht bindend. Schließlich hat dieses erste Konzil nur gut drei Monate gedauert und nicht „endlos" wie manche späteren. Diese grundlegenden Koordinaten von Nizäa legt Luther an spätere, auch an das in seiner Zeit einzuberufende Konzil an.
Seit seiner Disputation mit *Johannes Eck* in Leipzig 1519 hat sich Luther immer wieder mit dem *Konstanzer Konzil* (1414-1418) und der dort geschehenen Verbrennung der beiden Wahrheitszeugen *Johannes Hus* und *Hieronymus von Prag* befasst. Sie wird von ihm immer wieder als Paradebeispiel dafür angeführt,

wie sich ein Konzil irren kann. Da Luther sich zeitweilig stark mit Hus und dessen papstkritischer Kirchenauffassung identifizierte, wird verständlich, warum er diesen Fall immer wieder erwähnt und zeitweilig für sich selbst ein ähnliches Schicksal erwartet bzw. befürchtet hat. Er hat selbst in den Nachverhandlungen zum Wormser Reichstag 1521 darauf hingewiesen, dass er mit seinem konzilskritischen Satz keineswegs alle, sondern lediglich das Konstanzer Konzil in Blick gehabt habe. Seine Bemerkung zu Papst und Konzilen: „Es steht fest, dass sie häufig geirrt und sich auch selbst widersprochen haben“[66], ist also mehr auf das Papsttum als auf die Konzile zu beziehen und als historisches, nicht grundsätzliches Urteil vor allem über das Konstanzer Konzil zu verstehen. Dass dieses Konzil mit seinem schriftlich fixierten Anspruch, über der Autorität des Papstes zu stehen[67], ihm auch wertvolle Hilfestellung in seinem Kampf mit dem Papsttum bot, ist Luther erst (zu) spät aufgegangen.
(3) Letztlich entscheidend ist, was Luther *theologisch* zu Konzilen zu sagen hatte. Seine Leitfrage lautet dazu: Was ist das Wesen und die Aufgabe eines Konzils? Er beginnt mit sprachlichen Überlegungen. Der allgemeine Begriff „Konzil“ sagt noch nichts über seine Qualität aus. Luther erinnert daran, dass alle Evangelien davon berichten, „dass die hohen Priester und Pharisäer Rat hielten oder Konzilia versammelten, wie sie Christum töten möchten“. In dieser Linie sieht er auch „des Papst´s Konzilia ..., darin er sich an Christi Statt zum Haupt der Kirchen setzt, die Heilige Schrift unter sich wirft und zerreißt“. Diesen falschen „Konzilen des Teufels“ stehen die „rechten Konzile“ gegenüber, in denen der Heilige Geist die Leitung übernimmt. Ein solches christliches Konzil spricht nicht im Namen des Papstes, sondern der ganzen katholischen Kirche. Es ist ein „starker Prediger“, dessen Stimme man weithin vernimmt. Seine Autorität steht nicht *über*, sondern *unter* der Schrift. Das war damals der entscheidende Konfliktpunkt im Machtkampf zwischen Rom und Wittenberg: Während in der damaligen römischen Kirche die Prioritätenfolge faktisch lautete: 1. Papst, 2. Konzil, 3. Schrift u. a. m., kehrte Luther die Reihenfolge um: 1. Schrift, 2. Konzile, 3. Papst u. a. m. Damit war der Konflikt auf Leben und Tod für die Kirche programmiert.

Luther hat die Frage nach Wesen und Auftrag von Konzilen theologisch abschließend so beantwortet, dass sie in Zeiten von Glaubensnot und -bedrängnis notwendige repräsentative Versammlungen der ganzen Kirche sind, die für den ursprünglichen christlichen Glauben gegen seine Entstellungen aktiv Partei ergreifen, indem sie die „falsche Lehre" aus der Schrift widerlegen und die Gegner aus der Gemeinschaft des heiligen, christlichen Volkes ausschließen. Das bedeutet andererseits eine gewaltige Konzentration der Konzile auf die inhaltlichen Hauptfragen der christlichen Kirche. Gegen die Tagesordnung des Zweiten Vatikanischen Konzils hätte Luther wohl nichts einzuwenden gehabt.

Schließlich ist noch einmal an Luthers kreative Interpretation der Konzilsidee zu erinnern, die aus der zeitgeschichtlichen Not eine theologische Tugend macht und statt eines großen, nicht zustande kommenden Konzils die *Einrichtung vieler kleiner Konzile* vorschlägt: Pfarren und Schulen, in denen der reformatorische Glaube an die rechtfertigende Gnade Gottes in Christus gepredigt, gelehrt, besprochen und besungen wird. Damit hat Luther den reformatorischen Kirchen den Weg zu konziliaren Zusammenkünften auf allen Ebenen gewiesen.

2 Die reformatorische Berufung auf ein Konzil

2.1 Die Vorrede zum Augsburger Bekenntnis (1530)

Martin Luther hat sich zeitlebens am intensivsten mit dem Wohl und Wehe von Konzilen auseinandergesetzt. Da aber zu Beginn der reformatorischen Bewegung der Ruf nach einem Konzil für die Erneuerung der Kirche an Haupt und Gliedern landauf landab erscholl, konnte es gar nicht ausbleiben, dass auch andere Befürworter der Reformation diese Konzilsforderung bereitwillig aufgegriffen. Unter den „fürstlichen" Anhängern Luthers machte sich Landgraf *Philip von Hessen* das Konzilsanliegen in besonderer Weise zu eigen. Er sorgte dafür, dass das Thema in der Vorrede zum Augsburger Bekenntnis von 1530 ausführlich zur Sprache kam.

Ihr dritter Teil befasst sich mit der Frage von bindenden Beschlüssen, die über die angebotenen Beratungen und Verhandlungen naturgemäß hinausgehen. In dieser Hinsicht erinnert die Vorrede Kaiser *Karl V.* an sein Versprechen vom Speyerer Reichstag 1526, „nicht … in Sachen unseres heiligen Glaubens Beschlüsse fassen zu lassen, sondern sich beim Papst (*Clemens VII.*) für die Abhaltung eines Konzils nachdrücklich einzusetzen". Außerdem zitiert sie aus der kaiserlichen Proposition zur Eröffnung des letzten Reichstages 1529 ebenfalls in Speyer, „darauf hinzuwirken, dass der Papst ein solches Allgemeines Konzil zusammen mit Eurer Kaiserlichen Majestät so bald wie möglich auszuschreiben bereit wäre und dass alles dafür getan werden sollte"[68].

Nachdem Kaiser *Karl V.* durch diese Zitationen an seine Reichstagszusagen erinnert und damit öffentlich auf sie festgelegt worden ist, kommt die Vorrede zum Augsburger Bekenntnis zu ihrem Höhepunkt: „Daher erklären wir zum wiederholten Male gegenüber Eurer Kaiserlichen Majestät untertänigst unsere Bereitschaft zu einem solchen *allgemeinen, freien, christlichen Konzil* … Wir haben uns … wegen dieser höchst wichtigen Angelegenheit bereits früher (Reichstag zu Speyer 1529) in rechtsverbindlicher Form auf ein solches Konzil berufen und an dasselbe appelliert. Dies halten wir aufrecht und werden davon weder angesichts der jetzigen noch künftiger Verhandlungen Abstand nehmen … Dies bezeugen wir hiermit öffentlich und beharren auf unserem Protest"[69], den die evangelischen Stände gegen den reformationsfeindlichen Reichstagsabschied 1529 eingelegt hatten.

Damit waren die Verhandlungen wie der gesamte Augsburger Reichstag in Glaubensangelegenheiten von den reformatorischen Wortführern in ihre bzw. seine Schranken gewiesen. Man war weder bereit, den Kaiser noch die Reichstagsversammlung als beschlussfassende Instanz in Sachen des Glaubens und der Religion zu akzeptieren, sondern appellierte wie Luther 1518 und 1520 nun insgesamt als offizielle evangelische Vertretung auf dem Reichstag an ein künftiges „allgemeines, freies, christliches Konzil" als oberste Instanz.[70] Das bedeutete aber auch, die Verhandlungen auf dem Augsburger Reichstag, wie auch immer

sie verlaufen würden, offen zu halten für eine Verständigung auf einem künftigen Konzil und sie nicht vorschnell und schon gar nicht einseitig zu beenden oder gar für gescheitert zu erklären. Mit anderen Worten, mit dieser Appellation an ein „so bald wie möglich auszuschreibendes“ Konzil erklärten sich die Repräsentanten der Reformation auf dem Reichstag bereit, ihr eigenes Bekenntnis des christlichen Glaubens einem künftigen Verständigungsprozess auszusetzen, der auf der Grundlage der Prüfung an der Schrift auch Korrekturen beinhalten konnte. Bekanntlich ist es weder zu den angebotenen Verhandlungen noch zu dem baldigen Konzil gekommen; stattdessen haben sich im Lauf der Zeit exklusiv gegeneinander profilierende Konfessionskirchen herausgebildet. Das ändert jedoch nichts an der auf Verständigung und Erhaltung der Kircheneinheit abzielenden Intention nicht nur der Vorrede, sondern auch des ersten und zweiten Teils des Augsburger Bekenntnisses von 1530.
Diese ursprüngliche Absicht der Confessio Augustana (CA) ist erst im Verlauf der lutherisch-katholischen Gespräche nach dem Zweiten Vatikanischen Konzil wieder erkannt worden. Sie hat dazu geführt, dass im Vorfeld des 450-jährigen Jubiläums des Augsburger Bekenntnisses in den späten siebziger Jahren des vorigen Jahrhunderts kein Geringerer als *Joseph Ratzinger,* der damals in München als Erzbischof tätig war, den Vorschlag unterstützte, eine offizielle Anerkennung des Augsburger Bekenntnisses durch die römisch-katholische Kirche anzustreben.[71] Zwar sind auch diese Bemühungen, Ende des 20. Jahrhunderts nachzuholen, was im 16. Jahrhundert nicht gelungen war, nach kurzer Zeit wieder fallen gelassen worden, sie lassen jedoch erkennen, wie nahe sich beide Konfessionskirchen bereits vor über 40 Jahren gekommen sind. Was spricht dagegen, im Zusammenhang mit dem 500-jährigen Gedenken an den Beginn der Reformation an das Augsburger „Modell eines konziliaren Bemühens um die Einheit der Kirchen“ erneut anzuknüpfen und das Augsburger Bekenntnis von 1530 zu einer der Säulen künftiger konziliarer Kirchengemeinschaft werden zu lassen? Es erfordert lediglich „eine Situation der Offenheit, in der der in der Confessio Augustana ausgesprochene Konsensus in einen umfassenden Konsensus der Kirche eingebracht werden könnte.“[72]

2.2 *Die Apologie des Augsburger Bekenntnisses (1531)*

Während es in der Vorrede zum Augsburger Bekenntnis um die programmatische Forderung der Reformatoren nach einem künftigen Konzil geht, beruft sich *Philipp Melanchthon* in der „Apologie des Augsburger Bekenntnisses“ von 1531 in der inhaltlichen Auseinandersetzung mit seinen Gegnern der Confutatio, der Gegenschrift zur Confessio Augustana, immer wieder auf Konzilsäußerungen. Das zeigt nicht nur, wie vertraut Melanchthon ebenso wie Luther namentlich mit den altkirchlichen Konzilen war, es verdeutlicht auch den hohen Stellenwert, den Melanchthon den Konzilstexten zuerkannte. Zudem stellen Konzile und Kirchenväter neben der Schrift weitere gemeinsame Bezugsgrößen dar, die Melanchthon um der gemeinsamen Tradition und der Einheit der Kirche willen gern zu Rate zog.

Zum Thema *Buße* stellt die Apologie klar, dass die Bussbestimmungen der Konzile der Reinigung und Kirchenzucht dienen, nicht aber der „Vergebung der Schuld“[73]. Im Streit um die *beiden Gestalten des Abendmahls*, Brot und Wein, beruft sich die Apologie an erster Stelle auf Christus, der „beide Teile (Brot und Wein)...nicht für einen Teil der Kirche (die Kleriker) eingesetzt (hat), sondern für die ganze Kirche“ (mit den Laien). An zweiter Stelle werden zur Untermauerung Kirchenväter und das „Konzil von Toledo“ im Jahr 633 angeführt.[74] Zur Befürwortung der *Priesterehe* gegenüber dem *Zölibat* beruft sich die Apologie außer dem Völkerrecht und dem göttlichen Recht auch auf Bestimmungen der Konzile: „Wir können deshalb das Zölibatsgesetz, das die Gegner verteidigen, nicht billigen, weil es mit dem göttlichen und natürlichen Recht (jus divinum et naturale) im Widerspruch steht und von den Bestimmungen der Konzilien abweicht.“[75] Dabei nimmt die Apologie die alten Konzile, die die Ehe nicht verbieten und geschlossene Ehen nicht auflösen, für sich in Anspruch gegenüber „neuen Bestimmungen“ „durch privaten Beschluss der Päpste“, die Eheschließungen verbieten, geschlossene Ehen auflösen „und das geschieht offensichtlich gegen das Gebot Christi“. Hier beruft sich also die Apologie des Augsburger Bekenntnisses ihrerseits auf die alten Konzilsbestimmungen und wirft den späteren Päpsten vor, „die Autorität der Konzilien“ zu verachten.[76]

2.3 *Traktat über die Gewalt und den Primat des Papstes (1537)*

In Schmalkalden erhielt *Philipp Melanchthon* den Auftrag, die reformatorische Lehre über den Primat des Papstes gesondert in einer eigenen Schrift niederzulegen, weil sie im Augsburger Bekenntnis nicht zur Sprache gekommen war und angesichts der immer erneuten Verschiebungen des Konzils eine Klärung des Verhältnisses von Papst und Konzil dringlich geworden war. Der Traktat, der in Schmalkalden im Unterschied zu Luthers Artikeln sofort als Bekenntnisschrift angenommen wurde, setzt sich in seinem ersten Teil mit dem päpstlichen Anspruch auseinander, dass der römische Bischof „kraft göttlichen Rechts (jure divino) über allen Bischöfen und Pastoren steht“[77]. Diese päpstliche Anmaßung erstreckt sich auch auf die Konzile, die doch „Urteile der Kirche, nicht der Päpste, sind“. Wenn aber der Papst „seine Autorität dem Urteil der Konzilien und der ganzen Kirche vorzieht“, dann bedeutet dies, wie der Traktat messerscharf folgert, „dass er sich selbst zum Gott macht und nicht von der Kirche oder irgend jemandem“ (sonst) beurteilt werden will“[78]. Daher erklärt sich die Schärfe, mit der auch dieser Traktat den Papst als „Antichrist“ bezeichnet.

Wie alle reformatorischen Bekenntnisschriften so beginnt auch dieser Traktat die Widerlegung des päpstlichen Anspruchs auf gottgleiche Vollmacht mit der Schrift bzw. dem Evangelium Christi, der „ausdrücklich eine Vorherrschaft unter den Aposteln ... verbietet“. Danach kommt der Traktat sofort auf das Konzil von Nizäa (325) zu sprechen, auf dem die Befugnisse des römischen Bischofs „kraft menschlichen Rechts, d. h. kraft Anordnung eines Konzils“ geregelt wurden. Dass weder in Nizäa noch in den „meisten anderen“ altkirchlichen Konzilen der Bischof von Rom den Vorsitz führte, belegt für den Traktat zudem, dass von der Anerkennung eines universalen päpstlichen Primates nicht die Rede sein kann.[79] Diese kirchengeschichtlichen konziliaren Argumente untermauern die neutestamentlicher Anordnung Christi: „Einer ist euer Meister, ihr aber seid alle Brüder.“[80] Während in Luthers Schmalkaldischen Artikeln dem Papsttum seine universale Existenzberechtigung rundweg abgesprochen wird, die nur Christus allein zukommt, gesteht Melanchthons „Traktat über die Gewalt und den Primat des Papstes“ ihm zu, nach menschlichem Recht seine „Oberhoheit“ über Bischöfe auszuüben, wie es Melanchthon auch bei seiner Unterschrift unter die Schmalkaldischen Artikeln mit seinem einschränkenden Zusatz formuliert hat.[81]

2.4 Philipp Melanchthon zur Autorität von Synoden (1541)

Im Zusammenhang mit dem Regensburger Religionsgespräch 1541, an dem er natürlich federführend beteiligt war, und mit Verhandlungen zwischen Kaiser *Karl V.* und Papst Paul III. über ein Konzil im September 1541 verfasste Philipp Melanchthon eine *Disputationsrede* über die Frage nach der Autorität von Synoden und konziliaren Versammlungen, die von *Georg Fuhrmann* bei seiner Magister Promotion in Wittenberg vorgetragen wurde.[82] „Ich lege also die Frage vor, ob, wenn es in der Kirche eine Autorität zur Auslegung gibt, diese primär den Synoden zuzuerkennen sei, und ob man anerkennen müsse, dass rechtmäßig versammelte Synoden sich nicht irren können.“[83] Zur Beantwortung dieser Frage macht Melanchthon folgende 7 Gesichtspunkte geltend:

(1) Wie weltlichen Gerichten zur Auslegung von Gesetzen so ist auch der Kirche bei Streitigkeiten die Autorität zur Auslegung von Zweifelsfällen gegeben, damit sie ihre „eigenen Lehrsätze“ aufstellen kann.
(2) Diese Autorität ist nicht einem oder mehreren einzelnen Menschen erteilt worden, sondern vielen in einer Versammlung, wie sie eine Synode darstellt.
(3) Beim Apostelkonzil (Apostelgeschichte 15) rufen die Apostel „ihr Kollegium wie auch Älteste von außerhalb“ zusammen, um in der Frage der Beschneidung von Heidenchristen einen Beschluss „aufgrund des Urteils vieler Christen“ zu fassen.

(4) Dementsprechend gehören zur Kirche nicht nur Amtsträger, sondern auch fromme Laien und gelehrte Theologen. Aber „es ist ... unsinnig, sich Kirche ohne das Amt vorzustellen".

(5) „Beschlüsse von Synoden (muss man) als gewiss annehmen ... und (darf sie) nicht in Zweifel ziehen." Synoden sind eine „unverletzliche" Entscheidungsautorität der Kirche.

(6) Dennoch können auch legitim einberufene Synoden sich „schändlich irren" wie z. B. die Synode von Sirmium im Jahr 357 oder das IV. Laterankonzil 1215, dessen Wandlungslehre bei der Eucharistie es erforderlich macht, „dass man sie infrage stellt."

(7) „Man muss deswegen den alten Synoden ihr Gewicht durchaus nicht absprechen. Ihnen stimmen wir wegen der gewissen und zuverlässigen Zeugnisse der apostolischen Schriften und anderer altbewährter Zeugnisse zu."[84]

Melanchthon setzt sich in dieser Schrift über die „Synoden" zweifellos mit Konzilen und konziliaren Versammlungen – rite vocatus! – auseinander. Obwohl sie sich irren können, zuerkennt er ihnen eine sehr hohe, „unverletzliche" Autorität. Er grenzt sie gegenüber einzelnen Personen z. B. den Päpsten ebenso wie gegenüber mehreren Einzelnen, z. B. kleinen esoterischen Gruppen ab. Denn er sieht deutlich die beiden lauernden Gefahren: Tyrannei von Päpsten und Anarchie sich päpstlich aufführender kleiner Zirkel: „Beides führt zum Untergang der Kirche."[85] Stattdessen geht es um die repräsentative Gesamtheit der Kirche von Laien, Theologen und Amtsträgern, „die einen herausragenden Rang einnehmen"[86]. Denn im Unterschied zu den beiden anderen Gruppen verdankt sich das Amt dem jus divinum: „Gott hat das Predigtamt eingesetzt", wie Melanchthon in Artikel 5 des Augsburger Bekenntnisses formuliert.[87] Die „Autorität der Synoden" soll also einerseits „Leichtfertigkeit, Vermessenheit und Übermut der Geister" bekämpfen wie z. B. Luthers Gegenspieler *Johannes Eck,* andererseits vor „ungerechter und tyrannischer Macht" beschützen, wie sie Päpste immer wieder an den Tag gelegt haben. „Wir aber wollen Gott bitten, dass er selbst die Kirche ... regiere und berufene Leiter erwecke und dereinst wieder gottesfürchtige Synoden einrichte."[88] Damit beruft sich Melanchthon auf seine Weise auf ein künftiges, freies und wahrhaft christliches Konzil und weist zugleich den entstehenden reformatorischen Kirchen den Weg zur „Autorität von Synoden".

2.5 *Thomas Cranmer und Johannes Calvin zur Frage eines evangelischen Konzils (1552)*

Thomas Cranmer, Erzbischof von Canterbury unter *Heinrich VIII., Edward VI.* und *Mary I.,* knüpfte früh Beziehungen zum europäischen Festland und kam auf diese Weise mit der Wittenberger Reformation in Verbindung. Er heiratete 1532 die Nichte des Nürnberger lutherischen Theologen *Andreas Osiander,* was seine europäische, nicht auf England fixierte Orientierung beflügelte. Unter der Regentschaft des jungen Königs *Edward VI.* (1547-1553) erlebte die reformatorische Bewegung in England mit Thomas Cranmer an der Spitze eine kurze Blütezeit. Nach dem Scheitern des Kölner Reformationsversuchs von Erzbischof *Hermann von Wied,* an dem *Martin Bucer* und *Philipp Melanchthon* federführend beteiligt waren[89], ging Bucer auf Einladung von Thomas Cranmer nach Cambridge in England, wo er im Book of Common Prayer von 1549 seine liturgischen Entwürfe aus dem Kölner „Einfältiges Bedenken" von 1543 zur Geltung bringen konnte. Cranmer war daran interessiert, namhafte kontinentale reformatorische Theologen nach England zu holen. Außer dem Straßburger Martin Bucer kam der Italiener *Pierremartine Vermigli* aus Neapel nach Oxford und der Pole *Jan Laski* übernahm die Leitung der Flüchtlingsgemeinde in London (Stranger Church). Denn nach dem verlorenen Schmalkaldischen Krieg flüchteten Tausende mitteleuropäische Protestanten ins reformierte England, um dort ihren neuen reformatorischen Glauben ohne Repressalien leben zu können. Thomas Cranmer verantwortete die Formulierung der 42 Artikel von 1552 und verband damit die Vision, „England solle zum Vorreiter der Reformation in ganz Europa werden"[90]. Er versuchte deshalb auch, Philipp Melanchthon zum Nachfolger Martin Bucers in Cambridge zu machen.

Das ist der Hintergrund, auf dem Cranmer den Plan entwickelte, eine Art „Evangelisches Konzil" namhafter reformatorischer

Theologen aus (west)europäischen Ländern in England zu veranstalten, auf dem strittige Fragen geklärt und mit einem gemeinsamen evangelischen Bekenntnis beantwortet werden sollten. Fragen der Rechtfertigungslehre, die durch Osianders Lehre aufgeworfen worden waren, gehörten ebenso dazu, wie gottesdienstliche Themen des Book of Common Prayer von 1552. König Edward VI. war begeistert von diesem Plan und bot einen Ort in England an. Cranmer erläuterte seine Idee in Briefen an *Johannes Calvin* in Genf und *Heinrich Bullinger* in Zürich.

Calvin antwortete zustimmend auf Cranmers Vorschlag: „Du hast, erlauchtester Herr, sehr wahr und klug geurteilt, es könne bei der gegenwärtigen, so verworrenen Situation der Kirche kein geeigneteres Heilmittel geben, als dass fromme, mutige und in Gottes Schule geübte und bewährte Männer zusammenkommen, um ihre Übereinstimmung in der reinen Lehre zu bekennen.“[91] Calvin machte die Zerrissenheit unter den evangelischen Kirchen wie das sperrige Verhalten mancher reformatorischer Lehrer erheblich zu schaffen, weil er erkannte, dass dadurch „der Leib der Kirche mit zerstreuten Gliedern wie zerstückelt daliegt“ und so keine Überzeugungskraft gewinnen kann. Deshalb unterstützte er Cranmer in seinem Bemühen, „dass gelehrte und ernsthafte Männer aus den wichtigsten Kirchen an einem bestimmten Ort zusammenträten, einzelne Glaubensartikel sorgfältig herausgegriffen und aufgrund gemeinsamer Beschlüsse (sententia) den Nachkommen eine sichere Schriftlehre hinterließen“. Obwohl es um Calvins eigene Gesundheit nicht zum Besten bestellt war, hielt er das Anliegen einer solchen konziliaren Zusammenkunft für so wichtig, dass er Cranmer zusagte: „Was mich betrifft, so will ich´s mich nicht verdrießen lassen, deshalb zehn Meere, wenn‘s sein muss, zu durchqueren.“[92]

Angesichts der kriegerischen Auseinandersetzungen auf dem europäischen Festland in Österreich zwischen Kaiser *Karl V.* und *Moritz von Sachsen* sah Cranmer bald keine Möglichkeit mehr, ein evangelisches Konzil zu verwirklichen, und teilte das Calvin brieflich mit. Der war keineswegs erfreut über diese Nachricht und sah durchaus „keinen Grund, bedächtiger auf das Ziel loszugehen“. Er redete dem zögerlichen diplomatischen Cranmer

im Dezember 1552 geradezu ins Gewissen: „Doch um frei heraus zu reden, fürchte ich sehr, und diese Furcht kehrt immer wieder, dass über so viel Zögern so mancher Herbst verstreicht und schließlich die Kälte eines dauernden Winters einbrechen wird. Schon Dein Alter muss Dich, je schwerer es wird, umso schärfer anspornen, damit Dein Gewissen Dir nicht große Angst macht, etwa zu langsam (gearbeitet zu haben), wenn Du bei so verworrenen Verhältnissen aus der Welt abtreten musst."[93]
Calvin erweist sich in seinen Briefen an Thomas Cranmer als scharfsichtiger Beobachter der Lage, dass man den Kairos nutzen muss, solange er gegeben ist. Er hatte auch mit seiner prophetischen Sicht Recht, dass Cranmer schon wenige Jahre später unter der katholischen Königin Maria auf dem Scheiterhaufen „aus der Welt abtreten" musste.[94]
So ist das von Cranmer geplante und von Calvin glühend unterstützte „evangelische Konzil" nie zusammengetreten. Neben Melanchthon, dem Verfasser des „konziliaren" Augsburger Bekenntnisses von 1530, war Calvin, der Genfer Reformator der zweiten Generation, einer „der ersten protestantischen Ökumeniker, der das große Ganze im Auge behaltend sich noch einmal bemüht, die auseinanderstrebenden Kräfte zu einen"[95].

2.6 Zusammenfassung: Konziliare Ansätze im Protestantismus

Was lässt sich *zusammenfassend* über die reformatorische Stellung zur Konzilsfrage sagen?

(1) Nicht nur Martin Luther als Einzelperson, sondern die Mehrheit der evangelisch-lutherischen Bekenntnisschriften befassen sich mit der Konzilsthematik.
(2) Nicht nur der junge Luther von 1518 und 1520, sondern auch die Vorreden zum Augsburger Bekenntnis und zu den Schmalkaldischen Artikeln berufen sich auf ein künftiges Konzil als Entscheidungsinstanz in Glaubensfragen.
(3) Nach der Schrift als oberster Norm stellen für die Reformatoren die Konzile, die Urteile der umfassenden Kirche fällen, die

zweite Berufungsinstanz dar, auch wenn sie nicht irrtumsfrei sind.
(4) Am wichtigsten sind für die Reformatoren die altkirchlichen Konzile und unter ihnen ganz besonders das erste von Nizäa 325, das für sie als Modell eines rechten Konzils gilt.
(5) Die beiden Säulen, Schrift und altkirchliche Konzile, sind die Grundlagen für die reformatorische Kritik am Papsttum ihrer Zeit.
(6) Die Reformatoren sehen sich im Bund mit den altkirchlichen Konzilen und Kirchenvätern gegenüber den Neuerungen der spätmittelalterlichen römischen Kirche.
(7) Obwohl es faktisch nicht zur Verwirklichung eines freien, allgemeinen Konzils zu ihrer Zeit gekommen ist, halten die reformatorischen Bekenntnisschriften theologisch grundsätzlich an der Autorität von Konzilen fest, umso mehr, je deutlicher sie sich der obersten Autorität der Schrift unterordnen.

Schon sehr früh ist Luther von Kardinal Cajetan und auf dem Wormser Reichstag der Vorwurf gemacht worden, er gefährde bzw. spalte die Einheit der Kirche. Kaiser Karl V. wandte sich in seiner Antwort vom 19. April 1521 in Worms mit dem Hauptargument gegen Luther, ein einzelner und sei es auch der beste Theologe könne nicht im Recht sein gegenüber der Gesamtheit der Kirche seit 1500 Jahren.[96] Es ist auch bekannt, dass Luther in seinen späten Lebensjahren zeitweilig unter seinem eigenen Eindruck erheblich gelitten hat, mit seiner Reformation zum Auseinanderbrechen der Kirche beigetragen zu haben, statt sie – wie es von Anfang an seine Absicht gewesen war – insgesamt an Haupt und Gliedern zu erneuern. Dass er mit seiner im Alter sich bis zur Maßlosigkeit[97] steigernden Polemik gegen das Papsttum und seiner zunehmenden ablehnenden Haltung gegenüber einem vom Papst dominierten Konzil jedenfalls keinen Beitrag zum Erhalt der Kircheneinheit beigesteuert hat, wird man schwerlich bestreiten können. Es ist zumindest bis zum Zweiten Vatikanischen Konzil – mancherorts bis heute – die vorherrschende katholische Meinung zu Luther und der Reformation gewesen, für die Spaltung der Westkirche verantwortlich zu sein.

Was haben Luther und die anderen Reformatoren diesem schwersten aller Vorwürfe entgegenzusetzen, sich gegen die Einheit der Kirche und damit gegen die Glaubensgemeinschaft versündigt zu haben? Luther hat ebenfalls sehr früh die Erfahrung machen müssen, dass er als einzelner nicht nur nicht gehört wurde, sondern auch gegen die von Rom in Gang gesetzte Maschinerie seines Ketzerprozesses keine reale Chance besaß. Um als einzelner nicht von vornherein unter alle Räder zu geraten, appellierte er zweimal an ein künftiges Konzil, von dem er sich gern belehren und seiner angeblichen Irrtümer überführen lassen wollte. Seine in der Leipziger Disputation erstmals geäußerte Erkenntnis, dass auch Konzile irren können und im Fall von *Jan Hus* in Konstanz auch geirrt haben, hat ihn seine letzte Zuflucht zur Heiligen Schrift nehmen lassen, in der er Gottes Wort immer wieder fand, das ihn in seinem Gewissen gefangen nahm. Diese oberste Priorität, die er, die anderen Reformatoren und schließlich der gesamte Protestantismus der Schrift einräumten, hat Luther in einen Konflikt auf Leben und Tod mit den Ansprüchen des Papsttums gebracht, nicht aber mit der zweiten Instanz, dem Konzil. In der Hochschätzung von Konzilen sind ihm nicht nur Melanchthon und Calvin gefolgt, sondern auch vier evangelisch-lutherische Bekenntnisschriften: das Augsburger Bekenntnis 1530, seine Apologie 1531, die Schmalkaldischen Artikel 1537 und der Traktat über die Gewalt und den Primat des Papstes, ebenfalls 1537.

Es gilt also, deutlicher als bisher geschehen, theologisch zwischen reformatorischer Wertschätzung von Konzilen und kritischer Haltung gegenüber dem Papsttum zu unterscheiden. Die faktische Verquickung von päpstlichem Machtanspruch mit der Durchführung von Konzilen stellt das eigentliche Problem und den in der Reformationszeit ungelösten Konflikt dar. Wäre die Formulierung des Zweiten Vatikanischen Konzils: „Das Lehramt ist nicht über dem Wort Gottes, sondern dient ihm“[98], schon in Trient gefallen und befolgt worden, hätte m.E. der für die Erhaltung der kirchlichen Einheit tödliche Konflikt im 16. Jahrhundert bewältigt werden können.

Es ist eine tragische Entwicklung geworden, dass Luthers frühe Konzilsappellationen überhaupt kein Gehör gefunden haben und dass das nach dem Augsburger Reichstag von 1530 vorgesehene Konzil erst nach Bologna, dann nach Mantua, dann nach Vicenza einberufen, aber von den Päpsten immer wieder verschoben worden ist, bis es endlich am 13. Dezember 1545 in Trient eröffnet wurde, als das Zeitfenster für eine Verständigung bereits geschlossen war. Nachdem das letzte Religionsgespräch in Regensburg 1541 ergebnislos abgebrochen worden war und bereits die Waffen zum Schmalkaldischen Krieg geschmiedet wurden, konnte das mindestens 15 Jahre zu spät einberufene Trienter Konzil das Auseinanderbrechen der katholischen und reformatorischen Kräfte nicht mehr aufhalten.

Damit war das zuerst von Luther und knapp 30 Jahre später von katholischer Seite verfolgte Ziel, eine Erneuerung der gesamten Kirche mit Hilfe eines Konzils zu erreichen, gescheitert. Trient wurde ein „katholisches" Konzil, an dem nur wenige Protestanten zeitweilig und widerwillig teilnahmen. Für die reformatorische Seite blieb nur noch die Perspektive eines „evangelischen Konzils" übrig, die allen voran der Genfer Reformator Johannes Calvin hartnäckig verfolgte. Auch diese Option stand unter keinem günstigen Stern. Der 1549 geschlossene Consensus Tigurinus, eine Verständigung zwischen der Genfer und Züricher Reformation in der Schweiz, die Calvin in der Hoffnung auf eine Einigung der gesamten reformatorischen Bewegung eingegangen war, erreichte dieses Ziel auch nicht; im Gegenteil: er wurde zum Auslöser des zweiten Abendmahlsstreits mit dem Hamburger lutherischen Pfarrer *Joachim Westphal*. Drei Jahre später kam das von *Thomas Cranmer* initiierte und von Calvin aus tiefster Überzeugung unterstützte „evangelische Konzil", das als Einigung zumindest des westeuropäischen reformierten Protestantismus gedacht war, in England nicht mehr zustande. Immerhin gelang 1570 im polnischen Sendomir eine Union zwischen Lutheranern, Reformierten und Waldensern mit Kanzel- und Abendmahlsgemeinschaft, an deren Zustandekommen der inzwischen verstorbene Calvin nicht unbeteiligt gewesen war.

Die eigentliche konziliare Leistung der Reformation liegt darin, das synodale Prinzip in den reformatorischen Kirchen in der einen oder anderen Form fest verankert zu haben. Es begann 1559 mit der ersten Nationalsynode in Paris, aus der die Confessio Gallicana hervorging. Es folgte 1571 die erste niederländische Nationalsynode in Emden. 1610 kam es zu einer reformierten Synode in Duisburg und 1618 zu der berühmten Doordrechter Synode, die Calvins Prädestinationslehre auf ihren Schild hob. So entstanden in den westeuropäischen reformierten Ländern überall Synoden, die auch Laien einbezogen und diese Form von Konziliarität auf dem Seeweg bis nach Nordamerika expedierten. Später bürgerten sich Synoden auch in lutherisch geprägten Kirchen ein und die ab dem 17. Jahrhundert entstandenen evangelischen Freikirchen übernahmen das synodale Prinzip von vornherein, das sie in ihren „Versammlungen" zu einer gewissen Blüte entwickelten. Im Anglikanismus entstanden in der zweiten Hälfte des 19. Jahrhunderts die bis heute alle 10 Jahre fortgeführten Lambeth-Konferenzen, die erstmals Vertreter der weltweit verbreiteten Anglikanischen Gemeinschaft (Anglican Communion) zusammenbrachten und damit eine universale konziliare Dimension in die nachreformatorische Bewegung einführten. Mit dem Lambeth Quadrilateral von 1888 wurde eine erste gesamtkirchliche Grundlage gefunden, die für die ökumenische Bewegung im 20. Jahrhundert wegweisende Bedeutung erhielt.[99]

Die hoffnungsvollen konziliaren Ansätze der Reformationszeit haben im Protestantismus meist nur in Form nationaler Synoden überlebt. Dabei haben sie es geschafft, das synodale Element praktisch auf allen Ebenen des kirchlichen Lebens zur Geltung zu bringen. Allerdings hat es die nationalen und konfessionellen Schranken nicht überwinden können. Luthers und die ursprüngliche reformatorische Idee eines allgemeinen, freien, christlichen Konzils ist dabei auf der Strecke geblieben. Es bedurfte erst der Umwälzungen des 20. Jahrhunderts, bevor in Barmen und bei Dietrich Bonhoeffer 1934 und nach Ende des Zweiten Weltkriegs in der beginnenden ökumenischen Bewegung der reformatorische konziliare Grundimpuls wieder auflebte.

3 Konziliare Entscheidungen in Barmen (1934)

Fast 400 Jahre liegen zwischen den letzten konziliaren Bemühungen im 16. Jahrhundert und der ersten Bekenntnissynode der Deutschen Evangelischen Kirche, die vom 29. bis 31.Mai 1934 in Wuppertal-Barmen zusammentrat. Sie wurde durch den nationalsozialistischen Machtwechsel und den innerkirchlichen Siegeszug der mit ihm sympathisierenden Deutschen Christen herausgefordert. Ihr konziliares Element liegt darin, dass hier Vertreter lutherischer, reformierter und unierter Kirchen in Deutschland sich erstmals zu einer gemeinsamen Synode zusammenfanden. Es war eine ähnliche Bedrohungssituation wie im 16. Jahrhundert, die den „wahren" christlichen Glauben durch die „Irrtümer" der deutsch-christlichen Bewegung in Frage stellte. Bemerkenswert ist dabei, wie schnell die Synode – innerhalb von wenigen Wochen – zustande kam.

Noch erstaunlicher ist, dass es ihr gelang, innerhalb von zwei Tagen eine von *Karl Barth* vorbereitete Erklärung durch die verschiedenen Bekenntniskonvente zu bringen und schließlich einstimmig zu verabschieden. Dieses „gemeinsame Wort" ist als „Wunder von Barmen" bezeichnet worden, denn es ist seit der Unterzeichnung des lutherischen Konkordienbuches im Jahr 1580 nach 354 Jahren das erste verbindliche Bekenntnis des deutschen Protestantismus. Es besteht aus einer Präambel, 6 Thesen und einem Epilog. Die Präambel schlägt einen kühnen Bogen zum Bekenntnis des zweiten Ökumenischen Konzils vom Jahr 381: „Uns fügt dabei zusammen das Bekenntnis zu dem einen Herrn der einen, heiligen, allgemeinen und apostolischen Kirche."[100] Die 6 Thesen haben jeweils denselben Aufbau: 1. Schriftbeleg, 2. positiver Bekenntnissatz, 3. Verwerfung der „falschen Lehre". In diesem „klassischen" Dreischritt von Schrift, Bekenntnis und Abgrenzung knüpfen die Barmer Thesen an das Augsburger Bekenntnis von 1530 an. Im Unterschied zu ihm steht jedoch nicht die Rechtfertigungslehre, sondern angesichts der neuen Herausforderung durch den Nationalsozialismus das Kirchenverständnis im Mittelpunkt. *These 3* zitiert Epheser 3,15-16 und formuliert positiv: „Die christliche Kirche ist die Gemeinde von Brüdern, in der Jesus Christus in Wort und

Sakrament durch den Heiligen Geist als der Herr gegenwärtig handelt."[101] Damit wird über die Kirche gesagt:

(1) Es geht nicht um irgendeine konfessionelle, vielmehr um die „christliche" Kirche.
(2) Diese Kirche lebt und webt in erster Linie in der jeweiligen Gemeinde.
(3) Diese Gemeinde ist nicht hierarchisch, sondern geschwisterlich strukturiert: als Gemeinschaft von Brüdern (und Schwestern).
(4) Die Gemeinde wird durch Wort und Sakrament, also durch den Gottesdienst konstituiert.
(5) Herr der Kirche ist weder ein kirchlicher noch ein weltlicher Herrscher, sondern Jesus Christus, „das eine Wort Gottes", wie These 1 ausführt.
(6) Jesus Christus verwandelt die Kirche durch den Heiligen Geist zum Leib Christi.
(7) Dadurch wird die Kirche nach innen wie nach außen zu einer gegenwartsbezogenen Handlungsgemeinschaft.

Es ist sofort deutlich, wie nahe diese These 3 von Barmen dem Kirchenartikel 7 des Augsburger Bekenntnisses steht. In Barmen 1934 ist ebenso wie in Augsburg 1530 jeder Konfessionalismus überwunden. Deshalb formuliert die Präambel ergebnisoffen: „Wir befehlen es Gott, was dies für das Verhältnis der Bekenntniskirchen untereinander bedeuten mag."[102] Schon in Barmen hat man es – anders als 1999 bei der Unterzeichnung der Gemeinsamen Erklärung zur Rechtfertigungslehre – nicht mit der Verabschiedung der „Erklärung" sein Bewenden haben lassen, sondern hat mindestens drei weitere, wichtige Schreiben auf den Weg gebracht: 1. ein offener Brief „An die Evangelischen Gemeinden und Christen in Deutschland"[103]; 2. eine „Erklärung zur Rechtslage der Bekenntnissynode der Deutschen Evangelischen Kirche"[104] und 3. eine „Erklärung zur praktischen Arbeit der Bekenntnissynode der Deutschen Evangelischen Kirche"[105], die die geistliche Erneuerung des Pfarrerstandes sowie den Aufbau und die Sendung von „Bekennenden Gemeinden" in Blick nimmt. Damit wollte man nicht „eine neue Kirche gründen", wie der Brief an die

Gemeinden erläutert, wohl aber eine Erneuerung im Anschluss an die Reformation als „Bekennende Kirche" erreichen.
Dieses nach Jahrhunderten erstmalige gemeinsame Bekennen des christlichen Glaubens in Wort und Tat hat das Zusammengehörigkeitsbewusstsein von evangelischen Christen und Kirchen erheblich gestärkt. Es ist auch während der Zeit des Nationalsozialismus und erst recht nach Ende des Zweiten Weltkriegs ökumenisch wirksam geworden.[106] Dennoch hat es bis zur *Leuenberger Konkordie* im Jahr 1973 gedauert, dass lutherische, reformierte und unierte Kirchen offiziell einander Kanzel- und Abendmahlsgemeinschaft gewähren. Erst seitdem gibt es die Leuenberger Kirchengemeinschaft, der heutzutage mehr als hundert aus der Reformation hervorgegangene Kirchen angehören: die Gemeinschaft Evangelischer Kirchen in Europa (GEKE). Aber bis heute hat die Evangelische Kirche in Deutschland (EKD) die Barmer Theologische Erklärung noch nicht in ihre verfassungsmäßigen Grundlagen aufgenommen.

4 Dietrich Bonhoeffers Plädoyer für ein ökumenisches Konzil (Fanö 1934)

Dietrich Bonhoeffer hat als Achtzehnjähriger im Sommer 1924 für zwei Monate Rom besucht und dort vor allem die weltweite römisch-katholische Kirche entdeckt. Er schreibt dazu in seinem Tagebuch: „Der erste Tag (Palmsonntag), an dem mir etwas Wirkliches vom Katholizismus aufging ...; ich fange an, glaube ich, den Begriff Kirche zu verstehen."[107] Seine Erfahrungen mit der katholischen Kirche in Rom haben Bonhoeffers Denken und Handeln seitdem nicht mehr losgelassen: Sie haben das Thema seiner Doktorarbeit, seine Vorlesungen und Vorträge bis hin zu seinem Engagement in der Bekennenden Kirche geprägt.

4.1 Sein konziliarer Ansatz

In seiner Vorlesung über „das Wesen der Kirche" vom Sommer 1932 bestimmt er die „empirische", also erfahrbare Kirche mit den beiden Schlüsselworten „Predigt“, also: Verkündigung, und „Konzilien“, also: verbindliches Bekenntnis.[108] Seine Ausführungen über die sichtbare Gestalt der Kirche beschließt er mit einem Abschnitt über „das Konzil“. Für Bonhoeffer gehört es notwendig dazu, denn es ist „die Versammlung der ganzen Kirche zu der theologischen Aufgabe, Dogma zu formulieren“. Schon zwei Jahre vor der Barmer Bekenntnissynode spricht er davon, dass „Irrlehre als solche ausdrücklich benannt“ und wie bei den altkirchlichen Konzilen zum Schutz des Bekenntnisses abgewiesen werden muss. Ökumenische Versammlungen, so sagt er 1932, „sind von einem Konzil weit entfernt. Sie wagen kein Urteil über die Lehre.“[109]

Bonhoeffer hat früh vom Katholizismus gelernt, die Kirche auch als „Gesamtgemeinde“ zu verstehen und das von vornherein nicht in konfessioneller Begrenzung. Schon in seiner Doktorarbeit entwickelt er 1930 im Anschluss an *Hegel* den evangelischen Ansatz der Kirche mit der schönen Formulierung von „Christus als Gemeinde existierend“. Diese Konzeption ist jedoch nicht exklusiv, sondern polar zu verstehen: „Der Leib Christi ist Rom und Korinth, Wittenberg, Genf und Stockholm[110], und die Glieder aller Einzelgemeinden gehören zusammen zur Gesamtgemeinde als sanctorum communio.“[111]

Im Rahmen seiner Vorlesung über „Jüngste Theologie“ setzt sich Bonhoeffer im Winter 1932/33 auch mit *Emil Brunners* Neuerscheinung „Das Gebot und die Ordnungen“ auseinander. Dabei geht es für ihn um den richtigen Ansatz einer theologischen Ethik, die immer mehr Bonhoeffers Lebensthema werden sollte. Es handelt sich dabei um die Beziehung von Kirche und Gebot. Er macht Brunner einen Rückfall in einen „prinzipiellen Individualismus“ zum Vorwurf, während er selbst bei der „Gemeinde als Ganzes“, sozusagen als korporative „Person“ ansetzt, die „kommt und fragt: Was sollen wir tun?“ Nach Bonhoeffer kann die Antwort darauf vom Prediger/-in nur in engster Bindung an die Kirche gegeben werden. Und woher empfängt bzw. gewinnt die Kirche das „konkrete Gebot“, das der fragenden Gemeinde zu verkündigen ist? „Die Kirche ihrerseits muss sich gebunden wissen an ein evangelisches Konzil, das zu fordern ist.“[112] Hier fällt nun im 20. Jahrhundert zum ersten Mal

wieder das Stichwort „evangelisches Konzil“, das für damalige Ohren ein völliges Fremdwort war. Aber damit nicht genug: Bonhoeffer formuliert: „das zu fordern ist“, und meint damit, dass es sich dabei nicht nur um seine Privatmeinung handelt, sondern dass ein evangelisches Kirchenverständnis, das vom umfassenden Leib Christi ausgeht, mit Notwendigkeit zur Forderung eines „evangelischen Konzils“ kommt.
Dass es sich für Bonhoeffer hier nicht nur um eine akademische Überlegung handelt, wird aus seinem Vortrag deutlich, den er wenige Monate später im April 1933 zum Thema: „Die Kirche vor der Judenfrage“ gehalten hat. Dort spricht er von dem „mittelbar politischen Handeln der Kirche“, das darin besteht, „nicht nur die Opfer unter dem Rad zu verbinden, sondern dem Rad selbst in die Speichen zu fallen“. Ob sich daraus in der Judenfrage aber auch „die Notwendigkeit des *un*mittelbar politischen Handelns der Kirche ergibt, das ist jeweils von einem `evangelischen Konzil´ zu entscheiden“[113]. Hier geht es nun sofort um eine konkrete Notlage, in der die Antwort der gesamten Kirche gefordert ist, weil mit dem Ausschluss getaufter Juden aus den christlichen Gemeinden der status confessionis gegeben ist, der Glaubwürdigkeit und Tragweite der christlichen Taufe betrifft.
In seiner Christologie-Vorlesung vom Sommer 1933 setzt sich Bonhoeffer besonders mit den altkirchlichen Konzilen und ihren christologischen Lehrentscheidungen auseinander. Wie Luther betont er die kritische, abgrenzende Funktion von Konzilen: „Die kritische Christologie ist Sache der offiziellen Kirche, sie hat ihren Ort in der Lehrautorität ihrer Konzilien. Die Grenzbestimmungen der Alten Kirche offenbaren in unseren Tagen ihre ungeheure Bedeutung.“[114] Damit stellt sich Bonhoeffer als evangelischer Lehrer der Kirche ganz bewusst auf den Boden der altkirchlichen Konzile. Seinen *konziliaren Ansatz*, den er in den Jahren 1930-1935 entwickelt hat, kann man unter folgenden Gesichtspunkten zusammenfassen:

(1) Ein evangelisches Konzil ist die repräsentative Versammlung der ganzen Kirche Jesu Christi.
(2) Der Begriff „evangelisch“ ist mehr theologisch als konfessionell zu verstehen.

(3) Ein evangelisches Konzil besitzt für Einzelgemeinden und Einzelpersonen bindende und lösende Lehrautorität.
(4) Seine Aufgabe besteht wie in der Alten Kirche primär darin, „Irrlehre" zu identifizieren und abzuweisen.
(5) Konzile haben in Notsituationen der Kirche ihren notwendigen Ort und ihre kritische Funktion.
(6) Konzile bekennen in Notlagen den Glauben der Kirche an Jesus Christus, wie sie ihn in der gegebenen Situation aus der Schrift vernehmen.
(7) Konzile müssen in ethischen Grundfragen, die die Existenz der Kirche betreffen, Entscheidungen fällen.

4.2 Sein Plädoyer in Fanö

Man versteht auf diesem Hintergrund sofort, dass Bonhoeffer die Bekenntnissynode von Barmen 1934 und ihr „Bekenntnis" begeistert begrüßt und die sich formierende Bekennende Kirche entschlossen unterstützt und verteidigt hat, obwohl er in Barmen nicht anwesend gewesen ist. Das war die theologische Ausgangslage, von der aus Bonhoeffer nach Fanö aufgebrochen ist, um dort zu einem „großen ökumenischen Konzil der Heiligen Kirche Christi aus aller Welt" aufzurufen.[115] Auf der kleinen dänischen Insel Fanö fand zunächst ab dem 22. August 1934 die 5. offizielle Ökumenische Jugendkonferenz statt, die Bonhoeffer als Jugendsekretär des Weltbundes für Internationale Freundschaftsarbeit der Kirchen zu leiten hatte. Ab dem 27. August kamen die Teilnehmenden der ökumenischen Hauptkonferenz dazu, des alle zwei Jahre stattfindenden „Ökumenischer(n) Rat(es) für Praktisches Christentum" (Life and Work). Beide Konferenzen tagten bis zum 29. August gemeinsam; vor dieser relativ großen Versammlung hielt Bonhoeffer am 28. August unter dem Thema „Kirche und Völkerwelt" zunächst seine berühmt gewordene Predigt über das Psalmwort (85,9): „Ach dass ich hören sollte, was der Herr redet, dass er Frieden zusagte seinem Volk und seinen Heiligen." Im Verlauf desselben Vormittags trug er auch seine Thesen „zur theologischen Grundlegung der Weltbundarbeit" vor[116]. Beide Reden haben dasselbe inhalt-

liche Thema: der Friedensauftrag der Kirche bzw. des Weltbundes für Freundschaftsarbeit.
In seiner *Predigt* interpretiert Bonhoeffer als erstes die Botschaft der Engel aus dem Weihnachtsevangelium „Friede auf Erden" (Lukas 2,14) als Gottes Gebot, das die Kirche Christi allen Völkern auszurichten hat. Christen „können nicht die Waffen gegeneinander richten, weil sie wissen, dass sie damit die Waffen auf Christus selbst richteten."[117] Dann trifft Bonhoeffer die maßgebende Unterscheidung zwischen Frieden und Sicherheit: „Friede ist das Gegenteil von Sicherung." Und er stellt die Frage in den Raum, was geschehen würde, „wenn ein Volk – statt mit der Waffe in der Hand – betend und wehrlos und darum gerade bewaffnet mit der allein guten Wehr und Waffe den Angreifer empfinge". Schließlich fragt Bonhoeffer nach der Autorität, die so zum Frieden rufen kann, „dass es die Welt hört". Der einzelne Christ? Die einzelne Kirche? „Nur das eine *große ökumenische Konzil* der *Heiligen Kirche Christi* aus aller Welt kann es so sagen, dass die Welt zähneknirschend das Wort vom Frieden vernehmen muss ..."[118] Statt vom „evangelischen" spricht Bonhoeffer hier erstmals vom *„ökumenischen" Konzil* aus aller Welt, was wieder theologisch und nicht konfessionell verstanden werden will: die Zusammenkunft der Glieder des weltweiten Christusleibes. Der Herausforderung bzw. der Bedrohung des Krieges, den Bonhoeffer bereits 1933/34 sich zusammenbrauen sah, ist nach seiner Überzeugung nur die Repräsentanz aller Christen gewachsen, die die Vollmacht hat, im Namen Christi zu sprechen.
Bonhoeffer geht in seiner Predigt noch einen Schritt weiter und stellt fest: „Das ökumenische Konzil *ist* versammelt, es kann diesen radikalen Ruf zum Frieden an die Christusgläubigen ausgehen lassen. Die Völker warten darauf im Osten und Westen...Worauf warten wir noch? ... Wir wollen beten, dass uns dieses Wort gegeben werde – heute noch."[119] Diese Sätze wollen auf dem Hintergrund der drei Monate zuvor tagenden Barmer Bekenntnissynode verstanden werden. Wie dort so sind in Fanö Menschen aus verschiedenen Kirchen versammelt, hier sogar „aus aller Welt". Wie den Delegierten dort „ein gemeinsames Wort in den Mund gelegt *ist*"[120], so sollen und wollen die

Delegierten hier darum beten, „dass uns dieses Wort gegeben werde – heute noch". Bonhoeffer qualifiziert auf diese Weise die Fanö-Versammlung zum *„ökumenischen Konzil"*, das er nicht an kirchenrechtliche Regularien gebunden sieht. Und er nötigt ihre Mitglieder, sich nicht nur als Angehörige eines Zweckverbandes oder einer Konfession zu verstehen, vielmehr als bevollmächtigte Vertreter der einen Kirche Christi, die hier versammelt und zum „Wort vom Frieden" herausgefordert ist.

Die in Fanö Zusammengekommenen haben sich von Bonhoeffers drängenden Worten herausfordern lassen und *drei Erklärungen* verabschiedet. Zunächst haben die Teilnehmenden der Jugendkonferenz am 26. August mit Bonhoeffers Hilfe zwei Entschließungen zustande gebracht, die sich jeweils mit dem „Problem des Staates vom christlichen Gesichtspunkt aus" befassen. Das geschieht nicht grundsätzlich oder abstrakt, sondern konkret auf die Frage nach Krieg und Frieden bezogen. Die Verfasser der ersten Entschließung freuen sich, „dass eine wachsende Zahl von Staaten den Kriegsdienstverweigerern erlauben, den Militärdienst durch einen bürgerlichen Dienst zu ersetzen". Die zweite Entschließung pocht auf die Unabhängigkeit der Kirche, die ihren Auftrag „innerhalb des Volkes, aber nicht ‚vom Volk her'"[121] wahrzunehmen hat. Am letzten Tag der Fanö-Konferenz, am 30. August, haben dann auch die Delegierten des Rates für Praktisches Christentum nach heftigen Auseinandersetzungen mit Vertretern der deutschen Reichskirchenregierung eine „Resolution" verabschiedet: „Entschließungen zur kirchlichen Lage in Deutschland". Sie bestärken 1. die Botschaft, die Bischof *George Bell* an die Christen in Deutschland gerichtet hatte; sie benennen 2. die gegenwärtigen Konfliktfelder: „autokratische Regierung, Gewaltgebrauch, Diensteid (auf den Führer), Verbot freier Diskussion"[122] und sie stellen sich 3. eindeutig auf die Seite der Bekennenden Kirche: „Der Ökumenische Rat möchte seine Brüder in der Bekennenden Synode der Deutschen Evangelischen Kirche seiner Gebete und seiner von Herzen kommenden Teilnahme bei ihrem Zeugnis für die Prinzipien des Evangeliums versichern und ausdrücken, dass er in enger Verbindung mit ihnen bleiben möchte."[123]

Ein Jahr später blickt Bonhoeffer in seinem wegweisenden *Auf-*

satz vom August 1935 „Die Bekennende Kirche und die Ökumene" auf die Fanö-Konferenz zurück und stellt erfreut fest: „Mit der Konferenz in Fanö ist die Ökumene in eine neue Epoche eingetreten", nämlich dadurch, dass sie „ein wahrhaft kirchliches Wort und d. h. eben auch ein richterliches Wort"[124] gesprochen hat. Zum Schluss seines aufrüttelnden Beitrags kommt Bonhoeffer noch einmal auf „die Hoffnung auf das große ökumenische Konzil der evangelischen Christenheit" zurück und fragt, „ob ein solches Konzil nicht nur in Vollmacht die Wahrheit und die Einheit der Kirche Christi bezeugen wird, sondern ob es Zeugnis wird ablegen können gegen die Feinde des Christentums in aller Welt, ob es ein richtendes Wort sprechen wird über Krieg, Rassenhass und soziale Ausbeutung, ob durch solche wahre ökumenische Einheit aller evangelischen Christen in allen Völkern einmal der Krieg selbst unmöglich wird, ob das Zeugnis eines solchen Konzils Ohren finden wird, die hören"[125]. Weil er sich in diesem Aufsatz mit der Bekennenden Kirche auseinandersetzt, spricht er hier vom „ökumenischen Konzil der evangelischen Christenheit". Er stellt einem solchen Konzil in Frageform vier Aufgaben:

(1) Es soll in Vollmacht die *Wahrheit* und die *Einheit* der Kirche Christi bezeugen.
(2) Es soll das *Zeugnis des christlichen Glaubens* ablegen gegen die Feinde des Christentums.
(3) Es soll ein *richtendes Wort* sprechen über Krieg, Rassenhass und soziale Ausbeutung.
(4) Es soll „durch solche wahre ökumenische Einheit aller evangelischen Christen in allen Völkern" der *Krieg* selbst *unmöglich* werden.

Mit anderen Worten, wenn und indem die (evangelische) Christenheit in Wahrheit und Einheit zusammenfindet, dann können auch „Krieg, Rassenhass und soziale Ausbeutung" überwunden werden. Bonhoeffer versteht das erste als Gottes Gebot und das zweite als seine Verheißung für die Gegenwart. Mit dieser kühnen Perspektive ist er uns bis heute weit voraus.

Kapitel II – Anmerkungen

1. In: Weimarer Ausgabe (WA), Bd. 1, Weimar 1883, S. 529; dazu: K.-P. Schmid, Luthers Acta Augustana (LAA) 1518 – Deutsch, Augsburg 1982, S. 83; M. Brecht, Martin Luther (ML), Bd. 1: Sein Weg zur Reformation 1483-1521, Stuttgart 1981, S. 213f.

1a. Hoc enim est novam ecclesiam construere; in: Ch. Moreod (Hg.), Cajetan et Luther en 1518, Tome II, Fribourg/ CH 1994, S. 473.

2. In: K.-P. Schmid, LAA., S. 83, vgl. auch S. 86 ff., bes. S. 92 f.

3. LAA., S. 165.

4. Vgl. dazu M. Brecht, ML 1, S. 304ff.

5. An Georg Spalatin am 14. Februar 1520, in: K. Bornkamm/G. Ebeling, Martin Luther. Ausgewählte Schriften (MLAS), VI. Briefe, Frankfurt/ Main 1983, 2. Aufl., S. 25.

6. In: MLAS I, Aufbruch zur Reformation, 1983, 2. Aufl., S. 154.

7. MLAS I, S. 164f.

8. MLAS I, S. 165.

9. MLAS I, S. 183.

10. MLAS I, S. 182,233.

11. MLAS I, S. 237.

12. In: MLAS III, Auseinandersetzung mit der römischen Kirche, Frankfurt/Main 1983, 2. Aufl., S. 74.

13. MLAS III, S. 71,73.

14. Vgl. dazu U. Köpf (Hg.), Deutsche Geschichte in Quellen und Darstellung, Bd. 3: Reformationszeit 1495-1555, RUB 17003, Stuttgart 2010, S. 162ff, bes. 165.

15. Dazu M. Brecht, ML I, S. 433.

16. In: MLAS I, S. 269.

17. MLAS I, S. 267.

18. Dazu M. Brecht, ML I, S. 443.

19. ML I, S. 419.

20. So M. Brecht, ML I, S. 446.

21. Vor allem dessen Hauptschrift über „Die Kirche“, die Hus erst kurz vor seiner Abreise nach Konstanz zum Abschluss gebracht hatte.

22. Vgl. dazu M. Brecht, ML II: Ordnung und Abgrenzung der Reformation 1521-1532, Stuttgart 1986, S. 78 ff.

23. M. Brecht, ML II, S. 227.

24. M. Brecht, ML III: Die Erhaltung der Kirche 1532-1546, Stuttgart

1987, S. 174.
25. M. Brecht, ML III, S. 175.
26.. M. Brecht, ML III, S. 176.
27. H. G. Pöhlmann (Hg.), Unser Glaube (UG). Die Bekenntnisschriften der evangelisch-lutherischen Kirche, Gütersloh 1991, 3. Aufl., S. 444, Z. 361.
28. UG, S. 446, Z. 366; S. 448, Z. 368.
28 a. UG, S. 462, Z. 393. Gedacht ist wieder in erster Linie an das Konzil von Nizäa 325 mit seiner Gleichstellung der Bischöfe von Alexandria und Rom.
29. UG, S. 451, Z. 372.
30. UG, S. 455, Z. 381.
31. UG, S. 444, Z. 362.
32. Kongregation für die Glaubenslehre, Erklärung Dominus Iesus (DJ). Über die Einzigartigkeit und Heilsuniversalität Jesu Christi und der Kirche, VAS 148, Bonn 6. August 2000, S. 23, Z. 17.
33. UG, S. 497, Z. 455.
34. UG, S. 500, Z. 462.
35. M. Brecht, ML III, S. 190.
36. M. Brecht, ML III, S. 191f.
37. Von den Konziliis und Kirchen (KuK), in: H. H. Borcherdt/G. Merz (Hg.), Martin Luther. Ausgewählte Werke (MLAW), Ergänzungsreihe Bd. 7, München 1963, S. 21.
38. Apostelgeschichte 15,28.
39. Heute stehen Exegeten dem Aposteldekret vielfach noch kritischer gegenüber: „Der Gedanke, das Aposteldekret sei beim Apostelkonvent erlassen worden, lässt sich mit den paulinischen Angaben nicht vereinbaren. So muss man mit einer lukanischen Verzeichnung rechnen“; so G. Schille, Die Apostelgeschichte des Lukas, ThHKNT 5, Berlin 1989, 3. Aufl., S. 325.
40. MLAW, S. 23.
41. MLAW, Anm. 34, S. 39.
42. MLAW, S. 38; vgl. auch S. 92.
43. MLAW, S. 93 ff.
44. MLAW, S. 99.
45. MLAW, S. 104.
46. MLAW, S. 106 f.
47. MLAW, S. 108.

48. „Ja, sprichst du, solch Konzilium ist nimmer mehr zu hoffen, dass denke ich selber auch wohl“; MLAW, S. 107.
49. MLAW, S. 102 (hrsg. von mir).
50. MLAW, S. 108.
51. MLAS V: Kirche, Gottesdienst, Schule, S. 185.
52. MLAS V, S. 193.
53. „Was sollte sonst werden, wenn jeder reden oder die Sakramente reichen und keiner dem anderen weichen wollte“, MLAS V, S. 194.
54. „Denn wo du siehst und hörst, dass man das Vaterunser betet und beten lehrt, auch Psalmen und geistliche Lieder singt, nach dem Wort Gottes und dem rechten Glauben, ebenso das Glaubensbekenntnis, die zehn Gebote und den Katechismus öffentlich einprägt, da wisse gewiss, dass dort ein heiliges, christliches Volk ist“; MLAS V, S. 205.
55. MLAS V, S. 206.
56. MLAS V, S. 207.
57. MLAS V, S. 208.
58. MLAS V, S. 219f.
59. Galater 1,8; MLAS V, S. 221.
60. ZB. in der Schrift „Wider Hans Worst“ vom Februar 1541.
61. Vgl. zum Folgenden M. Brecht, ML III, S. 222ff.
62. In: M. Brecht, ML III, S. 358.
63. Vgl. dazu M. Brecht, ML III, S. 358.
64. M. Brecht, ML III, S. 361.
65. In: M. Brecht, ML III, S. 361.
66. MLAS V, S. 269.
67. Vgl. das Dekret Frequens vom 9. Oktober 1417.
68. In: G. Gaßmann (Hg.), Das Augsburger Bekenntnis Deutsch (ABD) 1530-1980. Revidierter Text, Göttingen/Mainz 1980, 4. Aufl., S. 19.
69. ABD, S. 22 (hrsg. von mir).
70. Vgl. dazu G. Wenz, Theologie der Bekenntnisschriften der evangelisch-lutherischen Kirche, Bd. 1, Berlin 1996, S. 468 ff.
71. Vgl. dazu H. Meyer/H. Schütte/H.-J. Mund (Hg.), Katholische Anerkennung des Augsburgischen Bekenntnisses? Ein Vorstoß zur Einheit zwischen katholischer und lutherischer Kirche, Ökumenische Perspektiven Bd. 9, Frankfurt/Main 1977.
72. W. Lohff, Die Bedeutung der Augsburgischen Konfession für die lutherische Kirche und ihr Verhältnis zur römisch-katholischen Kirche, in: H. Meyer/H. Schütte (Hg.), Confessio Augustana. Bekenntnis des

einen Glaubens. Gemeinsame Untersuchung lutherischer und katholischer Theologen, Frankfurt/Main – Paderborn 1980, S. 6,18.
73. In: UG (s. o. Anm. 27), S. 311, Z. 235.
74. UG, S. 360f, Z. 283.
75. UG, S. 365f, Z. 287. Welche Konzile im Einzelnen gemeint sind, wird nicht näher ausgeführt.
76. UG, S. 370, Z. 291. Gedacht ist u. a. an Papst Gregor VII. auf der Fastensynode von 1074.
77. UG, S. 505, Z. 463.
78. UG, S. 519, 516; Z. 475f.
79. UG, S. 506, 508, 510; Z. 464, 467, 470.
80. Matthäus 23,8.
81. UG, S. 500, Z. 462; vgl. auch 1.2 zu Anm. 34.
82. Vgl. dazu M. Beyer/St. Rhein/G. Wartenberg (Hg.), Melanchthon Deutsch , Bd. 2: Theologie und Kirchenpolitik (MD 2), Leipzig 1997, S. 226.
83. MD 2, S. 227; vgl. zum Folgenden S. 227-231.
84. MD 2, S. 231.
85. MD 2, S. 231.
86. MD 2, S. 228.
87. ABD, S. 25.
88. MD 2, S. 231.
89. Vgl. dazu H.-G. Link/H. Deeters/Th. Schlüter (Hg.), 450 Jahre Kölner Reformationsversuch. Zwischen Reform und Reformation, Bonn 1993.
90. D. Mac Culloch, Die Reformation 1490-1700, München 2008, S. 348.
91. In: E. Busch/Chr. Link u. a. (Hg.), Calvin Studienausgabe (CS), Bd. 8: Ökumenische Korrespondenz, Neukirchen 2011, S. 205.
92. CS 8, S. 206f.
93. CS 8, S. 210.
94. Vgl. Dazu D. Mac Culloch, a. a. O. S. 377f.
95. Chr. Link, in: CS 8, S. VII.
96. In: H. A. Oberman (Hg.), Die Kirche im Zeitalter der Reformation, Neukirchen 1994, 4. Aufl., S. 61 f.
97. Vgl. seine Schrift von 1545: Wider das Papsttum zu Rom vom Teufel gestiftet, mit einem Titelholzschnitt von Lukas Cranach d. Ä., der den Papst auf seinem Thron im Höllenrachen versinken und verbrennen lässt.
98. Dogmatische Konstitution über die göttliche Offenbarung, Z. 10, in: K. Rahner/H. Vorgrimler, Kleines Konzilskompendium (KKK), Freiburg i. Br. 1966, S. 372.

99. Vgl. dazu H.-G. Link, Das Lambeth Quadrilateral, in: H.-G. Link (Hg.), Gemeinsam glauben und bekennen. Handbuch zum Apostolischen Glauben, Neukirchen/Paderborn 1987, S. 18 f.

100. In: A. Burgsmüller/R. Weth (Hg.), Die Barmer Theologische Erklärung (BTE). Einführung und Dokumentation, Neukirchen 1983, S. 31.

101. BTE, S. 36.

102. BTE, S. 33.

103. BTE, S. 62 f.

104. BTE, S. 64 f.

105. BTE, S. 65 ff.

106. Vgl. dazu: H.-G. Link, Die Barmer Theologische Erklärung von 1934; in: H.-G. Link, Bekennen und Bekenntnis (BuB), Ökumenische Studienhefte 7, Göttingen 1998, S. 150 ff, bes. S. 154.

107. In: E. Bethge, Dietrich Bonhoeffer (DB), Theologe, Christ, Zeitgenosse. Eine Biografie, München 1967, S. 87.

108. In: E. Bethge (Hg.), Dietrich Bonhoeffer. Gesammelte Schriften (GS), Bd. 5, München 1972, S. 237.

109. GS 5, S. 260.

110. In Stockholm fand 1925 die erste Weltkonferenz für Praktisches Christentum, Life and Work, statt.

111. Sanktorum Communio (SC). Eine dogmatische Untersuchung zur Soziologie der Kirche, Theologische Bücherei 3, München 1960 (Berlin/Frankfurt-Oder 1930), S. 167.

112. GS 5, S. 338.

113. In: GS 2 Kirchenkampf und Finkenwalde, München 1959, S. 48 f.

114. In: GS 3 Theologie, Gemeinde, München 1960, S. 206.

115. In: GS 1 Ökumene, München 1958, S. 219.

116. GS 1, S. 212ff.

117. GS 1, S. 217.

118. GS 1, S. 218f.

119. GS 1, S. 219 (Hvg. von mir).

120. BTE, S. 33.

121. GS 1, S. 209f.

122. E. Bethge, DB, S. 443.

123. In: F. Schlingensiepen, Dietrich Bonhoeffer. 1906-1945. Eine Biografie, DTV 34609, München 2010, S. 188.

124. GS 1, S. 250.

125. GS 1, S. 261.

III.
Konziliare Versammlungen des Ökumenischen Rates der Kirchen (ÖRK)

1 Die ökumenische Bewegung im 20. Jahrhundert

1.1 Der Weg zur Gründung des Ökumenischen Rates der Kirchen in Amsterdam 1948

Schon ein gutes Jahrzehnt vor seiner tatsächlichen Gründung war die Idee geboren worden, einen „Weltrat der Kirchen" (World Council of Churches) ins Leben zu rufen. Das geschah im Juli 1937 im *Londoner Westfield College*, als Vertreter der beiden bisherigen Hauptströmungen der ökumenischen Bewegung: Glauben und Kirchenverfassung (Faith and Order) sowie Praktisches Christentum (Life and Work) zusammenkamen, um über ihre Zukunft miteinander zu beraten. Man fasste den August 1941 für die konstituierende Versammlung des Ökumenischen Rates der Kirchen (ÖRK) ins Auge. Das wurde dann durch den Ausbruch des Zweiten Weltkriegs zunichte gemacht. Aber die ökumenische Bewegung wuchs auch während dieser Zeit. Dabei standen drei Erfahrungen im Vordergrund: Widerstand gegen den Nationalsozialismus, Opposition gegen die Kriegsmaschinerie und internationale Flüchtlingshilfe.
Nach Kriegsende ging es vor allem darum, auf dem Hintergrund verheerender Kriegserfahrungen bei allen Beteiligten so schnell wie möglich die Voraussetzungen dafür zu schaffen, dass Kirchenvertreter aus verfeindeten Ländern zu einer gemeinsamen Weltversammlung zusammenfinden könnten. „Ein spezifisches Wort der Buße war nötig ... Das erste Wort (aber) ... musste von der Kirche des Landes kommen, in dem der Nationalsozialismus entstanden war."[1] Dazu kam es am 18. und 19. Oktober 1945 in Stuttgart während einer ersten Begegnung einer internationalen Delegation des im Aufbau begriffenen Ökumenischen Rates der Kirchen mit dem Rat der Evangelischen Kirche in Deutschland (EKD). Die *Stuttgarter Erklärung* bekennt sich in ihrem

ersten Teil zur „Solidarität der Schuld“ und zu „unendlichem Leid“, das „durch uns ... über viele Völker und Länder gebracht worden ist“[2]. Dieses Eingeständnis hat der Erklärung in Deutschland viel Gegenwind und den nur teilweise zutreffenden Namen „Schuldbekenntnis“ eingetragen. Denn der ausführlichere zweite Teil handelt von dem „neuen Anfang“, der in den deutschen Kirchen gemacht werden soll. Nun nicht mehr in nationaler Isolierung, vielmehr im Zeichen ökumenischer Gemeinschaft: „Dass wir uns bei diesem neuen Anfang mit den anderen Kirchen der ökumenischen Gemeinschaft herzlich verbunden wissen dürfen, erfüllt uns mit tiefer Freude.“[3] Es ist auch vom „gemeinsamen Dienst“ der Kirchen die Rede, um dem „Geist des Friedens“ den Weg zu bahnen. Damit hat die Stuttgarter Erklärung 1945 die Voraussetzungen dafür geschaffen, dass die evangelischen Kirchen in Deutschland nicht – wie nach dem Ersten Weltkrieg – in Schuldzuweisungen an andere Kirchen und Länder stecken blieben, sondern als gleichberechtigte Mitglieder in die ökumenische Gemeinschaft wieder aufgenommen wurden und zu den Gründungsmitgliedern des Ökumenischen Rates der Kirchen in Amsterdam zählen durften.

Der Abwurf der ersten Atombomben über Hiroshima und Nagasaki am 6. und 9. August 1945 tat ein Übriges, um den Druck auf die Gründung einer ökumenischen „Gegenmacht“ zu erhöhen. Als das Vorläufige Komitee des Ökumenischen Rates der Kirchen im Februar 1946 zu seiner ersten Nachkriegssitzung in Genf zusammen kam, einigte es sich daher schnell darauf, die Gründungsversammlung des Ökumenischen Rates für August 1948 – 7 Jahre später als ursprünglich geplant – nach *Amsterdam* einzuberufen. Am 22. August 1948 zogen 351 Delegierte von 147 Kirchen aus 44 Ländern in festlicher und malerischer Prozession zum Eröffnungsgottesdienst in die Amsterdamer historische Nieuwe Kerk ein. Den zahlreichen römisch-katholischen Interessenten war es durch ein offizielles Monitum des Heiligen Offiziums strikt verboten worden, an der Versammlung teilzunehmen. Es gelang nur zwei Katholiken, incognito als Pressevertreter doch an dem Ereignis teilzunehmen.[4] Ein Genfer Mitarbeiter des ÖRK, der an dem Eröffnungsgottesdienst teilgenommen hat, hat davon berichtet, wie ergriffen die Gottesdienstgemeinde war, als sie zum ersten Mal miteinander auf Englisch das Vaterunser betete, weil vielen Anwesenden in diesem Moment klar wurde, dass sie erstmals in der Kirchengeschichte als weltweite ökumenische Gemeinschaft versammelt waren. Es flossen Tränen.[5]

Am nächsten Tag, Montag 23. August 1948, wurde in der ersten Sitzung am Vormittag im Concertgebouw der Ökumenische Rat offiziell gegründet. Der Akt ging offenbar recht geschäftsmäßig über die Bühne. Der elsässische Pfarrer der französisch-reformierten Kirche *Marc Boegner* brachte die Entschließung ein, dass „die Bildung des Ökumenischen Rates der Kirchen als erfolgt erklärt und hiermit vollendet ist"[6]. Sie wurde einstimmig ohne Widerspruch angenommen. Der Erzbischof von Canterbury, *Geoffrey F. Fisher*, der den Vorsitz führte, stellte fest, dass damit die Bildung des Ökumenischen Rates der Kirchen vollzogen sei. Rauschender Beifall brandete auf. Man erhob sich zu einem stillen Gebet und der Bitte des Erzbischofs an Gott, „der nunmehr feierlich vollzogenen Entscheidung der Kirchen, die sich hier zusammenschlossen, seinen Segen zu geben."[7] In der „Botschaft" von Amsterdam heißt es dazu: „Wir haben den festen Willen, beieinander zu bleiben."[8] Damit war das kirchengeschichtliche Novum „Ökumenischer Rat der Kirchen" aus der Taufe gehoben, der ohne den unermüdlichen Einsatz seines ersten Generalsekretärs *Willem A. Visser´t Hooft* wohl nicht zustande gekommen wäre. „Die Schaffung eines Weltrates der Kirchen, die uns in den dreißiger Jahren so unglaublich schwierig und in den dunklen Stunden des Zweiten Weltkriegs so aussichtslos erschienen war, erwies sich plötzlich als ein ganz einfacher und undramatischer Vorgang."[9]

1.2 Die Basis 1948 und die Toronto-Erklärung 1950

Was aber hat es mit diesem kirchengeschichtlichen Novum auf sich? Was ist sein Wesen, seine Aufgabe und seine Wirkung? Man muss es zunächst noch einmal unterstreichen, dass es in der gesamten bisherigen Kirchengeschichte ein Phänomen wie den Ökumenischen Rat der Kirchen noch nicht gegeben hat. Er ist ein neues, sichtbares Zeichen, das die ökumenische Bewegung des 20. Jahrhunderts hervorgebracht hat, und als solches ein Geschenk des Heiligen Geistes an die seit Jahrhunderten zerrissene Christenheit. Neu ist vor allem das Subjekt: nicht eine politische Instanz wie die römischen Kaiser in der Antike, nicht eine kirchliche Instanz wie die Patriarchen und Päpste im Mittelalter, sondern eine Gemeinschaft von damals – 1948 – 147 verschiedenen selbstständigen Kirchen. Damit war die ökumenische Bewegung zu einem offiziellen Unternehmen von Kirchen geworden – eine Forderung, die *Dietrich Bonhoeffer* bereits 1935 in seinem berühmten Aufsatz über „Die Bekennende Kirche und die Ökumene" erhoben hatte.[10] Die Kirchen bilden miteinander *einen* Rat, nicht: *den* Rat der Una Sancta Ecclesia. Dafür fehlten und fehlen bis heute im Ökumenischen Rat zu viele orthodoxe, katholische und pfingstliche Kirchen. Aber dieser Rat kommt seit seiner Gründung zu Beratungen und Beschlüssen auf geschwisterlicher Basis zusammen. Er hat also durchaus konziliaren Charakter und seine bisherigen 10 Vollversammlungen sind eine neue Art von konziliaren Zusammenkünften.

1.2.1 Die Basis 1948/1961

Was der Ökumenische Rat ist und sein soll, bringt seine *„Basis"* zum Ausdruck: *„Der Ökumenische Rat der Kirchen ist eine Gemeinschaft von Kirchen, die den Herrn Jesus Christus gemäß der Heiligen Schrift als Gott und Heiland bekennen und darum gemeinsam zu erfüllen trachten, wozu sie berufen sind, zur Ehre Gottes, des Vaters, des Sohnes und des Heiligen Geistes."*[11] Diese Basis-Formulierung in der Fassung von 1961 beinhaltet 4 theologische Grund-Sätze: 1. den ekklesiologischen, 2. den christologischen, 3. den missionarischen und 4. den doxologischen.

Ekklesiologisch wird der Ökumenische Rat der Kirchen durch „Gemeinschaft" (fellowship) der Kirchen konstituiert. *Willem A. Visser´t Hooft*, erläuterte sie in seinem Amsterdamer Eröffnungsvortrag als Gemeinschaft des Kennenlernens, des Gesprächs über die Unterschiede, der Solidarität mit bedürftigen Schwesterkirchen, des gemeinsamen Christuszeugnisses und als Ausdruck der „Einheit in Christus“[12]. Das ist beileibe noch nicht die volle Kirchengemeinschaft, da ihr ein gemeinsames Bekenntnis und die Gemeinsamkeit im sakramentalen Leben noch fehlen. Aber es ist bereits eine christliche Zeugnis- und Solidargemeinschaft, die „Deo volente mit einem Male die mächtige Autorität eines Organs des Heiligen Geistes gewinnen kann“[13].

In *christologischer* Hinsicht wird Jesus Christus im Anschluss an das Ökumenische Glaubensbekenntnis von Nizäa-Konstantinopel (381), die „Pariser Basis“ des Weltbundes der Christlichen Vereine Junger Männer von 1855 und den Gründungsaufruf der Bewegung für Glauben und Kirchenverfassung von 1910 als „Gott und Heiland“ bekannt, also seine trinitarische und soteriologische Bedeutung hervorgehoben.[14]

Die inhaltliche *Berufung* des Ökumenischen Rates – der *missionarische* Aspekt – entfaltet Abschnitt III seiner Verfassung unter den Stichworten: sichtbare Einheit, *ein* Glaube, *eine* eucharistische Gemeinschaft, gemeinsamer Gottesdienst, gemeinsames Leben und zielgerichtetes Handeln, „damit die Welt glaube“[15].

Schließlich mündet die Basisformulierung in eine trinitarische *Doxologie,* die sie dem Einfluss der 1961 dem Ökumenischen Rat beigetretenen orthodoxen Kirchen verdankt und die das Ziel ökumenischer Kirchengemeinschaft in Blick nimmt: die Ausbreitung von Gottes Glanz auf unserer Erde. „Daher entspricht die konziliare Gemeinschaft der Kirchen der trinitarischen Gemeinschaft von Vater, Sohn und Geist.“[16]

Mit diesen dichten Formulierungen, die eine ökumenische Theologie in nuce bereits enthalten, kommt die Basis des Ökumenischen Rates einem Bekenntnis schon ziemlich nahe; sie ist jedenfalls die „Grundlage“ der Gemeinschaft, auf die sich die Mitgliedskirchen des Ökumenischen Rates einlassen.

1.2.2 Die Toronto-Erklärung 1950

Dennoch ist der Ökumenische Rat der Kirchen von Anfang an als „Überkirche“, als neues kirchliches Machtzentrum oder als zentralistische Verwaltungskörperschaft, sozusagen als kirchliche UNO missverstanden und äußerst skeptisch in Augenschein genommen worden – nicht zuletzt von seinen eigenen Mitgliedskirchen. Deshalb hat sich der Zentralausschuss, das Leitungsgremium zwischen den Vollversammlungen, bei seiner Zusammenkunft 1950 in Toronto noch einmal ausführlich mit Wesen und Auftrag des Ökumenischen Rates befasst. Die sog. *Toronto-Erklärung* geht auf Überlegungen von *Willem Visser´t Hooft* zurück und stammt weitestgehend aus seiner Feder. Er hatte bereits 1945, als es ihn offiziell noch gar nicht gab, Gedanken zu „Wesen und Grenzen“ des Ökumenischen Rates zu Papier gebracht.[17] Ausführlicher entfaltete er sie in einem Aufsatz zur Vorbereitung auf die erste Vollversammlung 1948 in Amsterdam: „Die Bedeutung des Ökumenischen Rates der Kirchen“, und veröffentlichte ihn zusammen mit Kommentaren ökumenischer Theologen dazu.[18] Was die Mitgliedschaft im Ökumenischen Rat für Kirchen bedeutet, wurde in einem streng geheimen Treffen mit römisch-katholischen Ökumenikern – unter ihnen *Yves Congar* und *Jean Danielou* –, „der Avantgarde des römisch-katholischen Ökumenismus“, im September 1949 (!) im Pariser Istina-Zentrum anhand von je 6 Visser´t Hooft-Thesen diskutiert: „Was der Ökumenische Rat nicht ist“ und „Annahmen, die dem Ökumenischen Rat der Kirchen zu Grunde liegen“.[19] Anschließend legte Visser´t Hooft seine ergänzten Thesen dem Exekutivausschuss des Ökumenischen Rates im Februar 1950 auf Schloss Bossey vor. Nach weiteren Überarbeitungen durch Visser´t Hooft, *Oliver Tomkins* und einen Unterausschuss entstand daraus die im Juli 1950 vom Zentralausschuss angenommene Toronto-Erklärung: „Die Kirche, die Kirchen und der Ökumenische Rat der Kirchen. Die ekklesiologische Bedeutung des Ökumenischen Rates der Kirchen.“[20]

Es handelt sich also nach fünfjähriger Beratung und Bearbeitung um eine Grundsatzerklärung zu Wohl und Wehe des Ökumenischen Rates. Die beiden Hauptteile entfalten erst negativ unter 5 Gesichtspunkten und dann positiv mit 8 Aspekten, was es mit dem Ökumenischen Rat auf sich hat. Ich fasse sie thesenartig zusammen:

I. Was der Ökumenische Rat der Kirchen nicht *ist:*
1. Der ÖRK ist keine „Über-Kirche“.
2. Der ÖRK leitet keine Unionsverhandlungen zwischen Kirchen in die Wege.
3. Der ÖRK ist kein Instrument einer bestimmten Konfession oder einer theologischen Schule.
4. Mitgliedschaft im ÖRK bedeutet für eine Kirche nicht, ihre eigene Auffassung von der Kirche zu relativieren.
5. Mitgliedschaft im ÖRK bedeutet für eine Kirche nicht, eine bestimmte Lehre über das Wesen der christlichen Einheit anzunehmen.

II. Positive *Annahmen über den Ökumenischen Rat und seine Mitgliedskirchen*
1. Mitgliedskirchen anerkennen, dass Christus das göttliche Haupt seines Leibes ist.
2. Mitgliedskirchen glauben, dass die Kirche Christi *eine* ist.
3. Mitgliedskirchen anerkennen, dass die Mitgliedschaft in der Kirche Christi umfassender ist als die Mitgliedschaft in ihrer eigenen Kirche.
4. Mitgliedskirchen suchen gegenseitige Beratung über das Verhältnis anderer Kirchen zur „heiligen katholischen Kirche“ der Glaubensbekenntnisse. Mitgliedschaft im ÖRK bedeutet *nicht,* dass jede Kirche die anderen Mitgliedskirchen als Kirchen im wahren und vollen Sinn des Wortes anerkennen muss.
5. Mitgliedskirchen anerkennen jedoch in anderen Kirchen Elemente der wahren Kirche (vestigiae ecclesiae).
6. Mitgliedskirchen sind bereit zu lernen, welches Zeugnis von dem Herrn Jesus Christus sie vor der Welt ablegen sollen.
7. Mitgliedskirchen wissen sich solidarisch miteinander, stehen einander in der Not bei und vermeiden unbrüderliche Verhaltensweisen.
8. Mitgliedskirchen treten in ein geistliches Verhältnis miteinander ein, lernen voneinander und helfen einander, damit der Leib Christi auferbaut und das Leben der Kirchen erneuert wird.

Nach fast 70 Jahren überrascht aus heutiger Sicht, wie stark im ersten Teil die Negationen über das, was der Ökumenische Rat *nicht* ist, im Vordergrund stehen. Sie sind zwei Jahre nach seiner Gründung nur daraus zu erklären, dass es sich bei der Bildung (formation) des Ökumenischen Rates um einen neuen Vorgang „ohne geschichtliches Vorbild“ und also „ohne Präzedenzfall“[21] gehandelt hat. Indem von vornherein klargestellt wird, dass der Ökumenische Rat keine „Superkirche“ ist und sein will, die Macht, Druck oder Kontrolle auf ihre Mitgliedskirchen ausübt, wird namentlich „großen“ Kirchen wie der russisch-orthodoxen, der römisch-katholischen oder der Evangelischen Kirche in Deutschland den Zugang zu ihm erleichtert. Der Ökumenische Rat beansprucht für sich keinerlei formale Autorität. Vielmehr besteht seine Autorität, wie es Erzbischof *William Temple* formuliert hat, nur „in dem Gewicht, das er durch seine eigene Weisheit bei den Kirchen erhält“[22].

Am umstrittensten war in Toronto These II,4, dass nicht jede Mitgliedskirche die anderen als Kirche „im wahren und vollen Sinn“ anzuerkennen braucht. Das hat zu der bis heute andauernden paradoxen Situation geführt, dass im Ökumenischen Rat Kirchen Mitglieder sind, die einander nicht als Kirchen im wahren und vollen Sinn anerkennen. Aber im Unterschied zu damals ist ihre Zahl heute erheblich vermindert.

Bei den *positiven* Bestimmungen des Ökumenischen Rates ist die Orientierung an Christus und seinem Leib im neutestamentlichen Sinne nicht zu übersehen. Die Mitgliedskirchen des Rates bekennen sich zu der Einsicht, dass Christus nur *einen* Leib hat und folglich die Kirche Christi *eine* ist, der die Trennung zwischen Kirchen eklatant widerspricht. Die Toronto-Erklärung weist demgegenüber darauf hin, „dass die christlichen Kirchen mit ganz wenigen Ausnahmen die von anderen Kirchen vollzogene Taufe als rechtmäßig annehmen“[23]. Besonders wegweisend sind die Hinweise auf die vestigiae ecclesiae, Elemente der wahren Kirche, bei den Mitgliedskirchen des Ökumenischen Rates: „Die ökumenische Bewegung ist auf der Überzeugung gegründet, dass man diesen ‚Spuren‘ nachgehen muss.“[24] So hatten sich bereits *Yves Congar* und *Jean Danielou* bei dem Geheimtreffen in Paris 1949 geäußert und dieses Konzept der Elemente ist auch in die Kirchenkonstitution des Zweiten Vatikanischen Konzils aufgenommen worden.[25] Positiv wird auch

unterstrichen, dass es sich im Ökumenischen Rat von Anfang an um eine Zeugnis- und Dienstgemeinschaft handelt: „Und wenn eine Kirche in Not ist oder verfolgt wird, sollte sie auf die Hilfe der anderen Kirchen durch den Rat rechnen dürfen.“[26] Diese Folgerung ist heute im Zeichen von Christenverfolgungen im Nahen Osten, in Indien und Teilen Afrikas so unabweislich wie in den Notlagen nach dem Zweiten Weltkrieg.
Abschließend betont die Toronto-Erklärung das „geistliche Verhältnis“, in das die Mitgliedskirchen des Ökumenischen Rates miteinander eintreten. Sie sollen voneinander lernen und einander helfen, den Leib Christi aufzuerbauen und das Leben der verschiedenen Kirchen zu erneuern. Die ökumenische Gemeinschaft der Kirchen im Ökumenischen Rat versteht sich also als umfassende Erneuerungsbewegung, nach der schon *Luther* gerufen hatte. In diesem Sinne ist der Ökumenische Rat, wie *Visser´t Hooft* es bereits 1948 vor Augen stand, eine Körperschaft, „in der und durch die die Una Sancta in Erscheinung tritt, wann immer es Gott gefällt“[27].

1.3 Konzile und die Ökumenische Bewegung – Glauben und Kirchenverfassung 1968

Zu den wichtigsten Aufgaben des Ökumenischen Rates gehört es, alle 6 bis 8 Jahre eine Vollversammlung seiner Mitgliedskirchen zu veranstalten. Nach der Gründungsversammlung 1948 in Amsterdam kam die ökumenische Gemeinschaft zu ihrer zweiten Weltversammlung 1954 in *Evanston* bei Chicago/Illinois zusammen. Sie stand im Schatten des voll entbrannten Ost-West-Konflikts und des Wettrüstens auf beiden Seiten. Das einzige, was diese zweite Vollversammlung erreichen konnte, bestand darin, sich nicht ebenfalls von dem Tauziehen der beiden Großmächte auseinander dividieren zu lassen, sondern sich stattdessen mit der Losung der Konferenz zu Jesus Christus, der Hoffnung der Welt, zu bekennen.[28] An eine katholische Beteiligung in Evanston war ebenso wenig wie in Amsterdam zu denken, nachdem sich der Erzbischof von Chicago, Kardinal *Samuel Stritch*, in einem Hirtenbrief eindeutig gegen eine Beteiligung

der katholischen Kirche an der Weltversammlung ausgesprochen hatte.[29]
Die ökumenische Lage änderte sich erst mit der dritten Weltkonferenz 1961 in *Neu-Delhi*. Inzwischen hatte Papst *Johannes XXIII*. ein neues Konzil angekündigt und die nicht-katholischen Kirchen eingeladen, sich daran zu beteiligen. Das hatte seine Auswirkungen auch auf die dritte ökumenische Weltkonferenz im Vorfeld des Konzilsbeginns: Erstmals nahmen 5 Beobachter des Vatikans offiziell an der Vollversammlung teil.[30] Aber nicht nur das: Der Impuls aus Rom zu einem neuen Konzil war so stark, dass man in Neu-Delhi den Anstoß gab, sich mit dem Thema „Konzile in der Alten Kirche“ zu befassen.
Den griff die Kommission für Glauben und Kirchenverfassung auf und veranstaltete dazu mehrere Tagungen in den sechziger Jahren, bevor sie ihre Ergebnisse 1968 unter der Überschrift veröffentlichte: *„Konzile und die Ökumenische Bewegung.“*[31] Am wichtigsten ist der von der Plenarrkommission in Bristol 1967 gutgeheißene Bericht über „die Bedeutung des konziliaren Vorgangs der Alten Kirche für die ökumenische Bewegung“[32]. Er beginnt mit der These: „Die *Konziliarität*, die Notwendigkeit, dass sie (repräsentative Versammlungen) stattfinden, ist ... eine konstante Struktur der Kirche, eine Dimension, die zu ihrem Wesen gehört.“[33] Anschließend erörtert er die Frage nach dem Verhältnis von Konzilen und ökumenischer Bewegung. Da es heute nicht mehr wie in altkirchlicher Zeit um eine, vielmehr um zahlreiche kirchliche Gemeinschaften geht, die nicht miteinander in Gemeinschaft stehen, sind „Konzile, die den Namen *ökumenisch* verdienen, ... durch die Trennung unmöglich geworden“. Andererseits haben sich in der ökumenischen Bewegung Kirchen zusammengeschlossen, die trennende Entscheidungen der Vergangenheit erneut auf den Prüfstand stellen und auch einen neuen Konsensus formulieren können. Insofern kann der Ökumenische Rat als „Werkzeug zur Vorbereitung eines wahrhaft ökumenischen Konzils“ verstanden werden. „Indem die ökumenische Bewegung so dem Augenblick entgegenwirkt, in dem sich Kirchen trotz der noch vorhandenen Unterschiede in der Eucharistiegemeinschaft annehmen können, wirkt sie auch dem Augen-

blick entgegen, in dem ein wahrhaft ökumenisches Konzil Ereignis werden kann."[34]

2 Katholizität und Konziliarität

2.1 Katholizität der Kirche – Uppsala 1968

Mit diesen Überlegungen hatte die Kommission für Glauben und Kirchenverfassung den Boden bereitet, auf dem im Juli 1968 die 4. Vollversammlung des Ökumenischen Rates in Uppsala stattfinden konnte. Mit der Losung: „Siehe, ich mache alles neu" (Offenbarung 21,5), nahm sie den Veränderungsimpuls auf, der – ausgehend von den Studentenunruhen im kalifornischen Berkeley 1966 – in der zweiten Hälfte der sechziger Jahre viele Länder in Atem hielt. So konnte die Botschaft von Uppsala sagen: „Beteiligt euch an dieser Vorwegnahme des Reiches Gottes und lasst heute schon etwas von der Neuschöpfung sichtbar werden, die Christus an seinem Tag vollenden wird."[35] Auf der anderen Seite waren in Uppsala die ökumenischen Auswirkungen des Zweiten Vatikanischen Konzils mit Händen zu greifen. Seit 1965 gab es schon eine Gemeinsame Arbeitsgruppe zwischen Genf und Rom, die die offizielle Zusammenarbeit in Angriff nahm und die bis heute lebendig ist. In Uppsala nahmen 14 offizielle Delegierte Beobachter des Vatikans teil. Ein Jesuit, *Roberto Tucci,* hielt erstmals einen öffentlichen Vortrag auf einer Vollversammlung des Ökumenischen Rates zu den Beziehungen zwischen Rom und Genf.[36] Und es wurden in Uppsala erstmals römisch-katholische Theologen als volle Mitglieder in die Kommission für Glauben und Kirchenverfassung gewählt. All das zeigt, wie weit die ökumenischen Beziehungen zwischen Genf und Rom inzwischen gediehen waren. Am deutlichsten kommt der theologische Fortschritt in dem ersten von 6 Sektionsberichten unter dem Thema zum Ausdruck: *„Der Heilige Geist und die Katholizität der Kirche."*[37] Sein erster Teil befasst sich mit dem Geschenk von Geist und Katholizität, während im zweiten Teil das Ringen um deren Verwirklichung in den Bereichen Vielfalt, Kontinuität, Einheit der ganzen

Kirche und Einheit der Menschheit zur Sprache gebracht wird. Zu Beginn ist unter den erzielten Fortschritten auch von den „kraftvollen Zeichen der Erneuerung innerhalb der Römisch-katholischen Kirche" die Rede. „Gott der Heilige Geist", von dem hier gesprochen wird, führt als erstes in die „Nöte der Welt und (zu) unserer Solidarität mit der Schöpfung". Im Anschluss an den Dritten Artikel des Ökumenischen Glaubensbekenntnisses von 381 wird die lebensspendende Macht des Geistes in Kirche und Welt entfaltet.[38] Als eine seiner wichtigsten Gaben kommt dann die *Katholizität* zur Sprache: „Sie ist die Eigenschaft, durch welche die Kirche die Fülle, die Integrität und die Totalität des Lebens in Christus zum Ausdruck bringt... Die Glieder der Kirche sollten die Integrität und Ganzheit widerspiegeln, die entscheidende Wesenszüge der Kirche sind ... Katholizität ist eine Gabe des Geistes, aber sie ist auch eine Aufgabe, ein Ruf und ein Engagement."[39] Hier wird Katholizität in keiner Weise als Merkmal einer bestimmten Konfession beschrieben, vielmehr als ein entscheidender Wesenszug der Kirche Jesu Christi und also *jeder* Kirche, die sich als Teil der Kirche Jesu Christi versteht. Sie wird mit den Begriffen Fülle, Integrität, Totalität und Ganzheit erläutert. Katholizität ist also keine statische Konfessionsbezeichnung, sondern ein dynamisches Geschenk des Geistes: Ruf, Aufgabe und Engagement.

Das verdeutlichte die in Uppsala 1968 zu diesem Thema geführte Diskussion. In seinem Einführungsvortrag machte der armenische Bischof *Karekin Sarkissian* aus dem Libanon bemerkenswerte Ausführungen dazu: „Ohne dieses dynamische Verständnis der Katholizität wird der Begriff des Katholischen fast bedeutungslos oder bestenfalls eine Art von Reliquie ... Katholizität ist nicht eine Seinsweise, eine Form reiner Existenz, sondern eher eine Lebensweise ... Wir müssen unser Denken über Katholizität von einer rein horizontalen Dimension auf ihr vertikales Sein einstellen ... Katholizität ist eine gegebene Wirklichkeit in der Kirche, deren wesentliche Elemente im Leben der Kirche durch die Bekenntnisse, die liturgische Gemeinschaft und das gemeinsame Handeln gespiegelt werden ... *Die Kirche Christi ist katholisch, oder sie ist überhaupt nicht die Kirche.* Aber wir müssen katholisch werden, indem wir diese Katholizität in ihrer

Fülle ausdrücken und sie zu ihrem letzten Ziel bringen: der Einheit der Menschen ..."[40] Diese Sicht hat jede konfessionelle Engführung weit hinter sich gelassen und stattdessen eine ganzheitliche Perspektive des Katholischen entfaltet, die Kirche *und* Welt umfasst. So liegt es im Gefälle der Uppsala-Erkenntnisse von 1968, wenn davon gesprochen wird, dass Katholizität durch zu große Betonung konfessioneller und kirchlicher Treue „verdunkelt" wird, dass in der Überwindung der Rassentrennung „der dringendste Testfall einer angewandten Katholizität" gegeben und eine Periode „progressiver Katholizität" angesagt ist.[41] Die Kehrseite dieser so verstandenen Katholizität ist ihre „Leugnung", die dann vorliegt, wenn Vorurteile, Diskriminierung und nationalistische Ziele die Oberhand gewinnen, die „das wesentliche Einssein von Mann und Frau in Christus" ebenso verhindern wie „die organische Einheit von Kirchen".
Diese Dimension von Katholizität wird im zweiten Teil des Uppsala-Berichtes weiterverfolgt, wenn „das Ringen um die *Einheit der ganzen Kirche*" zur Sprache kommt. Jetzt geht es u. a. um eine wirkliche Erfahrung von Universalität der Kirche. Dabei spielen regionale Kirchenräte eine ebenso wichtige Rolle wie der Ökumenische Rat der Kirchen. Beide können als eine „Übergangslösung bis zu einer schließlich zu verwirklichenden wahrhaft universalen, ökumenischen, konziliaren Form des gemeinsamen Lebens und Zeugnisses" verstanden werden. Hier kommen erstmals die Dimensionen von Kirchesein zueinander, die schon immer zusammengehören: Katholizität – Konziliarität – Ökumenizität – Universalität. In diesem Zusammenhang ist dann zum ersten und m. W. auch einzigen Mal von einem künftigen universalen Konzil die Rede: *„Die Mitgliedskirchen des Ökumenischen Rates der Kirchen, die einander verpflichtet sind, sollten auf die Zeit hinarbeiten, wenn ein wirklich universales Konzil wieder für alle Christen sprechen und den Weg in die Zukunft bahnen kann."*[42]
Schließlich ist auch noch von den Auswirkungen der Katholizität auf die *Einheit der Menschheit* die Rede. Mit einer gewissen Beschämung wird auf „säkulare Katholizitäten" hingewiesen, „die anscheinend oft wirksamer sind als die Kirche". Daher wird ihre Sendung in die Welt auch eine Bereicherung für die Kirche

selbst bedeuten: „Nur in der Fülle einer erlösten Menschheit werden wir die Fülle der Gaben des Geistes erfahren." In dieser umfassenden Sicht wird dann abschließend die „Tragik unserer Spaltungen" noch einmal besonders deutlich: „Wir sehen ein, wie hohl und leer unser Reden über Katholizität klingen mag und wie weit wir hinter dem Ruf des Heiligen Geistes zurückbleiben." In Uppsala 1968 sind die Kirchenspaltungen, an die sich die Christenheit jahrhundertelang gewöhnt hatte, erstmals in voller Klarheit als Sünde gegen den Heiligen Geist und sein Geschenk der Katholizität erfasst worden. So mündet der Bericht von Sektion I in das Gebet aller Teilnehmenden der 4. Vollversammlung des Ökumenischen Rates: *„Komm Schöpfer Geist."*[43]

2.2 Konziliare Gemeinschaft der Kirchen – Nairobi 1975

Der Vorschlag von Uppsala, auf ein wirklich ökumenisches Konzil für alle Christen hinzuarbeiten, hatte damals für beträchtliches Aufsehen gesorgt. Daher griff die Kommission für Glauben und Kirchenverfassung das Thema weiter auf und widmete sich der Frage der Konziliarität zunächst in Löwen 1971 und zwei Jahre später 1973 in Salamanca. Ihre Erkenntnisse sind dann in den Bericht von Sektion II zur Einheit der Kirche der 5. ökumenischen Vollversammlung in Nairobi 1975 aufgenommen worden. In *Löwen 1971* stand die Frage nach heute angemessenen Formen von konziliarem Zusammenleben im Vordergrund.[44] Dazu gehören verschiedene Ebenen, auf denen *Konziliarität* eingeübt werden soll: die örtlichen, nationalen, regionalen und weltweiten Zusammenschlüsse. Denn Konziliarität soll zu einem Element auf allen Ebenen des kirchlichen Lebens werden, zu einer „konstanten Struktur", die die gegenseitige Verpflichtung der Kirchen vertiefen wird. Zugleich soll sie Raum öffnen und schaffen für Vielfalt, Unterschiede und auch Konflikte im Horizont des weltweiten Zusammenlebens. Konziliarität entfaltet sich zudem in den zeitlichen Dimensionen von vergangenen Erfahrungen, gegenwärtigen Begegnungen und künftigen Ereignissen. Es geht dabei um einen Prozess des „Hineinwachsen(s) in die volle Konziliarität“. Dem müssen sich konziliare Gruppen, Kirchenräte und Kirchen aussetzen, wenn sie einem wahrhaft ökumenischen Konzil den Weg bereiten wollen und sollen. Dazu trägt auch der Ökumenische Rat erheblich bei, der als Treffpunkt für Kirchen einen Rahmen bietet, „innerhalb dessen sich echte Konziliarität entwickeln kann“. Er hat das von Anbeginn seiner Existenz schon erheblich getan und übernimmt in gewisser Weise „die alte Aufgabe eines Konzils“, die u. a. darin besteht, dass „Christen in der Wahrheit miteinander versöhnt werden können“[45].

Ein „echtes“ Konzil ist ohne eucharistische Gemeinschaft und weltweite Akzeptanz seiner Beschlüsse nicht denkbar. Aber schon 1971 wird die Frage aufgeworfen, ob es nicht ein *„Einigungskonzil“*[46] geben könnte, das beide konstitutiven Elemente nicht zu Vorbedingungen erklärt, sie vielmehr als Geschenke des Heiligen Geistes sucht und erwartet. Allein diese Fragestellung ist schon eine großartige Zukunftsperspektive für die ökumenische Bewegung.

Abschließend entfaltet Löwen 1971 die umfassende Bedeutung von Konziliarität. Der Ökumenische Rat hat seit Toronto 1950 in 21 Jahren seine konziliare Kraft für die Mitgliedskirchen erwiesen. Das Zweite Vatikanische Konzil hat zu „neuen Erprobungen in konziliarer Praxis“ geführt. Und von den Vorbereitungen für die panorthodoxe Synode erhofft man sich schon 1971 eine „schöpferische Erneuerung“. Insbesondere erwartet man sich von der Zusammenarbeit zwischen Genf und Rom das „Wachstum wahrer Konziliarität“ und dass „so der Weg vorbereitet wird für ein wahrhaft ökumenisches Konzil“[47]. Der heutige Leser dieser Vision, die vor fast einem halben Jahrhundert formuliert worden ist, reibt sich verwundert die Augen und fragt, was aus dieser inspirierenden Zukunftsperspektive geworden ist.

Zwei Jahre später hat die Kommission für Glauben und Kirchenverfassung das Thema in *Salamanca 1973* wieder aufgegriffen, diesmal unter dem Leitwort der „konziliaren Gemeinschaft der Kirchen“[48]. Was darunter zu verstehen ist, hat Salamanca in einer Umschreibung zusammengefasst, die von Sektion II in *Nairobi* zitiert wird:

„Die eine Kirche ist als konziliare Gemeinschaft *von Gemeinden*

(local churches) zu verstehen, die ihrerseits tatsächlich vereinigt sind. In dieser konziliaren Gemeinschaft hat jede der Gemeinden zusammen mit den anderen volle Katholizität, sie bekennt denselben apostolischen Glauben und erkennt daher die anderen als Glieder derselben Kirche Christi an, die von demselben Geist geleitet werden. Wie die Vollversammlung in Neu-Delhi ausführte, gehören sie zusammen, weil sie die gleiche Taufe empfangen haben und das gleiche heilige Abendmahl feiern; sie erkennen die Mitglieder und die geistlichen Ämter der anderen Gemeinden an. Sie sind eins in ihrem gemeinsamen Auftrag, das Evangelium von Christus in ihrer Verkündigung und in ihrem Dienst in der Welt und vor der Welt zu bekennen. Zu diesem Zweck ist jede einzelne Gemeinde bestrebt, die angebahnten Beziehungen aufrecht zu erhalten und neue Beziehungen zu ihren Schwestergemeinden anzuknüpfen und diesen Beziehungen in konziliaren Zusammenkünften Ausdruck zu verleihen, wo immer die Erfüllung ihres gemeinsamen Auftrags dies erfordert."[49]
Hier werden *8 Elemente konziliarer Gemeinschaft* benannt: 1. volle Katholizität, 2. apostolischer Glaube, 3. Anerkennung der anderen als Glieder derselben Kirche Christi, 4. Taufe, 5. Abendmahl/Eucharistie, 6. Anerkennung der geistlichen Ämter, 7. Auftrag zum Bekennen des Evangeliums in Verkündigung und Dienst in der Welt und 8. konziliare Zusammenkünfte. Dieser Maximalkatalog umfassender konziliarer Gemeinschaft wird anschließend unter 5 Gesichtspunkten näher erläutert, die Akzente setzen und Ansatzpunkte zur Umsetzung vermitteln.[50]
Denn *Salamanca* unterstreicht, dass die Kirchen „schon eine Art vor-konziliarer Gemeinschaft erfahren ... Der konziliare Prozess muss innerhalb wie zwischen den Kirchen fortgesetzt werden ... Ihre vorläufige ökumenische Gemeinschaft muss als Ort genutzt werden, um vorwegnehmend die konziliare Gemeinschaft zu praktizieren, die die Kirchen schließlich aufzubauen versuchen."[51] Um diesen Prozess in Gang zu bringen werden folgende drei Schritte empfohlen:

1. Die Initiative muss von den Kirchen selbst ausgehen.
2. Sie müssen gemeinsam die Themen ins Auge fassen, die ihr Zeugnis in der gegenwärtigen Welt herausfordern, wie z. B.

politische und soziale Verantwortung, damit sie schrittweise zu „einigungsfähigen" (unitable) Kirchen werden.
3. Sie können für ihre Einigungsverhandlungen den Ökumenischen Rat und die Kommission für Glauben und Kirchenverfassung in Anspruch nehmen.

Dieses umfassende *Konzept konziliarer Gemeinschaft* mag wie Zukunftsmusik klingen, es benennt aber zugleich erste gangbare Schritte für die Kirchen, wenn sie sie denn tun wollen.
Die 5. Vollversammlung des Ökumenischen Rates in *Nairobi 1975* hat sich diese Überlegungen weitgehend zueigen gemacht und die konziliare Gemeinschaft unter der Überschrift „ein gemeinsam bejahtes Ziel" zur Sprache gebracht. Dieses Ziel entfaltet der Bericht von Sektion II in theologischer Hinsicht unter der Überschrift *„wahre Konziliarität"*, der den Einfluss orthodoxer Gedanken deutlich erkennen lässt. Er beschreibt wahre Konziliarität mit 6 Gesichtspunkten:

1. „Wahre Konziliarität ist das Spiegelbild des dreieinigen Wesens Gottes im Leben der Kirche."
2. Die Begegnung mit dem auferstandenen Christus, die Quelle der Einheit, geschieht heute in der „eucharistischen Gemeinschaft".
3. So werden Christi Jünger zu „lebendigen Gliedern an dem einen lebendigen Leib des auferstandenen Christus".
4. Reiche Vielfalt verschiedener Ortskirchen und die „Integrität des einen apostolischen Glaubens" gehören komplementär zusammen: „Lebendige Wahrheit ist das Ziel, dem alle Kirchen auf ihrer Suche nach der Wahrheit zustreben."
5. Konziliarität ist der Ausdruck „innerer Einheit" von Kirchen, die sich durch Raum, Kultur und Zeit voneinander unterscheiden.
6. Konzile versammeln Vertreter aller Ortskirchen, „um ihrer Einheit in einer versammelten Gemeinschaft sichtbaren Ausdruck zu geben".[52]

Nach dieser theologischen Vertiefung wird der Zusammenhang erläutert, innerhalb dessen konziliare Gemeinschaft entwickelt werden muss, wenn sie „das Zeichen der kommenden Einheit

der Menschheit“ sein soll. Dabei handelt es sich darum, in den einen umfassenden Leib Christi Behinderte, Männer *und* Frauen, personale Gemeinschaft, politische Auseinandersetzungen sowie kulturelle Identitäten einzubeziehen. Zu diesen Zukunftsaufgaben gehört es auch, die Beziehungen von Ortsgemeinden zur Kirche als Ganzer zu intensivieren, damit das Leben jeder einzelnen Kirche konziliare Qualität erhält. Nairobi unterstreicht schließlich den Wunsch der beteiligten Kirchen, „ein vorlaufendes Zeichen voller konziliarer Gemeinschaft ... (und) selber ein wahrer Vorgeschmack solcher Gemeinschaft“ zu sein.[53]
Mit seiner umfassenden Konzeption von konziliarer Gemeinschaft der Kirchen hat Nairobi 1975 den Impuls von Uppsala 1968 zu einem universalen Konzil für alle Christen aufgenommen, zu einer Zielperspektive der einen ökumenischen Bewegung weiterentwickelt und zugleich in seinen Empfehlungen erste gangbare Schritte dorthin gewiesen.[54]

2.3 Eucharistische Vision und Konziliarer Prozess – Vancouver 1983

In den 8 Jahren zwischen Nairobi 1975 und der 6. Vollversammlung des Ökumenischen Rates 1983 in Vancouver haben bedeutende theologische, kirchliche und politische Ereignisse stattgefunden, die zu einer veränderten Gesamtlage beigetragen haben. Die *theologische* Arbeit der Kommission für Glauben und Kirchenverfassung erlebte in jenen Jahren eine Blütezeit. 1978 verabschiedete die Plenarversammlung in Bangalore die bis heute wegweisende Erklärung: „Eine gemeinsame Rechenschaft von der Hoffnung.“[55] Gleichzeitig tagte eine Gruppe namhafter internationaler Theologen 1978/79 in Schloss Klingenthal bei Straßburg und beriet über eine Lösung des sog. Filioque-Konfliktes[56] zwischen Ost- und Westkirche, der im Hintergrund der Kirchenspaltung von 1054 steht. Sie besteht in der Empfehlung, „dass die ursprüngliche Form des Dritten Artikels des Glaubensbekenntnisses *ohne das Filioque* überall als normativ anerkannt und wiederhergestellt werden sollte“[57]. Diese neuen Bemühungen um eine Annäherung zwischen östlichen und westlichen Kirchen erhielten zusätzlichen Auftrieb durch das 1600-jährige Jubiläum des Ökumenischen Glaubensbekenntnisses von Nizäa-Konstantinopel im Jahr 1981, das im Genfer ökumenischen Zentrum am 15. Juni festlich begangen wurde und dem eine Tagung in Odessa gewidmet war.[58] Ihren Höhepunkt erreichten die jahrzehntelangen theologischen Bemühungen der Kommission mit der einstimmigen Verabschiedung der Konvergenzerklärungen zu Taufe, Eucharistie und Amt am 12. Januar 1982 in der Oasis de los Santos Apostolos bei Lima.[59] Text und Feier der sog. Lima-Liturgie[60] zum Abschluss der Konferenz bei Kerzenschein und Katakombenatmosphäre haben nachhaltige Auswirkungen auf Vancouver und die Aufnahme der Erklärungen insgesamt hervorgerufen.

In den ökumenischen Beziehungen zwischen den Kirchen breitete sich Anfang der achtziger Jahre ein gewisses Tauwetter aus. Es begann 1978 mit der Wahl von Papst *Johannes Paul II.*, der 1980 als erster Papst seit Jahrhunderten Deutschland besuchte und 1984 auch den Ökumenischen Rat in Genf. Im Vorfeld des 450-jährigen Jubiläums des Augsburger Bekenntnisses 1980 gab es eine von katholischer Seite, u. a. von *Joseph Ratzinger* angestoßene öffentliche Diskussion über eine offizielle Anerkennung der Confessio Augustana als Bekenntnis der Gesamtkirche.[61] Und zu Luthers 500. Geburtstag veröffentlichte 1983 die internationale römisch-katholische/evangelisch-lutherische Kommission eine Erklärung mit dem ökumenisch bahnbrechenden Titel, der zugleich die These der Schrift formuliert: „Martin Luther – Zeuge Jesu Christi“[62]. Die Kirchen gingen in jenen Jahren entschlossen aufeinander zu, insbesondere die evangelisch-lutherische und die römisch-katholische.

Ganz im Gegensatz zu den hoffnungsvollen theologischen und kirchlichen Entwicklungen nahmen die *politischen* Spannungen zwischen Ost und West Anfang der achtziger Jahre bedrohliche bis beängstigende Ausmaße an. Sie wurden durch die Stationierung von SS-20-Raketen in der Sowjetunion ausgelöst und mit dem sog. Doppelbeschluss der NATO beantwortet, Abrüstungsverhandlungen zu führen und gleichzeitig nachzurüsten. Die Auseinandersetzungen erreichten ihren Höhepunkt 1983 in Deutschland, der damaligen Nahtstelle des Ost-West-Konflikts,

und führten im Herbst zur größten Demonstration der Friedensbewegung in der Geschichte der Bundesrepublik mit rund 300 000 Teilnehmenden im Bonner Hofgarten.
Diese Entwicklungen haben auf der 6. Vollversammlung in *Vancouver* ihre Spuren hinterlassen. Einer der Höhepunkte dieser Konferenz bestand in der Feier der *Lima-Liturgie* am Sonntagmorgen, dem 31. Juli 1983, in dem großen weiß-gelben Gottesdienstzelt auf dem Campus der Universität. An ihrer Gestaltung beteiligten sich verantwortliche Leiter von evangelischen, orthodoxen und katholischen Kirchen, unter ihnen der damalige Würzburger Bischof *Paul-Werner Scheele* und der Metropolit von Smolensk *Kyrill Gundiaef* , der heutige Moskauer Patriarch. Geleitet wurde die Feier vom damaligen Erzbischof von Canterbury *Robert Runcie*. Wohl am eindrücklichsten gestaltete sich die Kommunion, natürlich unter beiderlei Gestalt mit Brot und Wein bzw. Traubensaft, die an etwa 50 Stellen innerhalb und außerhalb des Zeltes von rund 150 Personen, Paaren von Männern und Frauen, an jeden/jede, der/die sie empfangen wollte, ausgeteilt wurde. Eine solche umfassende Abendmahlsfeier hatte es in der Geschichte der ökumenischen Bewegung zuvor noch nie gegeben und hinterließ bei vielen Teilnehmenden einen nachhaltigen, teilweise bis heute nachwirkenden Eindruck.[63] Dadurch, dass die Feier vom Fernsehen live in zahlreiche Länder übertragen wurde, gewann die Lima-Liturgie ihren internationalen Durchbruch. Damit hat das gottesdienstliche Leben der ökumenischen Bewegung eine neue Qualität erreicht, die ohne die Lima-Erklärung zur Eucharistie so nicht möglich geworden wäre.
Diese neue Erfahrung spiegelt sich auch im Bericht der Fachgruppe (Sektion) II „Schritte auf dem Weg zur Einheit“: *„In der Tat ist der Aspekt der christlichen Einheit, der für uns hier in Vancouver am meisten in den Vordergrund gerückt ist, die eucharistische Gesamtschau. Christus – Leben der Welt – eint Himmel und Erde, Gott und Welt, Geistliches und Weltliches. Sein Leib und Blut, die uns in den Elementen Brot und Wein gegeben werden, vereinigen Liturgie und Diakonie, Verkündigung und heilendes Amt ... So schließt unsere eucharistische Vorstellung die ganze Wirklichkeit des christlichen Gottesdiens-*

tes, Lebens und Zeugnisses ein und vermag – wenn wir sie in Wahrheit gefunden haben – neues Licht auf die christliche Einheit in der Fülle ihrer reichen Vielfalt zu werfen ...“[64]

Das Neue dieser „eucharistischen Vision“ liegt darin, die ganze Wirklichkeit des Lebens, Geistliches und Weltliches, Liturgie und Diakonie, Verkündigung des Evangeliums und Heilung der Schöpfung miteinander zu verbinden: „Sie gehören zusammen.“ Darüber hinaus ist aber auch von einem *„eucharistischen Lebensstil“* die Rede: „Die Eucharistie umgreift alle Aspekte des Lebens ... Alle Arten von Ungerechtigkeit, Rassismus, Trennung und Mangel an Freiheit werden radikal herausgefordert, wenn wir miteinander am Leib und Blut Christi teilhaben.“[65] Es geht in der eucharistischen Erfahrung also auch um die Verbindung von sakramentaler und alltäglicher Wirklichkeit, um die Auswirkungen von geistlicher auf die weltliche Gemeinschaft. Auf diese Weise ist man in Vancouver dem Kern der konziliaren Gemeinschaft, von der in Nairobi die Rede war, ein gutes Stück näher gekommen. Die eucharistische Erfahrung und Vision ist das entscheidende Element, mit dem in Vancouver die konziliare Gemeinschaft von Nairobi weiterentwickelt worden ist. Sie ist von einer theologisch-lehrhaften zu einer doxologisch-anbetenden Gemeinschaft entfaltet worden, die wiederum Rückwirkungen auf die Annahme von ökumenischen Lehraussagen hat. So fasst es Sektion II zusammen: „Auf dieser Vollversammlung standen wir unter einem besonderen Segen, da sich unsere Theologie zur Doxologie, unsere lehrmäßigen Übereinstimmungen zum Lob und zur Anbetung des dreieinigen Gottes emporgehoben haben. Die Tatsache, dass wir die Eucharistische Liturgie von Lima miteinander gefeiert haben, könnte zu einem mächtigen Schritt vorwärts auf dem spirituellen Weg der Rezeption der Lehraussagen des ökumenischen Textes führen, der ihr zugrunde liegt.“[66] Theologische, spirituelle und ethische Dimensionen der konziliaren Gemeinschaft gehören zusammen.

Das wird auch an dem anderen Akzent deutlich, den Vancouver gesetzt hat: dem *Konziliaren Prozess für Gerechtigkeit, Frieden und Bewahrung der Schöpfung*: „Die Mitgliedskirchen in einen Konziliaren Prozess gegenseitiger Verpflichtung (Bund) für Gerechtigkeit, Frieden und Bewahrung der ganzen Schöpfung einzubinden, sollte einen Arbeitsschwerpunkt der ÖRK-Programme bilden."[67] In diesen Zusammenhang gehört auch die bekannteste öffentliche Erklärung, die in Vancouver „zu Frieden und Gerechtigkeit" verabschiedet worden ist. Sie stellt gleich zu Beginn klar, dass „Frieden ohne Gerechtigkeit" keinen Bestand haben kann, dass also Gerechtigkeit als Grundlage jedes nachhaltigen Friedens an die erste Stelle gehört, wie es dann auch im Titel des Konziliaren Prozesses formuliert worden ist. Den inhaltlichen Schwerpunkt legt die Erklärung angesichts der damaligen Ost-West-Bedrohungen auf Atomwaffen und deren Abrüstung. Hier fällt der prophetische Satz, der weltweit für große Zustimmung und empörte Ablehnung gesorgt hat: *„Wir glauben, dass für die Kirchen die Zeit gekommen ist, klar und eindeutig zu erklären, dass sowohl die Herstellung und Stationierung als auch der Einsatz von Atomwaffen ein Verbrechen gegen die Menschheit darstellen und dass ein solches Vorgehen aus ethischer und theologischer Sicht verurteilt werden muss."*[68] Die Themen Gerechtigkeit, Frieden und Schöpfung halten die ökumenische Bewegung, die Kirchen und Gesellschaften bis heute in Atem. In Vancouver sind sie erstmals als zusammengehörige untrennbare Trias zur Sprache gebracht worden. Der danach einsetzende Konziliare Prozess zu diesen vitalen Lebensbereichen hat schnell eine gewisse Eigendynamik entwickelt, mit besonderer Intensität in den beiden deutschen Staaten, und hat zu so bemerkenswerten Versammlungen und ihren Erklärungen geführt wird der Ersten Europäischen Ökumenischen Versammlung 1989 in Basel zu „Frieden in Gerechtigkeit" und der „Weltkonvokation für Gerechtigkeit, Frieden und Bewahrung der Schöpfung" in Seoul 1990.[69]

Im Blick auf die konziliare Gemeinschaft der Kirchen ist hier von einem *„konziliaren Prozess"* die Rede. Die anfängliche Formulierung „ein allgemeines christliches Friedenskonzil", die von DDR-Delegierten nach Vancouver mitgebracht worden war[70], hat sich ebenso wenig durchgesetzt wie der spätere entsprechende Vorschlag von *Carl Friedrich von Weizsäcker* auf dem Düsseldorfer Kirchentag 1985. Von einem „konziliaren Prozess" war gelegentlich auch schon in Nairobi gesprochen worden. Während er dort auf das Zusammenfinden der Kirchen bezogen war, wird er nun in Vancouver auf das umfassendere Feld der Auseinandersetzung um Gerechtigkeit, Frieden und Schöpfung ausgeweitet. Das hat ihm seine kirchliche Besonderheit genommen, ihm dafür aber ungezählte neue Anhänger gewonnen. Die Erfahrungen, die mit kirchlichen und weltlichen konziliaren Prozessen gemacht worden sind, gehören ebenfalls zusammen: die einen können die anderen ergänzen und befruchten. So hat seit Vancouver der Konziliare Prozess gegenüber dem angestrebten Ereignis eines universales Konzils an Gewicht zugenommen und erheblich dazu beigetragen, dass „Konziliarität" sowohl in den verschiedenen Kirchen als auch zwischen ihnen und in säkularen Zusammenhängen an Boden gewonnen hat.

3 Die Einheit, die wir suchen

Man kann es als die raison d´étre des Ökumenischen Rates bezeichnen, seine Mitgliedskirchen zu einer neuen Gemeinschaft im Sinne der neutestamentlichen Koinonia zusammenzuführen. Diese Aufgabe wird in seiner *Verfassung* mit folgenden Worten beschrieben:
„Das Hauptziel der Gemeinschaft der Kirchen im Ökumenischen Rat besteht darin, einander zur sichtbaren Einheit in dem einen Glauben und der einen eucharistischen Gemeinschaft aufzurufen, die ihren Ausdruck im Gottesdienst und im gemeinsamen Leben in Christus findet, durch Zeugnis und Dienst an der Welt, und auf diese Einheit zuzugehen, damit die Welt glaube."[71]
Im Verlauf seiner fast 70-jährigen Geschichte und seiner 10 bisherigen Vollversammlungen hat der Ökumenische Rat auf unterschiedliche Weise versucht, dieser Einheit näher zu kommen. Bei der Gründungsversammlung in *Amsterdam 1948* wurde allein durch die zuvor noch nie gegebene Anwesenheit von Vertretern 147 verschiedener Kirchen ein neues Kapitel der Kirchengeschichte aufgeschlagen. Sechs Jahre später ging es in *Evanston/USA* darum, sich von den Zerreißproben im Kalten Krieg zwischen Ost und West nicht ebenfalls auseinanderreißen zu lassen, vielmehr im Gegenteil der Welt das Zeugnis einer die Machtblöcke übergreifenden weltumspannenden Gemeinschaft

in Christus zu geben. Während der 3. Vollversammlung wurde dann 1961 erstmals die gesuchte Einheit mit der berühmt gewordenen *„Einheitsformel von Neu-Delhi"* beschrieben:
„Wir glauben, dass die Einheit, die zugleich Gottes Wille und seine Gabe an seine Kirche ist, sichtbar gemacht wird, indem alle an jedem Ort, die in Jesus Christus getauft sind und ihn als Herrn und Heiland bekennen, durch den Heiligen Geist in eine völlig verpflichtete Gemeinschaft geführt werden, die sich zu dem einen apostolischen Glauben bekennt, das eine Evangelium verkündigt, das eine Brot bricht, sich im gemeinsamen Gebet vereint und ein gemeinsames Leben führt, das sich Zeugnis und Dienst an alle wendet. Sie sind zugleich vereint mit der gesamten Christenheit an allen Orten und zu allen Zeiten in der Weise, dass Amt und Glieder von allen anerkannt werden und dass alle gemeinsam so handeln und sprechen können, wie es die gegebene Lage im Hinblick auf die Aufgaben erfordert, zu denen Gott sein Volk ruft."[72]
Hier wird die gesuchte Einheit von vornherein nicht organisatorisch und strukturell verstanden, sondern personal und ethisch als „völlig verpflichtete Gemeinschaft". Zu ihrer Verwirklichung gehören 7 grundlegende Merkmale: 1. apostolischer Glaube, 2. Evangelium, 3. Brotbrechen, 4. gemeinsames Gebet, 5. gemeinsames Leben in Zeugnis und Dienst, 6. Anerkennung von Amt und Gliedern, 7. gemeinsames Handeln und Sprechen. Damit sind entscheidende Elemente benannt, die auf der Suche nach konziliarer Gemeinschaft bis heute eine maßgebende Rolle spielen. Abschließend verweist die Formel von Neu-Delhi auf Aufgaben in gegebenen Situationen, die die Kirchen zu gemeinsamem Sprechen und Handeln herausfordern und damit das Umfeld andeuten, dem die christliche Gemeinschaft völlig verpflichtet ist.
30 Jahre später hat die Einheitserklärung von *Canberra 1991* auf die Beschreibung der Elemente von Neu-Delhi zurückgegriffen und sie mit zwei anderen Gesichtspunkten weitergeführt. Canberra erläutert die gesuchte Gemeinschaft nicht mehr mit zwischenmenschlicher fellowship, sondern mit dem neutestamentlichen trinitarischen Leitwort der *Koinonia*. Auf diese Weise kommt nicht nur die horizontale, sondern zugleich auch die

vertikale Dimension von Gemeinschaft zum Ausdruck. Der andere weiterführende Gesichtspunkt hat es wieder mit *Konziliarität* zu tun: „Diese volle Gemeinschaft wird auf der lokalen wie auf der universalen Ebene in konziliaren Formen des Lebens und Handelns zum Ausdruck kommen. In einer solchen Gemeinschaft sind die Kirchen in allen Bereichen ihres Lebens auf allen Ebenen miteinander verbunden im Bekennen des einen Glaubens und im Zusammenwirken in Gottesdienst und Zeugnis, Beratung und Handeln."[73] Hier wird die trinitarische Koinonia mit der ekklesiologischen Konziliarität so verbunden, dass die konziliare Gemeinschaft sowohl vertikal auf allen Ebenen als auch horizontal in allen Bereichen der Koinonia als „Gabe und Berufung" entspricht. Diese Verzahnung der vertikalen mit der horizontalen Dimension fordert die Kirchen heraus, „das Bemühen um sakramentale Gemeinschaft der Kirche enger mit dem Ringen um Gerechtigkeit und Frieden zu verbinden"[74]. Das Maß an Gemeinschaft, das auf diese Weise zustande kommt, soll namentlich in Kirchengemeinden am Ort „in geeigneten Formen" zum Ausdruck gebracht werden.
Die 9. Vollversammlung des Ökumenischen Rates *2006 in Porto Alegre* hat in ihrer Erklärung „Berufen, die eine Kirche zu sein", einerseits an die Koinonia-Erklärung von Canberra angeknüpft, andererseits an das Thema der Katholizität in Uppsala. Die Koinonia wird mit der einen Taufe erläutert, die Katholizität kommt im Zusammenhang der Merkmale der Kirche im Dritten Artikel des Ökumenischen Glaubensbekenntnisses von 381 zur Sprache.[75] Wie in Canberra so wird auch in Porto Alegre Koinonia mit Konziliarität verbunden: „Eine solche Koinonia muss an jedem Ort und durch eine konziliare Beziehung der Kirchen an verschiedenen Orten zum Ausdruck kommen."[76]
Die *Katholizität* der Kirche wird in Porto Alegre knapp 40 Jahre nach Uppsala relational und ethisch weiter entfaltet: „Jede Kirche vollzieht ihre Katholizität, indem sie in Gemeinschaft mit den anderen Kirchen steht. Wir erklären, dass die Katholizität der Kirche ihren sichtbarsten Ausdruck im gemeinsamen Abendmahl und in einem gegenseitig anerkannten Amt findet."[77] Katholizität wird hier nicht als Zustand, sondern als Geschehen im Vollzug verstanden. Wenn Katholizität im gemein-

samen Abendmahl ihren sichtbarsten Ausdruck findet, dann stehen getrennte Eucharistiefeiern, bei denen eine Kirche die Glieder anderer ausschließt, in einem eklatanten Widerspruch dazu.

In ethischer Hinsicht hat Katholizität mit „gegenseitige Rechenschaft" zu tun: „Auch heute, wo eucharistisches Teilen nicht immer möglich ist, verleihen getrennte Kirchen der gegenseitigen Rechenschaft und Aspekten ihrer Katholizität bereits Ausdruck, indem sie füreinander beten, Ressourcen miteinander teilen, einander in Zeiten der Not beistehen, Entscheidungen gemeinsam treffen, sich gemeinsam für Gerechtigkeit, Versöhnung und Frieden einsetzen ... Wir verarmen, wenn wir voneinander getrennt sind."[78] Katholizität geschieht also in dynamischer Wechselbeziehung, im Anteil-nehmen und Anteil-geben, in gemeinsamen Entscheidungen! Welche Tragweite darin liegt, hat in Porto Alegre niemand besser verdeutlicht als der Südafrikaner *Desmond Tutu*: „Wir können nur gemeinsam überleben. Wir können nur gemeinsam menschlich sein. Eine vereinte Kirche ist nicht ein Extra, das man wählen kann oder nicht. Eine vereinte Kirche ist für die Rettung von Gottes Welt unentbehrlich ..."[79]

Die Erklärung der 10. Vollversammlung in *Busan 2013* „Gottes Gabe und Ruf zur Einheit – und unser Engagement" nimmt einen noch umfassenderen Ansatz und setzt mit der Schöpfung ein. In diesem Horizont wird den Kirchen die Aufgabe zugewiesen, nicht nur untereinander, nicht nur für die Menschheit, sondern „der Einheit der ganzen Schöpfung zu dienen". Das geschieht in dreifacher Hinsicht: als *Vorgeschmack* auf die neue Schöpfung, als prophetisches Zeichen und als Dienerin für Gottes Reich der Gerechtigkeit. Zu den Gaben, die der Kirche geschenkt sind, damit sie einen Vorgeschmack auf Gottes neue Schöpfung verbreiten kann, gehören auch „konziliare Zusammenkünfte": „Auch konziliare Zusammenkünfte sind die Gaben, die es der Gemeinschaft ermöglichen, unter der Führung des Heiligen Geistes den Willen Gottes zu erkennen, gemeinsam zu lehren und aufopferungsvoll zu leben, einander und der Welt zu dienen."[80] Konziliare Zusammenkünfte kommen hier nicht als ekklesiologische Möglichkeiten oder Notwendigkeiten zur Sprache, vielmehr als Geschenke Gottes an seine Kirche, deren sie sich erfreuen und von denen sie dankbar Gebrauch machen soll.[81]

Ein glaubwürdiges *prophetisches Zeichen* können Kirchen – so die zweite Dimension – mit ihren Spaltungen kaum sein. Um ein „authentisches Zeugnis für die Möglichkeit eines versöhnten Lebens aller Menschen und der ganzen Schöpfung“ ablegen zu können, müssen die Christen erst einmal selbst erneuert und untereinander versöhnt werden. Es zeigt sich hier wieder die umfassende Sicht auf Menschheit und Schöpfung, die der Überwindung der Kirchenspaltungen ihre Dringlichkeit verleiht. Ohne ökumenische Glaubwürdigkeit kein christliches Glaubenszeugnis!

Schließlich soll die Kirche, drittens, als Gottes *Dienerin* der Welt ein Leben vermitteln, das zu Gemeinschaft, Gerechtigkeit und Frieden befähigt. – Das Weiterführende der Busan-Erklärung liegt darin, dass sie Kirche, menschliche Gemeinschaft und Schöpfung so eng zueinander in Beziehung setzt, wie es bislang nicht geschehen ist. Denn – so lautet der Schlüsselsatz: „Die Einheit der Kirche, die Einheit der menschlichen Gemeinschaft und die Einheit der ganzen Schöpfung sind miteinander verwoben.“[82] Es ist der Heilige Geist, der das Netz der Gemeinschaft zwischen diesen drei Beziehungsfeldern webt.

Unser menschliches Engagement kann und wird als Antwort auf Gottes Ruf u. a. darin bestehen, „die Gaben der jeweils anderen Traditionen zu empfangen und uns gegenseitig unsere Gaben anzubieten“, „gemeinsam die komplexen Herausforderungen gegenwärtiger sozialer, wirtschaftlicher und moralischer Fragen anzugehen“ und uns „für gerechtere, partizipatorischere und integrativere Formen des Zusammenlebens einzusetzen“[83]. Hier werden Verhaltensweisen angesprochen, die von der „Einzigartigkeit unserer Gemeinschaft“ einen weiten Bogen bis zur „Heilung der Schöpfung“ spannen.

4 Zusammenfassung: Ein konziliarer Weg

Überblickt man die knappe 70-jährige Geschichte des Ökumenischen Rates der Kirchen, dann legt es sich nahe, von einem konziliaren Weg zu sprechen. Das gilt nicht nur in quantitativer Hinsicht, dass aus den 147 Mitgliedskirchen der Gründungsversammlung von 1948 inzwischen rund 350, also mehr als doppelt so viele, geworden sind, sondern mehr noch in qualitativer Weise. Zunächst muss hier das Faktum der Gründung des Ökumenischen Rates gewürdigt werden. Er war und ist das neue kirchengeschichtliche Ereignis, das es zuvor nicht gegeben hat. Seine schiere Existenz, zu der sich anfänglich knapp 150 Kirchen zusammengeschlossen haben, hat konziliaren Charakter. Der ist mit jeder neuen Vollversammlung etwas deutlicher in Erscheinung getreten. Besonders klar wurde das 1975 in Nairobi gesehen. Zwar hält der Ökumenische Rat bis heute zu Recht daran fest, dass seine Vollversammlung *vor-konziliare* Zusammenkünfte sind, aber es ist ebenso deutlich geworden, dass in ihnen konziliare Erfahrungen gesammelt wurden und immer neu gemacht werden, wie es sonst nur während des Zweiten Vatikanischen Konzils und der Panorthodoxen Synode auf Kreta 2016 möglich war.

Die Gemeinschaft, die den im Ökumenischen Rat zusammengeschlossenen Kirchen vor Augen steht, wird in der „Basis" von 1948 als „fellowship" bezeichnet. Damit wird eine verbindliche zwischenkirchliche Beziehung bezeichnet. Seit der 7. Vollversammlung in Canberra 1991 ist zunehmend von Koinonia die Rede, die auch die Gemeinschaft mit dem dreieinigen Gott umschließt. Hier wird eine theologische Vertiefung des ökumenischen Gemeinschaftsverständnisses sichtbar, die nicht zuletzt den orthodoxen Mitgliedskirchen zu verdanken ist.

Schon seit 1968 spielen die Leitworte *Katholizität* und *Konziliarität* im Zusammenhang mit der Suche nach christlicher Einheit eine maßgebende Rolle. Ohne Zweifel zeigt sich darin der Einfluss des Zweiten Vatikanischen Konzils auf die gesamte ökumenische Bewegung. Der inspirierende Hinweis von Uppsala 1968 auf ein wahrhaft universales *Konzil*, das für alle Christen sprechen kann, ist immer wieder einmal aufgegriffen worden wie etwa in Vancouver 1983 mit der Anregung eines Friedenskonzils. Als wesentlich wirksamer haben sich jedoch die Leitworte „*Konziliarität*" und „*konziliar*" in ihren sehr verschiedenen Ausprägungen erwiesen. Sie sind seit der Konferenz von

Glauben und Kirchenverfassung in Löwen 1971 aus dem Gespräch zur Kirchengemeinschaft nicht mehr verschwunden und auch nicht mehr wegzudenken: 1975 sprach man in Nairobi von „konziliarer Gemeinschaft"; 1983 wurde in Vancouver der „Konziliare Prozess für Gerechtigkeit, Frieden und Bewahrung der Schöpfung" aus der Taufe gehoben. 1991 ging es in Canberra um „konziliare Formen des Lebens und Handelns". Harare erwähnte 1998 in seiner ökumenischen Vision von der Kirche auch die „Pflege konziliarer Gemeinschaft"[84]. Porto Alegre erläuterte 2006 die Koinonia mit „konziliarer Beziehung der Kirchen an verschiedenen Orten". Die vorerst letzte Vollversammlung in Busan 2013 zählt „konziliare Zusammenkünfte" zu den Gaben, die Gott der Kirche geschenkt hat, um ihr und der Welt einen Vorgeschmack der neuen Schöpfung zu vermitteln.

Zu konziliaren Errungenschaften gehört beispielsweise das seit Porto Alegre in Vollversammlungen angewandte *Konsensverfahren*, mit dem sehr einfach und schnell festgestellt werden kann, wie fern oder nah sich Delegierte in einer Frage bzw. Abstimmungssache gekommen sind. Der Unterschied zwischen parlamentarischen und konziliaren Verfahrensweisen ist hier mit Händen zu greifen.

Konziliarität, so hatte es schon die Studie von Glauben und Kirchenverfassung zu „Konzile und die ökumenische Bewegung" 1968 erkannt, ist „eine konstante Struktur der Kirche, eine Dimension, die zu ihrem Wesen gehört"[85]. Daraus hat sich für die im Ökumenischen Rat verbundenen Kirchen die konziliare Gemeinschaft mit ihren verschiedenen Elementen entwickelt wie sie im Vor- und Umfeld von Nairobi 1975 entfaltet worden sind. Dabei allein ist es jedoch nicht geblieben. In Vancouver kam es 1983 zur Gründung des Konziliaren Prozesses für Gerechtigkeit, Frieden und Bewahrung der Schöpfung, der die Konziliarität auf das Zusammenwirken mit Gerechtigkeits-, Friedens- und Umwelt-Gruppen innerhalb wie außerhalb der Kirchen ausweitete. Aus dem Wesensmerkmal von Kirchen ist hier ein Prozess des Zusammenwirkens auch mit Menschen geworden, die nicht zur Kirche gehören, aber dem Geist der Gerechtigkeit, des Friedens und der Schöpfungsbewahrung verpflichtet sind. Busan ist 2013 noch einen Schritt darüber hinausgegangen und hat die gemeinsame Verantwortung für die Schöpfung in den Vordergrund gerückt. In diesem Horizont wird konziliare Gemeinschaft neu ausgelegt als *„Pilgerweg der Gerechtigkeit und des Friedens“.* Die konziliare Begrifflichkeit wird dabei nicht verwendet, aber die Sache der konziliaren Gemeinschaft ist präsent: „Ein Pilgerweg der Gerechtigkeit und des Friedens ... bringt die Kirchen auf ihrer Reise der Solidarität enger zusammen. Wir bewegen uns hin zu einem nachhaltigeren Leben in Würde und Fülle, wo ein Vorschein des Reiches Gottes uns Hoffnung schenkt.“[86] Auf diese Weise dient der Pilgerweg schließlich dem Wohl der ganzen Schöpfung.

Der konziliare Weg, den die im Ökumenischen Rat versammelten Kirchen im Lauf der Jahrzehnte genommen haben, hat ihre Konziliarität immer mehr ausgeweitet: von zwischenkirchlicher konziliarer Gemeinschaft über den Konziliaren Prozess für Gerechtigkeit, Frieden und Bewahrung der Schöpfung bis zum Pilgerweg der Gerechtigkeit und des Friedens für die ganze Schöpfung. Dieser konziliare Weg der Kirchen macht deutlich, dass ihre konziliare Gemeinschaft untereinander ein starker Lebensbezug ist, der der menschlichen Gemeinschaft insgesamt und schließlich der Schöpfungsgemeinschaft zugutekommen soll.

Kapitel III - Anmerkungen

1. W. A. Visser´t Hooft, Die Welt war meine Gemeinde (WmG). Autobiographie, (1966) München 1972, S. 228.
2. In: G. Besier/G. Sauter (Hg.), Wie Christen ihre Schuld bekennen. Die Stuttgarter Erklärung 1945, Göttingen 1985, S. 62.
3. Ebd; vgl. dazu H.-G. Link, Ein neuer Anfang. Die Stuttgarter Erklärung in ökumenischer Sicht, in: ÖR 34,1985, S. 484ff; ÖR 35,1986, S. 40 ff.
4. Mündliche Information von Generalsekretär W. A. Visser‘ t Hooft.
5. Mündliche Information des langjährigen Genfer Bibliotheksdirektors, des Niederländers Ans van der Bent.
6. In: W. A. Visser‘ t Hooft, Die erste Vollversammlung des Ökumenischen Rates der Kirchen in Amsterdam (Amsterdam 1948), Genf 1948, S. 31.
7. AaO. S. 31 f.
8. AaO. S. 7.
9. W. A. Visser‘ t Hooft, aaO. (Anm. 1), S. 252.
10. In: GS I (s. o. II, 4, Anm.115), S. 245ff.
11. So die bis heute gültige Fassung von 1961, jetzt in: Busan 2013 (s.o. Einführung, Anm. 1), S. 577.
12. In: Amsterdam 1948 (s.o. Anm.6), S. 33.
13. W. A. Visser‘ t Hooft, Die Bedeutung des Ökumenischen Rates der Kirchen, in: Studienabteilung des ÖRK in Genf (Hg.), Die Unordnung der Welt und Gottes Heilsplan, I. Die Kirche in Gottes Heilsplan (KGH), Genf 1948, S. 209.
14. Vgl. dazu H.-G. Link, Die Basis des Ökumenischen Rates der Kirchen von 1961, in: BuB (s. o. II,3, Anm. 106), S. 125ff.
15. In: Busan 2013, S. 577.
16. H.-G. Link, in: BuB, S. 129.
17. „The World Council of Churches: ist nature, ist limits; dazu: W. A. Visser‘ t Hooft, The Genesis and Formation of the World Council of Churches (WCC), Geneva 1982, S. 70 ff.
18. In: KGH (Anm. 13), S. 196ff; 217ff.
19. In: W. A. Visser‘ t Hooft, WCC (Anm. 17), S. 74 f.
20. Zit.Toronto 1950, deutscher Text in: L. Vischer (Hg.), Die Einheit der Kirche (EK). Material der ökumenischen Bewegung, ThB 30, München 1965, 251ff; englischer Text in: W. A. Visser‘ t Hooft, WCC (Anm. 17), S. 112 ff; zum Ganzen vgl. auch W. A. Visser‘ t Hooft, WmG (Anm.1), S. 261ff.

21. AaO. S. 252f.

22. AaO. S. 253.

23. Toronto 1950 (s.o. Anm. 20), S. 257.

24. Toronto 1950, Z. 12, Nr. 5, S. 258.

25. Vgl. W. A. Visser‘ t Hooft, WCC (s. o. Anm. 17), S. 75 f; Die dogmatische Konstitution über die Kirche „Lumen gentium“ (LG), Z. 8,2, in: KKK (s.o. Einführung, Anm. 5), S. 131.

26 Toronto 1950, (s.o. Anm. 20), S. 260.

27. W. A. Visser‘ t Hooft, Die Bedeutung des ÖRK, (Anm. 13), S. 208.

28. Vgl. dazu die Botschaft von Evanston, in: F. Lüpsen (Hg.), Evanston Dokumente. Berichte und Reden auf der Weltkirchenkonferenz in Evanston 1954, Witten/Ruhr 1954, S. 7ff.

29. Vgl. dazu W. A. Visser‘ t Hooft, WmG (Anm. 1), S. 390.

30. W. A. Visser‘ t Hooft, WmG, S. 397.

31 Zit.: Konzile 1968, Studien des Ökumenischen Rates, Nr. 5, Hg. L. Vischer, Genf/Frankfurt/Main 1968, 117 S., bes. S. 5f.

32. AaO. S. 9-19.

33. AaO. S. 10.

34. AaO. S. 18 f. (hrsg. von mir).

35. N. Goodall/ W. Müller-Römheld (Hg.), Bericht aus Uppsala 1968 (Uppsala 1968). Offizieller Bericht über die Vierte Vollversammlung des ÖRK, Uppsala 4. bis 20. Juli 1968, Genf 1968, S. 1.

36. AaO. S. 341ff.

37. AaO. S. 8ff.

38. AaO. Z. 8, S. 10.

39. AaO. Z. 7, S. 10.

40. AaO. S. 4f.

41. AaO. S. 6f, 17.

42. AaO. Z. 19, S. 14 (Hvg. v. m.).

43. AaO. S. 15 f.

44. Vgl. dazu: „Die Konziliarität und die Zukunft der ökumenischen Bewegung“, in: K. Raiser (Hg.), Löwen 1971, Studienberichte und Dokumente der Sitzung der Kommission für Glauben und Kirchenverfassung, BÖR 18/19, Stuttgart 1971, S. 226ff.

45. AaO. S. 230.

46. AaO. S. 228.

47. AaO. S. 230.

48. The Unity of the Church – Next Steps, in: What Kind of Unity?, Faith

and Order Paper No 69, Geneva 1974, S. 119 ff.
49. Die Einheit der Kirche – Voraussetzungen und Forderungen, in: H. Krüger/W. Müller-Römheld (Hg.), Nairobi 1975. Ergebnisse – Erlebnisse – Ereignisse. Offizieller Bericht der Fünften Vollversammlung des ÖRK, Frankfurt/Main 1976, S. 26.
50. AaO. (Anm. 48), S. 122f.
51. AaO. (Anm. 48), S. 122f.
52. AaO. (Anm.49), Z. 5, S. 27.
53. AaO. (Anm.49), Z. 6, S. 28.
54. AaO. (Anm. 49), Z. 19-22, S. 34-37.
55. In: G. Müller-Fahrenholz (Hg.), Bangalore 1978. Sitzung der Kommission für Glauben und Kirchenverfassung. Berichte, Reden, Dokumente, BÖR 35, Frankfurt/Main 1979,51 ff.
56. Dabei handelt es sich im Dritten Artikel des Ökumenischen Glaubensbekenntnisses von 381 beim Hervorgang des Heiligen Geistes aus dem Vater um den 1014 von Papst Benedikt VIII. offiziell eingefügten Zusatz: „und dem Sohn" (filioque).
57. Das Filioque aus ökumenischer Sicht, in: L. Vischer (Hg.), Geist Gottes – Geist Christi. Ökumenische Überlegungen zur Filioque-Kontroverse, BÖR 39, Frankfurt/Main 1981, S. 23.
58. Die ökumenische Bedeutung des Nizäno-Konstantinopolitanums, in: H.-G. Link (Hg.), Gemeinsam glauben und bekennen (GGB). Handbuch zum Apostolischen Glauben, Neukirchen/Paderborn 1987, S. 316ff.
59. W. H. Lazareth/N. Nissiotis (Hg.), Taufe, Eucharistie und Amt. Konvergenzerklärungen der Kommission für Glauben und Kirchenverfassung des ÖRK, Frankfurt/Main-Paderborn 1982; inzwischen in der ca. 15. Aufl.
60. M. Thurian (Hg.), Die Eucharistische Liturgie von Lima, Frankfurt/Main 1983, 24 S.
61. S. o. II,2.1 mit Anm. 71.
62. In: H. Meyer/D. Papandreou/H. J. Urban/L. Vischer (Hg.), Dokumente wachsender Übereinstimmung (DWÜ). Sämtliche Berichte und Konsenstexte interkonfessioneller Gespräche auf Weltebene, Bd. II, 1982-1990, Paderborn/Frankfurt/Main 1992, S. 444ff.
63. Vgl. dazu z. B. K. Raiser, Ökumene unterwegs zwischen Kirche und Welt (ÖKW). Erinnerungsbericht über 30 Jahre im Dienst der ökumenischen Bewegung, ÖS 42, Berlin 2013, S. 215.
64. In: W. Müller-Römheld (Hg.), Bericht aus Vancouver 1983 (Vancou-

ver 1983). Offizieller Bericht der Sechsten Vollversammlung des ÖRK, Frankfurt/Main 1983, Z. 4, S. 71.

65. Aa.O. Z. 23, S. 76 mit Zitat aus der Eucharistie-Erklärung von Lima Z. 20.

66. AaO. Z. 32, S. 79.

67. Bericht des Ausschusses für Programmrichtlinien III B5, aaO. S. 261.

68 AaO. Z. 25, S. 167.

69.Vgl. dazu K. Raiser, ÖKW (Anm.63), S. 263ff.

70. In: L. Coenen/ W. Traumüller (Hg.), Vancouver 1983. Zeugnisse, Predigten, Ansprachen, Vorträge, Initiativen, Frankfurt/Main 1984, S. 206.

71. In, Busan 2013 (s.o. Einführung, Anm. 1), S. 577.

72. In: W. A. Visser´ t Hooft (Hg.), Neu-Delhi 1961. Dokumentarbericht über die Dritte Vollversammlung des ÖRK, Stuttgart 1962, S. 130.

73. In: W. Müller-Römheld (Hg.), Im Zeichen des Heiligen Geistes. Bericht aus Canberra 1991. Offizieller Bericht der Siebten Vollversammlung des ÖRK, Frankfurt/Main, 1991, S. 174.

74. Aa.O. S. 175.

75. Vgl. dazu H.-G. Link, Eine freundliche Einladung an Kirchen, ihre Suche nach Einheit zu erneuern. Der Ekklesiologie-Text: „Berufen, die eine Kirche zu sein“, in: ÖR 55, 2006/4, S. 403ff.

76. In: K. Wilkens (Hg.), In deiner Gnade, Gott, verwandle die Welt. Offizieller Bericht der Neunten Vollversammlung des ÖRK in Porto Alegre 2006, Frankfurt/Main 2007, S. 235.

77. AaO. Z. 6, S. 237.

78. AaO. Z. 7, S. 237.

79. AaO. S. 260.

80. In: Busan 2013, S. 69.

81. Vgl. dazu H.-G. Link, Morgenluft in Busan. Theologische Aspekte der 10. Vollversammlung des Weltkirchenrats, in: KNA-ÖKI 47, 19. November 2013, II ff.

82. Busan 2013, Z. 13, S. 71.

83. Busan 2013, Z. 15, Nr. 1,5 + 6, S. 72.

84. Unsere ökumenische Vision, in: K. Wilkens (Hg.), Gemeinsam auf dem Weg. Offizieller Bericht der Achten Vollversammlung des ÖRK. Harare 1998, Frankfurt/Main 1999, S. 192.

85. Konzile 1968 (Anm. 31), S. 10.

86. Busan 2013, S. 344f.

IV.
Wiederentdeckung konziliarer Gemeinschaft im Zweiten Vatikanischen Konzil

1 Papst Johannes XXIII. und das Zweite Vatikanische Konzil

„Gewiss ein wenig zitternd vor Bewegung, aber zugleich mit demütiger Entschlossenheit im festen Vorsatz sprechen Wir vor euch den Namen und das Vorhaben einer doppelten feierlichen Veranstaltung aus: einer Diözesansynode der Stadt Rom und eines Ökumenischen Konzils für die Gesamtkirche. (Das Konzil wird) die Erbauung und die Freude der Christen bedeuten und eine freundliche und neuerliche Einladung an unsere Brüder der getrennten christlichen Kirchen, mit uns an diesem Festmahl der Gnade und Brüderlichkeit teilzunehmen, auf das so viele Seelen in jedem Winkel der Welt hoffen."[1]

Mit diesen Sätzen kündigte Papst *Johannes XXIII.* am Sonntag, 25. Januar 1959, im Kapitelsaal neben der Kirche Sankt Paul vor den Mauern in Rom vor 17 Kardinälen erstmals offiziell die Durchführung des Zweiten Vatikanischen Konzils an. An dieser Ankündigung fällt gleich eine Reihe von Besonderheiten auf. Der Papst zittert ein wenig vor Bewegung: er ist sich der Bedeutung der Tragweite seiner Ankündigung voll bewusst. Aber er äußert sich mit „Entschlossenheit im festen Vorsatz", er hat also eine Phase des intensiven Nachdenkens darüber hinter sich, dessen Ergebnis ein fester Vorsatz zur Durchführung ist. Die „doppelte Veranstaltung" wirkt wie Generalprobe und Aufführung, um nicht sofort mit der Hauptveranstaltung ins Haus zu fallen. Beide Ereignisse haben synodalen Charakter. Die römische Diözesansynode soll den Prozess der Einübung in synodales Verhalten eröffnen, das ökumenische Konzil soll dann der Gesamtkirche zugutekommen. Das Konzil hat in erster Linie keinen kirchenrechtlichen, vielmehr geistlichen Charakter: es dient der „Erbauung" und „Freude" der Christen; in anderem Zusammenhang spricht der Papst von Begegnung mit Christus im Heiligen Geist, von einem neuen Pfingsten durch das Konzil. Das Gebet der Konzilsteilnehmer wird am Anfang jeder Sitzung mit den Worten beginnen: „Adsumus, Domine Sancte Spiritus“ – „Hier sind wir, Herr, Heiliger Geist“.

An zweiter Stelle soll das Konzil „ökumenisch“ sein. In der Ankündigung ist von „Christen“, nicht von „Katholiken“ die Rede. Die Nicht-Katholiken werden nicht, wie traditionell üblich, als Häretiker, Schismatiker oder Ungläubige bezeichnet, sondern als „Brüder der getrennten christlichen Kirchen“. Der Papst versteht sich seinerseits also als ihr Bruder. Die getrennten Brüder leben in „christlichen Kirchen“, nicht in „christlichen Gemeinschaften“, wie es später der offizielle römische Wortlaut abwertend formulierte.[2] Diese Brüder sollen keine Zaungäste bleiben, vielmehr am „Festmahl der Gnade und Brüderlichkeit“ teilnehmen. Gnade verweist auf die erhoffte Christusbegegnung, Brüderlichkeit auf die Art der Gemeinschaft der Christen. Ein „Festmahl“ ist mit Essen und Trinken verbunden: mit der Gnade Christi am Altar, in Brüderlichkeit untereinander als Agapefeier; beides bedeutet Erbauung und Freude für die daran teilnehmenden Christen. Schließlich: viele Menschen „in jedem Winkel der Welt“ hoffen auf ein solches Fest, zu dem das Konzil werden soll. Der Papst spürt die Sehnsucht vieler Menschen, nicht nur der Katholiken nach brüderlicher Gemeinschaft.

Schon aus dieser Ankündigungsrede geht völlig eindeutig hervor, dass Johannes XXIII. von Anfang an nicht nur ein traditionelles ökumenisches Konzil für die katholische Gesamtkirche im Blick hatte, sondern ein *ökumenisches Konzil* mit den getrennten Brüdern und Schwestern, also für und mit der ganzen Christenheit auf Erden – ein Konzil, das zu einem „Festmahl“ werden soll. Diese ökumenische Orientierung wird unterstrichen durch Zeit und Ort der ersten Ankündigung: es ist Sonntag, der 25. Januar 1959, der letzte Tag und Höhepunkt der Gebetswoche für die Einheit der Christen. Der 25. Januar wird zugleich als Gedenktag an die Bekehrung des Paulus begangen, also an seine Lebenswende zum Apostel der Völker durch die Begegnung mit Christus. Seit 1959 wird in Rom die ökumenische Gebetswoche in der Kirche Sankt Paul vor den Mauern begangen.

In seiner *Antrittsenzyklika* „Ad Petri Cathedram“ vom 29. Juni

1959 erläutert Johannes XXIII. ein halbes Jahr später Sinn und Ziel des Konzils genauer. Im Zusammenhang mit dessen ökumenischem Charakter wendet sich der Papst wieder an die Getrennten: *„Lasst euch von Uns in liebevoller Sehnsucht Brüder und Söhne nennen ... Wir bitten euch, doch recht zu begreifen, dass Unser liebevoller Aufruf zur Einheit der Kirche euch nicht dazu einlädt, in ein fremdes Haus zu kommen, sondern in das gemeinsame Haus, in das Haus des Vaters ... Wir richten also an alle, die von Uns getrennt sind, wie ein Bruder, die Worte des heiligen Augustinus: ‚Ob sie wollen oder nicht, sie sind unsere Brüder. Sie hören erst auf, unsere Brüder zu sein, wenn sie aufhören, das Vaterunser zu sprechen ...' Deshalb wiederholen Wir allen unseren Brüdern und Söhnen, die von diesem Stuhl Petri getrennt sind: „Ich bin ... Josef, euer Bruder" (Genesis 45,3).*[3]

Deutlicher, als der Papst es hier tut, kann man nicht zum Ausdruck bringen, dass alle Christen in das gemeinsame Haus ihres Vaters gehören und deshalb untereinander als Brüder und Schwestern zusammen leben sollen. Er selbst gibt sich „im Geiste aufrichtiger evangelischer Demut" als „Josef, euer Bruder" zu erkennen. Wie bei dem Wiedererkennen zwischen Josef und seinen Brüdern soll und will nach den Worten des Papstes „das neue Ökumenische Konzil ... wahre Freude für die gesamte Kirche Christi" sein, nicht nur für ihren römisch-katholischen Teil.[4]

Diesen Worten von Papst Johannes XXIII. folgten bald erste *Taten*. Noch im selben Jahr 1959 machte der engste Vertraute des Papstes, Kardinalstaatssekretär *Domenico Tardini*, am 30. Oktober öffentlich, dass der Papst beabsichtige, amtliche Beobachter aus den getrennten Kirchen zur Teilnahme am Konzil einzuladen. Damit hatte er einen Stein ins Wasser geworfen, der ganz erhebliche Wellen schlug. Denn nun begann ein jahrelanger Prozess zwischen Rom und den anderen Kirchen, ob, wie viele und welche Beobachter nach Rom geschickt werden sollten. An der ersten Session nahmen 32, an der zweiten schon 41, und später über 50 „delegierte Beobachter" teil: 15 Orthodoxe, 6 Anglikaner 4 Lutheraner, 23 Protestanten aus anderen Kirchen des Ökumenischen Rates, auch ein Altkatholik. Hinzu kamen etwa 10 persönliche Gäste des Konzils, zu denen der Baseler Neutestamentler *Oskar Cullmann* und die beiden Leiter der Taizé-Bruderschaft *Roger Schutz* und *Max Thurian* gehörten. Als Ausdruck besonderer Wertschätzung war für die nichtkatholischen Beobachter im rechten Querschiff des Petersdomes eine eigene Tribüne errichtet worden, unmittelbar gegenüber den 4 Moderatoren und 12 Präsidenten des Konzils, sodass sie dem Geschehen in der Konzilsaula am nächsten platziert waren. Als offizielle Beobachter besaßen sie zwar kein Rederecht, erhielten jedoch Zugang zu allen Text-Vorlagen und wurden ermuntert, sich aktiv an den Gesprächen und Entschließungen zu beteiligen. Das führte z. B. dazu, dass sich die Konzilsväter in der Wohnung der beiden Taizé-Brüder am Palazzo Venezia buchstäblich die Klinke in die Hand gaben.

Eine Besonderheit muss in diesem Zusammenhang erwähnt werden. Rom hatte in der Regel Vertreter konfessioneller Weltgemeinschaften als offizielle Beobachter eingeladen. Es gab nur eine einzige Ausnahme einer nationalen Kirche: die Evangelische Kirche in Deutschland (EKD). „Für das Ursprungsland der Reformation hatte sich das Konzil offensichtlich noch im Besonderen ein direktes Gespräch erhofft“[5] und hatte vom Rat der EKD die Entsendung von zwei Beobachtern „erbeten“. Es wurde aber am 27. Juli 1962 nur ein einziger offizieller Delegierte der EKD für Rom benannt: der Heidelberger lutherische Professor *Edmund Schlink*. Er hat seine Mission so ausführlich und umsichtig wie nur möglich übernommen.[6] Warum aber der Rat der EKD damals darauf verzichtet hat, einen weiteren erbetenen (!) offiziellen Delegierten zum Konzil zu entsenden, vier Augen statt nur zwei berichten zu lassen, zwei Personen statt nur einer Einfluss auf das Konzilsgeschehen nehmen zu lassen, insgesamt mit verdoppelter Personenzahl in Rom präsent zu sein: das alles ist aus heutiger Sicht vollkommen unverständlich – eine vergebene Chance!

Die zweite ökumenische Tat von Johannes XXIII. bestand darin, auf Anregung des deutschen Kardinals *Lorenz Jaeger* in Paderborn, am 5. Juni 1960 ein „Sekretariat zur Förderung der Einheit der Christen“ ins Leben zu rufen. Zu seinem ersten Leiter wurde der deutsche Jesuit Kardinal *Agustín Bea* bestellt – ein Glücksgriff, weil Bea wie kein zweiter Verbindungen zu den nicht-katholischen Vertretern zu knüpfen wusste. Damit hatten nun auch internationale Kirchenorganisationen wie der Lutherische Weltbund und der Ökumenische Rat der Kirchen eine offizielle Ansprechperson in Rom, konnten eingeladen werden und sich ihrerseits zu Wort melden.

Bei seiner *Eröffnungsrede* am 11. Oktober 1962 legte Papst Johannes XXIII. dar, was er von diesem Konzil erwartete. Er stellte zunächst klar, die Aufgabe eines Konzils im 20. Jahrhundert sei nicht, sich doktrinär von anderen abzugrenzen, sondern sich pastoral der Nöte und Fragen der Menschen anzunehmen: „Heute dagegen möchte die Braut Christi lieber das Heilmittel der Barmherzigkeit anwenden, als die Waffe der Strenge erheben."[7] Hier fällt 1962 zu Beginn des Zweiten Vatikanischen Konzils das Leitwort „Barmherzigkeit", das gut 50 Jahre später Papst *Franziskus* zum Schlüsselwort seines Pontifikats gemacht hat.

Zum Schluss seiner Eröffnungsrede kommt Papst Johannes XXIII. auf das Thema Einheit zu sprechen. Er sieht *„diese Einheit, die Jesus Christus für seine Kirche erlangte, in einem dreifachen Licht: die Einheit der Katholiken untereinander, die als leuchtendes Beispiel ganz fest bewahrt bleiben muss; sodann die Einheit, die im Gebet und den leidenschaftlichen Erwartungen der vom Apostolischen Stuhl getrennten Christen besteht, wieder mit uns vereint zu sein, und schließlich die Einheit der Hochachtung und Ehrfurcht gegenüber der katholischen Kirche, die ihr von anderen, noch nicht christlichen Religionen erwiesen wird."*[8] Der Papst sieht also eine Einheit in drei konzentrischen Kreisen: 1. die Einheit der Katholiken untereinander, 2. die Einheit der getrennten Christen im Gebet und leidenschaftlichen Erwartungen, 3. die Einheit der nicht-christlichen Religionen in Hochachtung und Ehrfurcht. Alle drei Weisen der Einheit dienen der „Einheit des Menschengeschlechts". Dazu bedarf es der „Eingebungen des Heiligen Geistes", der die Erwartungen der Völker erfüllt. In dieser umfassenden Perspektive sieht der Papst und Professor für Kirchengeschichte das von ihm anberaumte Konzil: „Mit dem beginnenden Konzil hebt in der Kirche ein Tag strahlenden Lichtes an – wie Morgenröte".[9]

2 Wichtige ökumenische Erklärungen des Konzils

Mit Recht ist darauf aufmerksam gemacht worden, dass nicht nur diese oder jene Erklärung, sondern das Konzil insgesamt der christlichen Einheit verpflichtet ist.[10] Das geht programmatisch aus seinem ersten und letzten offiziellen Wort hervor. *„Das Heilige Konzil hat sich zum Ziel gesetzt, … zu fördern, was immer zur Einheit aller, die an Christus glauben, beitragen kann ... Im Geiste umarmen wir auch die Brüder, die noch nicht in voller Einheit mit uns leben, und ihre Gemeinschaften, mit denen wir aber im Bekenntnis des Vaters und des Sohnes und des Heiligen Geistes und durch das Band der Liebe verbunden sind.“*[11] Durch diesen Beginn der ersten und jenen Schluss der letzten Konstitution wird zusammengefasst, was das Konzil ökumenisch zu sagen hat. Das tritt in mancher Erklärung deutlicher, in anderen mehr indirekt zutage. Ich kann hier nur sehr ausschnitthaft aus evangelischer Sicht auf einige Konzilsdokumente eingehen. Dabei halte ich mich zunächst an die Texte, die grundlegende, von der Reformation gestellte Themen aufgreifen und komme abschließend auf das Dekret über den Ökumenismus zu sprechen.

2.1 Zur Liturgie

Es ist schon bemerkenswert genug, dass das Konzil als erstes 1963 eine Erklärung zum Gottesdienst verabschiedet hat, der seinen Ort im Mittelpunkt aller christlichen Kirchen hat. Diese Vorgehensweise unterstreicht den Willen des Konzils, von der Mitte des christlichen Glaubens aus zu entfalten, was es insgesamt zu sagen hat. Das erste Kapitel der *„Konstitution über die heilige Liturgie“*, das die „allgemeinen Grundsätze“ erläutert, kommt sofort mit seinem zweiten Satz auf Christus zu sprechen, die Mitte jedes Gottesdienstes. Wenn heute im Zusammenhang des 500-jährigen Gedenkens an den Beginn der Reformation von einem Christusfest die Rede ist, an dem sich auch katholische Christen beteiligen sollen und wollen, dann ist das dadurch möglich geworden, dass das Konzil von vornherein Christus in die Mitte seiner Botschaft gestellt hat. So geht es in jedem christlichen Gottesdienst um die Gegenwart Christi, die die Liturgiekonstitution in den „eucharistischen Gestalten“, in der Taufe, in seinem Wort und in der betenden und singenden Antwort der Kirche gegeben sieht: „Gegenwärtig ist er in seinem Wort, da er selbst spricht, wenn die heiligen Schriften in der Kirche gelesen werden.“[12] Von diesem Ansatz aus wird dann als erstes der *Wortgottesdienst* entwickelt, in dem Schriftlesung, Predigt und Beteiligung der Gemeinde die tragenden Säulen sind: „Auf dass den Gläubigen der Tisch des Gotteswortes reicher bereitet werde, soll die Schatzkammer der Bibel weiter aufgetan werden.“[13] Daher war es nur folgerichtig, 1963 auch den Gebrauch der Muttersprache in den Gottesdiensten einzuführen, was *Luther* mit der Deutschen Messe bereits 1526 vollzogen hatte.[14]

An zweiter Stelle kommt die *Eucharistie* zur Sprache, „eine Gedächtnisfeier (memoriale) seines Todes und seiner Auferstehung ..., das Zeichen der Einheit, das Band der Liebe.“[15] Auch hier steht das Heilswerk Christi im Vordergrund, von dem her dann auch die schriftgemäße Kommunion „unter beiden Gestalten“[16] möglich wird. Als Drittes betont die Liturgiekonstitution, dass Wortgottesdienst und Eucharistiefeier „so eng miteinander verbunden (sind), dass sie einen einzigen Kultakt ausmachen“[17]. Diese enge Zusammengehörigkeit von Wortgottesdienst und Sakramentsfeier könnten evangelische Kirchen von der katholischen übernehmen, nachdem sich die katholische derart weit dem Wortgottesdienst geöffnet hat.

Im Anhang der Konstitution erklärt sich das Konzil bereit, für das *Osterfest* einen festen Termin und auch einen immerwährenden Kalender einzuführen, „wenn alle, die es angeht, besonders die von der Gemeinschaft mit dem Apostolischen Stuhl getrennten Brüder, zustimmen“[18]. So bemerkenswert die Begründung für diese Bereitschaft ist, so erstaunlich ist es, dass es nach über 50 Jahren immer noch nicht gelungen ist, sich zwischen West- und Ostkirche auf ein gemeinsames Osterdatum zu verständigen.

2.2 Zur göttlichen Offenbarung

Diese dogmatische Konstitution, die insgesamt sechs Fassungen durchlaufen hat, gehört schon wegen ihres Themas zu den wichtigsten Erklärungen des Konzils. Ihre grundlegenden Bestimmungen der Offenbarung setzen von vornherein und programmatisch mit Christus ein: *„Die Tiefe der durch diese Offenbarung über Gott und über das Heil des Menschen erschlossenen Wahrheit leuchtet auf in Christus, der zugleich der Mittler und die Fülle der ganzen Offenbarung ist.“*[19] In diesem einen Satz sind nicht weniger als 7 wichtige Erkenntnisse festgehalten: (1) Offenbarung betrifft Gott *und* das Heil des Menschen; (2) sie geschieht also dialogisch; (3) sie ist im Kern personal: geschichtlich mit Wort und Tat; (4) Christus und kein anderer vermittelt Gottes Offenbarung; (5) Christus offenbart nicht nur einen Teil, sondern die Fülle Gottes; (6) es geht dabei um tiefe, letztgültige Wahrheit; (7) Christus ist das Licht der Welt.

Im zweiten Kapitel der Konstitution geht es um das schwierige Verhältnis von *Schrift und Tradition*, das im 16. Jahrhundert von beiden Konfliktparteien gegensätzlich beantwortet wurde. Man spürt dem Text noch heute das Tauziehen zwischen beiden Positionen ab. Einerseits steht dort der einmalige Satz zu lesen: „Das Lehramt ist nicht über dem Wort Gottes, sondern dient ihm ...“ Andererseits werden „die Heilige Überlieferung und die Heilige Schrift ... (als) der eine der Kirche überlassene heilige Schatz des Wortes Gottes“ bezeichnet – beides sogar in demselben Abschnitt![20] Hier ist noch keine klare Verhältnisbestimmung gelungen. Aber dadurch, dass in den vier weiteren Kapiteln nur noch von der Heiligen Schrift, ihrer Auslegung und ihrer tragenden Rolle im Leben der Kirche die Rede ist, gewinnt sie faktisch in dieser dogmatischen Konstitution die Oberhand. „Noch nie hat ein Konzil so intensiv, so offen und so ausführlich über die Heilige Schrift gesprochen“, urteilt der katholische Theologe *Heinrich Fries*.[21] Die Konstitution geht sogar so weit, Übersetzungen „mit Vorrang aus dem Urtext ... in Zusammenarbeit auch mit den getrennten Brüdern“ zu empfehlen.[22] Hier liegt der Ausgangspunkt für die 15 Jahre später erstmals erschienene „Einheitsübersetzung“ der Bibel.[23] Man kann es nur als einen bedauerlichen ökumenischen Rückschritt bezeichnen, dass die evangelische „Kirche des Wortes" ihre Mitarbeit an der Überarbeitung der Einheitsübersetzung vor einigen Jahren aufgekündigt hat.

2.3 Zu Kirche und Judentum

Von der Erklärung über das Verhältnis bzw. die Haltung (habitudo) zu den nicht-christlichen Religionen (Nostra Aetate) beschränke ich mich ausdrücklich auf die Beziehungen zwischen Christen und Juden. Denn das war der Ausgangspunkt der gesamten Erklärung. Es ist aber auch das Thema, bei dem die katholische und die evangelische Kirche nach 1945 jeweils eine Kehrtwendung vollzogen haben, die „historisch" genannt zu werden verdient. Im Blick auf die Tragweite dieser Wende fasse ich die 8 Abschnitte der *katholischen* „Judenerklärung" von 1965 thesenartig zusammen:

(1) Die Kirche ist mit dem „Stamme Abrahams" geistlich verbunden.
(2) Die Anfänge liegen bei Mose und den Propheten und dem „Auszug des erwählten Volkes aus dem Lande der Knechtschaft".
(3) Christus, die ersten Jünger und die Apostel stammen „aus dem jüdischen Volk".
(4) Die Juden sind von Gott nach wie vor geliebt; seine Gnadengaben und seine Berufung sind „unwiderruflich".
(5) Das gemeinsame geistliche Erbe fordert zum „brüderlichen Gespräch" auf.
(6) Die Juden sind von Gott weder „verworfen" noch „verflucht".
(7) Die Kirche beklagt „alle Hassausbrüche, Verfolgungen und Manifestationen des Antisemitismus".
(8) Das von Christus erworbene Heil gilt allen Menschen; „das Kreuz Christi ... (ist) das Zeichen der universalen Liebe Gottes."[24]

Um die Parallelität der Umkehr der *evangelischen* Kirche zum Judentum zu verdeutlichen, fasse ich hier die 8 Gesichtspunkte aus dem „Synodalbeschluss zur Erneuerung des Verhältnisses von Christen und Juden“ ebenfalls thesenhaft zusammen, den die Landessynode der Evangelischen Kirche im Rheinland am 11. Januar1980 gefasst hat:

(1) Wir bekennen Mitverantwortung und Schuld am Holocaust.
(2) Wir bekennen uns zu den Schriften des Alten Testaments.
(3) Wir bekennen uns zu dem Juden Jesus Christus, dem Messias Israels und Retter der Welt.
(4) Wir glauben die bleibende Erwählung des jüdischen Volkes; die Kirche ist in diesen Bund „hineingenommen“.
(5) „Wir glauben mit den Juden Gerechtigkeit und Liebe als Weisungen Gottes für unser ganzes Leben.“
(6) Wir glauben, dass Juden und Christen „Zeugen Gottes vor der Welt und voreinander“ sind.
(7) Wir verneinen, „dass das Volk Israel von Gott verworfen oder von der Kirche überholt sei.“
(8) Wir bekennen beide „Gott als den Schöpfer des Himmels und der Erde ... (und) die gemeinsame Hoffnung eines neuen Himmels und einer neuen Erde.“[25]

Ohne auf Einzelheiten näher einzugehen, macht die Nebeneinanderstellung dieser beiden Thesenreihen eine erstaunliche Nähe der katholischen und evangelischen Umkehr zum Judentum unübersehbar. Das ist ein großes Kapital für die künftige theologische Entwicklung in beiden Kirchen. Deutlich wird aber auch, dass die katholische Kirche 15 Jahre früher als die Evangelische Kirche im Rheinland – andere sind noch wesentlich später dazu gestoßen! – zu einer verbindlichen neuen Position gegenüber dem Judentum gefunden hat.
Zwei *kritische* Anmerkungen seien abschließend erlaubt: Erstens ist es auf dem Boden von Nostra Aetate irritierend, dass Papst *Benedikt XVI.* eine neue Karfreitagsfürbitte für die Juden eingeführt hat, in der weniger für ihre Eigenständigkeit als ältere Geschwister gedankt als vielmehr um ihre Christuserleuchtung gebetet wird. Es bleibt zweitens verwunderlich, warum die beiden Kirchen mehr als eine Generation nach ihrer Neuorientierung zumindest in Deutschland bisher nicht zu gemeinsamen

Stellungnahmen zu theologischen und politischen Fragen des Judentums und Israels vorgestoßen sind.

2.4 *Zum Verständnis von Kirche*

Das Thema Kirche macht den Kern des Zweiten Vatikanischen Konzils aus. Ihm sind gleich zwei Konstitutionen gewidmet: erstens die dogmatische über „die Kirche" und zweitens die pastorale über „die Kirche in der Welt von heute". Hinzu kommen 7 weitere Dekrete, die Einzelaspekte des kirchlichen Lebens erörtern: 1. die katholischen unierten Ostkirchen, 2. die Hirtenaufgabe der Bischöfe, 3. die Ausbildung der Priester, 4. die Erneuerung des Ordenslebens, 5. das Laienapostolat, 6. Dienst und Leben der Priester und 7. die Missionstätigkeit der Kirche. In unserem Zusammenhang beschränke ich mich auf die grundlegenden Aussagen der *dogmatischen Konstitution über die Kirche*. Denn sie erfüllt, was schon das Erste Vatikanische Konzil 1869/70 hat tun sollen und wollen, eine umfassende Sicht der Kirche zu entwickeln, während es nur eine isolierte und aus evangelischer Sicht höchst problematische Lehre über das Papsttum zustande gebracht hat. Die Kirchenkonstitution des Zweiten Vatikanums ist jedoch keineswegs lediglich eine Ergänzung zum abgebrochenen Ersten Vatikanum, vielmehr schlägt sie eine neue Richtung ein, indem sie von der Papstkirche des zweiten Jahrtausends zur Gemeinschaftskirche des ersten Jahrtausends zurückkehrt. Deshalb ist ihr zweites Kapitel über das Volk Gottes für unsere Frage nach der konziliaren Gemeinschaft das wichtigste. „Die Kirchenkonstitution prägte in besonderem Maß das Konzil. Ihre Theologie bildet sozusagen sein Herzstück."[26]

2.4.1 *Der christologische Ansatz*

Der neue Ansatz wird schon in den ersten beiden lateinischen Worten deutlich, mit denen die Konstitution zitiert wird: *Lumen gentium*. Denn sie beziehen sich gerade *nicht* auf die Kirche, wie ein nahe liegendes Missverständnis vermuten lassen könnte, sondern auf Christus. Die Kirche, das wird von vornherein klargestellt, steht an zweiter Stelle: „Die Kirche ist ja in Christus gleichsam das Sakrament, d. h. Zeichen und Werkzeug (signum et instrumentum) für die innigste Vereinigung mit Gott wie für die Einheit der ganzen Menschheit."[27] Diesem Beginn folgt der theologische Aufbau des *ersten* Kapitels zum *„Mysterium der Kirche"*. Er setzt trinitarisch mit Vater, Sohn und Geist ein. Die Sendung der Kirche wird auf das von Jesus verkündete Reich Gottes bezogen: Sie setzt seine Verkündigung fort und stellt „Keim und Anfang dieses Reiches auf Erden" dar[28]. Als Leib Christi wird sie durch Taufe und Eucharistie mit ihm gleichgestaltet und in sein Leiden hineingenommen. Zusammenfassend wird die Kirche in Entsprechung zur Menschwerdung Christi als „eine einzige komplexe Wirklichkeit" bezeichnet, „die aus menschlichem und göttlichem Element zusammenwächst ... Das gesellschaftliche Gefüge der Kirche (dient) dem Geist Christi, der es belebt, zum Wachstum seines Leibes."[29] Der Ansatz der Kirchenkonstitution bestimmt also das Wesen der Kirche im Kern *christologisch* als eine einzige gott-menschliche Wirklichkeit. Damit trägt er dem reformatorischen Anliegen Rechnung, zwischen Christus und kirchlicher Autorität zu unterscheiden, und zwar in deutlicher Subordination. Dieses christologische Verständnis von Kirche kommt dem evangelisch-gottesdienstlichen Ansatz des Augsburger Bekenntnisses recht nahe: Die Kirche „ist die Versammlung aller Gläubigen, bei denen das Evangelium rein gepredigt und die heiligen Sakramente dem Evangelium gemäß gereicht werden."[30] Dem, was dort das „fleischgewordene, göttliche Wort" genannt wird, entspricht hier das „Evangelium" als übergeordnete Bezugsgröße.

Die Diskussion darüber, ob, dass und wie die so beschriebene Kirche in der real existierenden katholischen Kirche „verwirklicht" ist (subsistit), kann und braucht hier nicht geführt zu werden. Wichtiger ist die darauf folgende Feststellung, „dass außerhalb ihres Gefüges vielfältige Elemente der Heiligung und der Wahrheit zu finden sind, die als der Kirche Christi eigene Gaben auf die katholische Einheit hin drängen"[31]. Denn diese *Elementen-Theologie* entspricht der Spuren-Theologie (vestigiae ecclesiae) des Ökumenischen Rates[32], die der französische Theologe *Yves Congar* schon 1949 bei der ersten Begegnung in Paris als Brücke zwischen beiden Traditionen empfohlen hatte. Sie setzt *Cyprians* alten Satz, dass es außerhalb der (römisch-katholischen) Kirche kein Heil gibt[33], faktisch außer Kraft. Die Elemente der Heiligung und Wahrheit *außerhalb* der römisch-katholischen Kirche werden deshalb als „der Kirche *Christi* eigene Gaben" bezeichnet, die auf die „katholische Einheit" hin drängen, wie sie in der Kirchenkonstitution weiter entfaltet wird[34] und in Uppsala 1968 aufgenommen worden ist.

2.4.2 Die Communio-Ekklesiologie

Man kann das *zweite* Kapitel über *„das Volk Gottes"* insofern als Herzstück der Kirchenkonstitution bezeichnen, als in ihm sowohl die heilsgeschichtliche als auch die gemeinschaftsbezogene Sicht der Kirche entfaltet wird. Heilsgeschichtlich hat Gottes Volk seine Wurzeln im Volk Israel, das Gott sich zum „Eigenvolk" erwählt hat. Das neue Gottesvolk aus Juden und Heiden wird durch Jesu Geist zum „messianischen Volk", das seinen Weg durch die Zeiten zur kommenden Stadt Gottes geht. Dieser heilsgeschichtliche Ansatz der Kirche setzt von vornherein Bezüge frei zu Gottes Eigenvolk Israel, zu Christen außerhalb der römisch-katholischen Kirche und sogar zu nicht-christlichen Religionen.[35] Von der Taufe her wird auch eine Brücke geschlagen zum reformatorischen Anliegen, dem „gemeinsamen Priestertum der Gläubigen"[36].

Die *Communio-Ekklesiologie* kommt besonders bei der Erörterung der „Katholizität" des weltweiten Gottesvolkes zur Sprache. Beide Aspekte werden betont: Es gibt „zu Recht Teilkirchen, die sich eigener Überlieferungen erfreuen", und eine der Aufgaben des „Stuhles Petri" besteht genau darin, „die rechtmäßigen Verschiedenheiten zu schützen". Andererseits bestehen zwischen den verschiedenen Teilen der Kirche „Bande einer innigen Gemeinschaft" (vincula intimae communionis) der geistigen Güter. Diese Gemeinschaft kommt *zwischen* den Teilen und Teilkirchen zustande und auf diese Weise dann auch zur

„Fülle in Einheit". Es geht also um eine differenziert abgestufte „katholische Einheit des Gottesvolkes": „Auf verschiedene Weise gehören ihr zu oder sind ihr zugeordnet die katholischen Gläubigen, die anderen an Christus Glaubenden und schließlich alle Menschen überhaupt, die durch die Gnade Gottes zum Heil berufen sind."[37] Man kann hier von einer konzentrisch verstandenen katholischen Einheit sprechen, die zuerst die römisch-katholischen Glieder umfasst, dann die anderen Christen und schließlich „alle Menschen überhaupt". Denn dank der Gnade Gottes sind *alle* zum Heil berufen.

2.4.3 Das Verhältnis zu nicht-katholischen Christen

Dieses differenzierte Verständnis von Katholizität erlaubt es der Kirchenkonstitution, nun in einer zuvor so nicht vorhandenen Offenheit *nicht-katholische* Christen einzubeziehen: *„Mit jenen, die durch die Taufe der Ehre des Christennamens teilhaftig sind, den vollen Glauben aber nicht bekennen oder die Einheit der Gemeinschaft unter dem Nachfolger Petri nicht wahren, weiß sich die Kirche aus mehrfachen Gründen verbunden. Viele nämlich halten die Schrift als Glaubens- und Lebensnorm in Ehren, zeigen einen aufrichtigen religiösen Eifer, glauben in Liebe an Gott, den allmächtigen Vater, und an Christus, den Sohn Gottes und Erlöser, empfangen das Zeichen der Taufe, wodurch sie mit Christus verbunden werden; ja sie anerkennen und empfangen auch andere Sakramente in ihren eigenen Kirchen oder kirchlichen Gemeinschaften. Mehrere unter ihnen besitzen auch einen Episkopat, feiern die heilige Eucharistie und pflegen die Verehrung der jungfräulichen Gottesmutter. Dazu kommt die Gemeinschaft im Gebet und in anderen geistlichen Gütern; ja sogar eine wahre Verbindung im Heiligen Geiste, der in Gaben und Gnaden auch in ihnen mit seiner heiligenden Kraft wirksam ist und manche von ihnen bis zur Vergießung des Blutes gestärkt hat."*[38]

Schon die Art und Weise, wie nicht-katholische Christen hier in Blick genommen werden, ist äußerst ungewöhnlich: Sie werden nicht mehr Häretiker oder Schismatiker genannt, aber auch

nicht wie sonst „getrennte Brüder“, sondern als solche bezeichnet, die aufgrund der gemeinsamen Taufe „der Ehre des Christennamens teilhaftig sind“. Es wird das Gemeinsame positiv hervorgehoben, aufgrund dessen sich die römisch-katholische Kirche diesen Menschen „verbunden“ weiß. Acht Gründe werden für diese *Verbindung* angeführt: 1. die Schrift als Glaubens- und Lebensnorm, 2. der Glaube an Gott und Christus, 3. die Taufe, 4. andere Sakramente, 5. ein Episkopat, Eucharistiefeiern und Verehrung der Gottesmutter bei einigen, 6. Gemeinschaft (Communio) im Gebet und in anderen geistlichen Gütern, 7. eine wahre Verbindung (Coniunctio) im Heiligen Geist und 8. bei manchen das Martyrium. Dabei sind zwei weitere theologische Formulierungen bemerkenswert: Es wird ausdrücklich festgestellt, dass der Heilige Geist „in Gaben und Gnaden auch in ihnen mit seiner heiligenden Kraft wirksam ist“. Diese trinitarisch verankerte Verbindung macht es der Kirchenkonstitution auch möglich, im Blick auf nicht-katholische Christen von „ihren eigenen Kirchen (in propriis ecclesiis!) und kirchlichen Gemeinschaften“ (communitates ecclesiasticae) zu sprechen.
Vergleicht man die 8 Gründe der Kirchenkonstitution von 1964 mit den 7 Elementen der Einheitserklärung von Neu-Delhi 1961, dann gibt es zwischen beiden *6 ausdrückliche Gemeinsamkeiten*: 1. der Glaube an bzw. das Bekenntnis zu Vater, Sohn und Geist, 2. die Verbindung mit Christus, dem Erlöser: das Evangelium, 3. die Taufe, 4. das Brotbrechen/die Eucharistie, 5. das gemeinsame Gebet, 6. die Wirksamkeit des Heiligen Geistes. Die verbleibenden *Differenzen* betreffen drei Themen: 1. die Gemeinschaft unter dem Nachfolger Petri – die Papstfrage; 2. die Anerkennung von Amt und Gliedern – die Ämterfrage; 3. das gemeinsame Handeln und Sprechen – die Frage gemeinsamer Entscheidungsfindung.
Man kann also festhalten, dass im Blick auf die Gemeinsamkeiten zwischen katholischen und nicht-katholischen Christen bei der Einheitserklärung von Neu-Delhi 1961 und der Kirchenkonstitution 1964 wesentlich mehr Übereinstimmungen als Unterschiede gegeben sind. Ohne das Gewicht der verbleibenden Differenzen gering zu achten, wird man doch sagen dürfen, dass bereits die Kirchenkonstitution des Zweiten Vatikanischen Kon-

zils vor mehr als 50 Jahren faktisch die ökumenische These vertreten hat: „Was uns miteinander verbindet, ist stärker als das, was uns noch trennt.“[39]

2.4.4 Zur Frage von Konzilen

Für unsere Fragestellung nach der konziliaren Gemeinschaft der Kirchen darf nicht unter den Tisch fallen, was die Kirchenkonstitution in ihrem dritten Kapitel zu *„ökumenischen Konzilien“* zu sagen hat. Ich fasse es thesenartig zusammen:

1. Konzile „weisen auf die kollegiale Natur und Beschaffenheit des Episkopats hin“.
2. Ein Konzil ist eine „Körperschaft der Bischöfe“.
3. Ein Konzil hat nur Autorität in Gemeinschaft mit dem Bischof von Rom.
4. Ein Konzil besitzt zusammen mit dem Bischof von Rom „die höchste Gewalt über die ganze Kirche“.
5. Das Kollegium der Bischöfe stellt die „Vielfalt und Universalität des Gottesvolkes“ dar; ihre Versammlung unter dem Haupt des Papstes verdeutlicht die „Einheit der Herde Christi“.
6. „Der Bischof von Rom hat das Vorrecht, diese Konzilien zu berufen, auf ihnen den Vorsitz zu führen und sie zu bestätigen.“[40]

Da seit über tausend Jahren (nach 869/70) Konzile nur noch von der römisch-katholischen Kirche durchgeführt worden sind, verwundert es nicht, dass dem Bischof von Rom in seiner Gestaltung eine derart dominante Rolle zuerkannt wird. Dennoch stärken Konzile wie keine andere Einrichtung das kollegiale Element und verkörpern damit eine Rückbindung an die Communio-Struktur der Kirche.

2.5 Zur ökumenischen Bewegung

Eine Erklärung wie das *„Dekret über den Ökumenismus“* vom 21. November 1964 hat es der gesamten Kirchengeschichte bisher nicht gegeben. Es ist so etwas wie die Magna Charta der ökumenischen Bewegung. Denn auf Seiten des Ökumenischen Rates lässt sich ihr die Toronto-Erklärung von 1950[41] nur sehr cum grano salis an die Seite stellen. Ähnliches gilt von der Erklärung des Panorthodoxen Konzils in Kreta zu den anderen christlichen Kirchen.[42] Freilich ist der Begriff des „Ökumenismus" besonders in der deutschen Sprache wie alle Ismus-Worte nicht sonderlich glücklich gewählt. Gemeint ist damit, wie es das Vorwort klärt, die ökumenische Bewegung, die nun – im Rückgriff auf eine Vatikanerklärung von 1949 – als Auswirkung des Heiligen Geistes und als göttlicher Ruf verstanden wird.[43] Indem sich das Dekret gleich zu Beginn auf die Basis-Formulierung des Ökumenischen Rates bezieht, anerkennt es die bereits existierende *eine* ökumenische Bewegung, der sich die römisch-katholische Kirche nun ausdrücklich offiziell anschließt. Auch bei dieser Erklärung haben die ersten beiden lateinischen Worte programmatische Bedeutung: *Unitatis Redintegratio* – Wiederherstellung der Einheit. Redintegratio meint die Wiederherstellung bzw. Erneuerung eines früheren Zustandes, z. B. von Frieden. In diesem Zusammenhang ist an eine Wiederherstellung der kirchlichen Einheit gedacht, wie sie im ersten christlichen Jahrtausend vor der Trennung von Ost- und Westkirche im Jahr 1054 und vor der Reformation des 16. Jahrhunderts bestanden hat. Das ist etwas anderes als die sog. Rückkehr-Ökumene, die lateinisch mit reditus ad unitatem wiedergegeben würde. Im Ökumenismus-Dekret geht es nicht um Rückkehr von verlorenen Kindern zur Mutterkirche, sondern um die Integration aller Kirchen und Christen in die eine sichtbare und universale Kirche Gottes (ad Ecclesiam Dei unam et visibilem ... vere universalis). Im Folgenden konzentriere ich mich auf die katholischen Prinzipien, wie sie im ersten Kapitel dargelegt werden, und auf die Stellung zu den getrennten Kirchen im Westen zum Abschluss von Kapitel III, während ich auf die „praktische Verwirklichung" von Kapitel II später zurückkommen werde.

2.5.1 Die katholischen Prinzipien des Ökumenismus

„Die katholischen Prinzipien des Ökumenismus" sind die Grundsätze, die aus katholischer Sicht für die *ganze* ökumenische Bewegung gelten, nicht jedoch Maßstäbe für einen eigenen katholischen ökumenischen Weg, der von vornherein ausdrücklich abgewiesen wird. Die drei Abschnitte von Kapitel I erörtern die Einheit der Kirche, ihre Spaltungen und die ökumenische Bewegung. Wie in der Kirchenkonstitution so wird die Kirche und ihre *Einheit* auch im Ökumenismus-Dekret trinitarisch entfaltet: Die Liebe Gottes gilt dem ganzen Menschengeschlecht; der Sohn betet um die Einheit der Seinen und stiftet die Eucharistie, durch die die Einheit der Kirche „bezeichnet und bewirkt" wird (significatur et efficitur). Die Eucharistie ist also nicht nur Zeichen vollendeter Einheit, sondern auch wirksames Mittel auf dem Weg dorthin. Der Heilige Geist wird „das Prinzip der Einheit der Kirche" genannt, der die Verschiedenheit der Dienste hervorruft und die Kirche mit vielfältigen Gaben bereichert. Als Kennzeichen der einen Kirche werden an erster Stelle dieselben beiden Merkmale teilweise mit denselben Worten genannt wie im Augsburger Bekenntnis: die Predigt des Evangeliums (Evangelii praedicatio) und Feier der Sakramente (administratio sacramentorum). Vollendet wird die „Gemeinschaft in der Einheit im Bekenntnis des einen Glaubens, in der gemeinsamen Feier des Gottesdienstes und in der brüderlichen Eintracht der Familie Gottes."[44] Zur Einheit der Kirche gehört im Ökumenismus-Dekret auch Petrus und sein Schlüsselamt, aber Christus bleibt „der höchste Eckstein".

Der nächste Abschnitt befasst sich mit den *Spaltungen,* die „oft nicht ohne Schuld der Menschen auf beiden Seiten" zustande gekommen sind. Davon jedoch zu unterscheiden sind die Angehörigen von getrennten Gemeinschaften, denen „die Schuld der Trennung nicht zur Last gelegt" werden darf, im Gegenteil: „Die katholische Kirche betrachtet sie als Brüder in Verehrung und Liebe". Sie sind „durch den Glauben in der Taufe gerechtfertigt und Christus eingegliedert, darum gebührt ihnen der Ehrenname des Christen, und mit Recht werden sie ... als Brüder im Herrn anerkannt."[45] Das Ökumenismus-Dekret verschweigt nicht die Schuld, die auch die römisch-katholische Seite an Spaltungen und Verfeindungen trägt. Aber in der gemeinsamen Taufe sieht es eine weiter und tiefer reichende Beziehung, die „eine gewisse, wenn auch nicht vollkommenen Gemeinschaft" miteinander ermöglicht. Dank der Taufe und der Wirksamkeit des Geistes in den getrennten Kirchen kann das Ökumenismus-Dekret sie sogar als „Mittel des Heils" (media salutis) anerkennen.

An der *ökumenischen Bewegung* hebt das Ökumenismus-Dekret besonders die Ausmerzung von Vorurteilen, den Dialog und das gemeinsame Gebet hervor, Errungenschaften, die Hindernisse für die Versammlung zur „selben Eucharistiefeier" überwinden. Es bedenkt auch selbstkritisch, dass Nachlässigkeit der eigenen Glieder und Spaltungen die eigene „Fülle der Katholizität" in Frage stellen. Deshalb sollen „Reichtümer Christi und das Wirken der Geisteskräfte im Leben der anderen" Kirchen mit Freude anerkannt werden. Um zu jener „Fülle der Einheit" zu gelangen, die Jesus Christus will, „mahnt dieses Heilige Konzil (Sancta Synodus) alle katholischen Gläubigen, dass sie, die Zeichen der Zeit erkennend, mit Eifer an dem ökumenischen Werk teilnehmen."[46] Das Ökumenismus-Dekret versteht die ökumenische Bewegung als Prozess der Erweiterung, Läuterung und Bereicherung für die Gläubigen der eigenen Kirche. Sie führt über die eigenen Begrenzungen hinaus und gehört zu den „Zeichen der Zeit", die es zu erkennen gilt, damit „alle Christen zur selben Eucharistiefeier zur Einheit der einen und einzigen Kirche versammelt werden". Diese „katholischen Prinzipien des Ökumenismus" werden zwar vom Standort der römisch-katholischen Kirche aus formuliert und zielen zunächst auf die eigenen Gläubigen, dann aber greifen sie darüber hinaus auf die ökumenische Bewegung insgesamt und nehmen schließlich die „Fülle der Einheit" in Blick, „die Jesus Christus will".[47]

2.5.2 Die Beziehungen zu getrennten Kirchen

Was bedeuten diese katholischen Prinzipien für das Verhältnis der römisch-katholischen Kirche zu den „getrennten Kirchen und kirchlichen Gemeinschaften im Abendland"? Wegen der langen gemeinsamen Geschichte von 1500 Jahren besteht zwischen ihnen eine besondere Nähe, andererseits gibt es große Unterschiede „vor allem in der Interpretation der geoffenbarten Wahrheit". Das Ökumenismus-Dekret unternimmt keinen Versuch, die auch untereinander verschiedenen Kirchen der Anglikaner, Lutheraner oder Freikirchen zu beschreiben. Stattdessen gibt es „einige Gesichtspunkte" an die Hand, die dem angestrebten ökumenischen Dialog als „Fundament" und „Anstoß" dienen können und sollen.[48] Die Perspektive ist also nicht zuerst auf das Aufzeigen von Differenzen, sondern von gemeinsamen Ansatzpunkten gerichtet. Der Blick geht auf die im Ökumenischen Rat verbundenen Christen (Z. 20), bei denen gemeinsame Ansätze in der Schrift (Z. 21), bei den Sakramenten (Z. 22) und im christlichen Leben (Z. 23) aufgewiesen werden, bevor das Dekret mit einer Zukunftsperspektive (Z. 24) zum Abschluss kommt.

Wie schon zu Beginn so greift das Ökumenismus-Dekret hier noch einmal ausdrücklich die „Basis" des Ökumenischen Rates auf und folgert daraus, dass Christen „aus dem Wunsch zur Vereinigung mit Christus ... notwendig dazu geführt (werden), die Einheit mehr und mehr zu suchen ..."[49] Diese Sicht entspricht dem bekannten Bild von den Speichen eines Rades: Je näher Christen zu Christus in der Mitte kommen, desto näher rücken sie auch zueinander.

Es fällt auf, dass bei der Erörterung der *Schrift* als erster und einziger Beleg ausgerechnet die Leib- und Magenstelle der Reformation zitiert wird: Das Evangelium ist „eine Kraft Gottes zum Heil für jeden, der glaubt, für den Juden zuerst, aber auch für den Griechen" – Römer 1,16! Das unterschiedliche Verhältnis zwischen Schrift und Kirche wird als Aufgabe des Dialogs angesprochen und dabei die Heilige Schrift als „ausgezeichnetes Werkzeug in der mächtigen Hand Gottes" gepriesen.[50] In diesen Zusammenhang gehört auch die gemeinsame Vorbereitung und Durchführung der *Gebetswoche für die Einheit der Christen*, die jeweils unter einem biblischen Thema steht und seit dem Konzil von Genf und Rom miteinander verantwortet wird.

Auch bei den *Sakramenten* Taufe und Abendmahl werden be-

wusst und gezielt Brücken zu den „von uns getrennten kirchlichen Gemeinschaften" gebaut. Das gemeinsame Basissakrament der *Taufe* gliedert „dem gekreuzigten und verherrlichten Christus" ein, schenkt Anteil am „göttlichen Leben", ist auf das „vollständige Bekenntnis des Glaubens" hingeordnet und schließlich „auf die vollständige Einfügung in die eucharistische Gemeinschaft". „Die Taufe begründet also ein sakramentales Band der Einheit …" Theologisch bedeutet es, dass die ökumenische Gemeinschaft nicht in irgendeinem Überbau, sondern in und mit dem Basissakrament der Taufe verankert ist. Ökumenische Theologie ist Tauftheologie! Deshalb ist es in praktischer Hinsicht elementar wichtig, die Taufe gegenseitig anzuerkennen, sich ihrer gemeinsam zu erinnern und sie womöglich miteinander zu feiern.
Der Hauptsatz des Ökumenismus-Dekrets zur *Eucharistie* trifft im Blick auf die von Rom getrennten kirchlichen Gemeinschaften drei positive Feststellungen:

1. Sie feiern das Gedächtnis des Todes und der Auferstehung Christi.
2. Sie bekennen, dass das Leben in der Gemeinschaft mit Christus bezeichnet wird.
3. Sie erwarten seine glorreiche Ankunft.

Alle drei Feststellungen betreffen die Christusorientierung des Abendmahls und zwar in den Dimensionen von Vergegenwärtigung des Geschehenen (memoria), gegenwärtiger Gemeinschaft (communio) und Erwartung des Kommenden (adventus). Kritisch wird im Nebensatz auf das Fehlen (defectus) des Weihesakraments, also das defizitäre Amt und dessen Folgen hingewiesen, über das u. a. ein Dialog erforderlich ist.[51] Mit anderen Worten, das inhaltliche Abendmahlsverständnis und sein Vollzug bei nicht-katholischen Kirchen wird nur positiv dargestellt, während ihr Amtsverständnis kritisch beleuchtet wird. Diese syntaktische Anordnung von Haupt- und Nebensatz (quamvis – tamen) und die ihr entsprechende theologische Zuordnung von Haupt- und Nebensache ist in der Erklärung Dominus Iesus in ihr Gegenteil verkehrt worden und hat deshalb bei

formal korrekter Bezugnahme auf einzelne Wendungen dieser Passage des Ökumenismus-Dekrets aus einer positiven Qualifizierung eine negative Abgrenzung gemacht.[52]
Beim *christlichen Leben* der „Brüder“ werden ebenfalls drei Dimensionen hervorgehoben: Ihre Spiritualität, ihr tätiger Glaube (operosa fides) und ihr Festhalten an den Worten Christi als Quelle christlicher Tugend bzw. Moral. Im Blick auf den Gottesdienst wird auf „nicht selten deutlich hervortretende Elemente der alten gemeinsamen Liturgie“ aufmerksam gemacht.[53] Abschließend bekennt sich das Ökumenismus-Dekret zu gemeinsamen Unternehmungen mit den getrennten Brüdern, zum „heiligen Anliegen der Wiederversöhnung aller Christen“, zum wahren Fortschritt der Einheit und vertraut dabei auf die „künftigen Anregungen des Heiligen Geistes“[54].

2.5.3 Der Geist der Communio

Wenn man, wie hier ansatzweise geschehen, die Erklärungen des Zweiten Vatikanums und insbesondere das Ökumenismus-Dekret nach über 50 Jahren erneut liest und auf ihre ökumenischen Dimensionen hin abklopft, dann ist man nach manchem Auf und Ab in den Beziehungen der vergangenen Jahrzehnte doch erstaunt und beeindruckt, wie stark diese konziliaren Texte vom Geist der Öffnung, der Wertschätzung und der Gemeinsamkeit mit nicht-katholischen Christen geprägt sind. Es ist bekannt und soll nicht verschwiegen werden, dass es in diesen offiziellen Erklärungen des Zweiten Vatikanischen Konzils auch in Wortlaut und Zielrichtung ganz anders gelagerte Passagen gibt, die hier nicht zur Sprache kommen. Dennoch bleibt festzuhalten, dass die ökumenisch orientierten Texte etwas von der ersten Liebe aus der Anfangszeit der römisch-katholischen Begegnung mit anderen Christen und Kirchen zu erkennen geben, die manche Formulierung bis an die äußerste Grenze ihrer damaligen Möglichkeiten hat gehen lassen. Namentlich das Ökumenismus-Dekret ist in seinen katholischen Prinzipien und ihrer Anwendung auf die Beziehungen zu den Kirchen des Orients wie der Reformation von einem *Geist der Communio* durchzogen, der die eigenen Positionen zurückzunehmen in der Lage ist, um die römisch-katholische Kirche in die umfassendere Einheit der Kirche Jesu Christi mit allen an Christus Glaubenden einfügen zu können. Auf diesem Erkenntnisniveau und diesem Mut zu praktischen Anregungen sind spätere Verlautbarungen der römisch-katholischen Kirche nicht immer geblieben. Daher empfiehlt sich heute für alle Beteiligten eine möglichst gemeinsame *Relecture* der wichtigen ökumenischen Erklärungen des Konzils vor gut 50 Jahren, damit wir an seine damaligen Erkenntnisse heute anknüpfen und seine wegweisenden Impulse aufgreifen und weiterführen können. Bevor das nicht geschehen ist, ist auch an ein Drittes Vatikanisches Konzil nicht zu denken.

„Der gute Geist von Rom" trat am vorletzten Tag des Konzils, am 7. Dezember 1965, noch einmal in überraschender und unerwarteter Klarheit in Erscheinung, als die „Aufhebung der Bannbullen zwischen Rom und Konstantinopel" an beiden Orten gleichzeitig verkündet wurde. Die entscheidende Passage lautet: *„Daher wollen Wir auf dem Weg der brüderlichen Liebe weiter fortschreiten, die uns zur vollkommenen Einheit führen soll, und das beseitigen, was hinderlich im Wege steht, sowie vor den versammelten Bischöfen im Zweiten Ökumenischen Vatikanischen Konzil bestätigen, dass Wir die Worte und Taten aus damaliger Zeit nur schmerzvoll ertragen und nicht gutheißen können. Außerdem wollen wir den Beschluss der Exkommunikation aus dem Gedächtnis tilgen und dem Vergessen anheimfallen lassen."*[55] Damit sind nach 911 Jahren die gegenseitigen Exkommunikation zwischen römisch-katholischer und orthodoxer Kirche rückgängig gemacht und von nun an (ex nunc) für unwirksam erklärt worden. „Dieses öffentliche Zeugnis der christlichen Brüderlichkeit" kann vielleicht auch als Modell dienen, wie man in Zukunft mit der Exkommunikation Martin Luthers „und seiner Anhänger" vom 3. Januar 1521[56] verfahren könnte.

3 Der exemplarische katholisch/evangelisch-lutherische Dialog nach dem Konzil

Es ist deutlich geworden, welche epochalen Öffnungen das Zweite Vatikanische Konzil vollzogen hat: Nicht-katholische Beobachter haben vom ersten bis zum letzten Tag das Konzilsgeschehen aus nächster Nähe begleitet. In den Konzilstexten werden die Angehörigen anderer Kirchen als „getrennte Brüder", manchmal sogar als „Brüder" angesprochen. Papst *Paul VI.* hat in seiner Eröffnungsrede zu Beginn der zweiten Session (am 29. September 1963) im Blick auf die Trennungen zwischen den Kirchen „demütig Gott um Verzeihung und ... auch die Brüder um Vergebung" gebeten[56a] und ist bei der ersten Begegnung mit dem orthodoxen Patriarchen Athenagoras von Konstantinopel Anfang Januar 1964 in Jerusalem auf die Knie gefallen. Solche Gesten eines Papstes unterstreichen, dass die katholische Kirche mit dem Konzil endgültig aus ihrer selbst gewählten Isolation herausgetreten ist, ihre Fenster weit geöffnet und das Gespräch mit den anderen Kirchen aufgenommen hat.
Unmittelbar im Anschluss an das Konzil hat die römisch-katholische Kirche mit einer Offensive der *bilateralen Dialoge* begonnen, wie es sie noch nie gegeben hat und die bis zum heutigen Tag – ein halbes Jahrhundert lang! – anhält. Sie begannen mit den aus der Reformation hervorgegangenen Kirchen, mit Anglikanern, Lutheranern und Reformierten; bald kamen Gespräche mit östlich- und orientalisch-orthodoxen Kirchen dazu; fast gleichzeitig wurden Dialoge mit den sog. Freikirchen aufgenommen, mit Methodisten, Pfingstlern, Baptisten und Mennoniten. So entstand binnen kürzester Zeit ein weit gespanntes, heute fast unübersehbares Netz zweiseitiger Dialoge der katholischen Kirche mit so gut wie allen wichtigen Traditionen und Kirchen der Christenheit. Aus ihnen sind Abschlussberichte, Erklärungen und Vereinbarungen über Kirchengemeinschaft hervorgegangen. Inzwischen liegen dazu vier schwergewichtige Dokumentationsbände vor – „gelbe Ziegelsteine" –, praktisch für jedes Jahrzehnt einer, die schon von ihrem äußeren Umfang her einen Respekt einflößenden Eindruck von der Fülle der Gespräche und ihrer Ergebnisse vermit-

teln, die nach dem Konzil von Rom ausgehend und auch unabhängig vom Vatikan in aller Welt geführt worden sind.[57] Man kann den Eindruck gewinnen, dass dank dieser römisch-katholischen Dialog-Offensive die ökumenische Initiative von Genf auf Rom übergegangen ist. Das trifft zumindest auf die bilateralen Gespräch zu, während die Genfer Kommission für Glauben und Kirchenverfassung sich auf den multilateralen Dialog konzentriert.

Einer der wichtigsten und erfolgreichsten Dialoge, die bisher geführt worden sind, ist das römisch-katholische und evangelisch-lutherische Gespräch zwischen Vertretern des Vatikans und des Lutherischen Weltbundes. Ich greife es auch deshalb als exemplarisches Modell heraus, weil es für die beiden sog. „großen“ Kirchen in Deutschland von besonderer Bedeutung ist und es dazu in Deutschland auch entsprechende Gespräche auf nationaler Ebene gibt.

3.1 Der Malta-Bericht: Das Evangelium und die Kirche 1972

Im November 1967 wurde in Zürich – knapp zwei Jahre nach Abschluss des Konzils –die erste internationale Studienkommission überhaupt und zwar zwischen Lutherischem Weltbund und Vatikan aus der Taufe gehoben; ihr gehörten von Anfang an auf beiden Seiten auch deutsche Theologen an. Inzwischen gibt es fünf Phasen des Dialogs; für jede neue Phase wurden teilweise andere Mitglieder in die „Kommission für die Einheit“ berufen. Die erste Phase dauerte von 1967-1972. In einem Rückblick auf diese Anfänge schrieb ich nach 25 Jahren: „Nach fünf Zusammenkünften in etwas mehr als drei Jahren lag das erste greifbare Ergebnis schriftlich vor: der *Malta-Bericht*, der am 25. Februar 1971 von der Studienkommission in San Anton auf Malta einstimmig verabschiedet und ein Jahr später veröffentlicht wurde: *„Das Evangelium und die Kirche“*.[58] In vier Abschnitten befasst sich diese erste Frucht des evangelisch-katholischen Gesprächs mit dem Evangelium in seinem Verhältnis zur Überlieferung (Tradition), Welt, kirchlichem Amt und kirchlicher Einheit. Aus heutiger Perspektive liest sich der Bericht wie eine schwungvolle Ouvertüre zu den Ergebnissen späterer Jahre: Fast alle kontroverstheologischen Themen, einschließlich Interkommunion und Papstfrage, kommen bereits zur Sprache und werden teilweise mutiger als in späteren Dokumenten erörtert. Man merkt diesem Kind der ersten Liebe die gegenseitige Entdeckerfreude an und die wunderbare Erfahrung, mehr im neuen Licht gemeinsam zur Sprache bringen zu können, als man zu hoffen gewagt hatte. So stellte man schon 1971 fest: ‚Die Übereinstimmung erstreckt sich nicht nur auf das theologische Verständnis des Evangeliums ..., sondern auch auf eng damit verbundene und durchaus wesentliche Punkte der Lehre ... Wir fragen uns jedoch: müssen die noch verbleibenden Unterschiede als Hindernisse für eine Kirchengemeinschaft betrachtet werden?‘[59] Ebenfalls wurde ... zur Frage der gemeinsamen Abendmahlsfeier die – allerdings heftig umstrittene, wie die Sondervoten belegen – These niedergeschrieben: ‚Schon jetzt (1971!) ist zu befürworten, dass die kirchlichen Autoritäten ... als Zeichen und Antizipation der verheißenen und erhofften Einheit gelegentliche Akte der Interkommunion (etwa bei ökumenischen Anlässen, in der Mischehen-Seelsorge) ermöglichen.‘[60]

3.2 Martin Luther – Zeuge Jesu Christi 1983

Nach diesem gelungenen Start begann die *zweite Phase* des evangelisch-katholischen Gesprächs mit einer neuen „Gemeinsamen römisch-katholischen/evangelisch-lutherischen Kommission“, die noch internationaler zusammengesetzt war und sowohl kirchenleitende Personen als auch Gemeindepfarrer zu ihren Mitgliedern zählte. Sie umfasst das Jahrzehnt von 1973 bis 1984. In einer Bestandsaufnahme der ungelösten Probleme einigte man sich auf drei Themenkreise: Eucharistie, Bischofsamt und Wege zur Gemeinschaft ... Dann folgte – offensichtlich angestachelt durch das 450-jährige Gedenken an das Augsburgische Bekenntnis (1530-1980) und den 500. Geburtstag Martin Luthers am 10. November 1983 – eine Explosion von Veröffentlichungen: In den sechs Jahren von 1978 bis 1984 erschienen nicht weniger als sechs Konsenserklärungen der internationalen Kommission unter dem Vorsitz des Kopenhagener katholischen Bischofs *Hans L. Martensen* und des lutherischen Theologieprofessors *George A. Lindbeck* aus New Haven in den USA.

Es begann 1978 mit der Erklärung zum *„Herrenmahl“*, die inzwischen über 10 Auflagen erlebt hat.[61] *Dazu ist fünf Jahre später noch eine informelle Ausarbeitung eines Unterausschusses der Kommission angefertigt worden:* „Gegenseitige Zulassung zum Herrenmahl“. *Sie wirft unter den gemeinsam formulierten Überzeugungen die Frage auf, „ob nicht die Möglichkeit einer sukzessiven Verwirklichung eucharistische Gemeinschaft, die der wachsenden kirchlichen Gemeinschaft korrespondiert, grundsätzlich in Erwägung zu ziehen ist.“*[61a]

Zum Gedenkjahr 1980 erschien eine gemeinsame *„Stellungnahme zum Augsburgischen Bekenntnis“: „Alle unter einem Christus“*, die in die Feststellung mündet: ‚Was wir im Augsburgischen Bekenntnis an gemeinsamem (!) Glauben wieder erkannt haben, kann dazu helfen, diesen Glauben auch in unserer Zeit gemeinsam neu zu bekennen.‘[62] Gleichzeitig wurde eine erste gemeinsame Äußerung publiziert, die anlässlich des Gedenkjahrs 1980 für beide Kirchen *„Wege zur Gemeinschaft“*[63] aufzeigte. Ein Jahr später folgte die Ausarbeitung zu *„Das Geistlichen Amt in der Kirche“*.[64]

Zum Lutherjahr 1983 wurde ein Dokument veröffentlicht unter der Überschrift: *„Martin Luther – Zeuge Jesu Christi“*[65], das am 6. Mai 1983 von allen Mitgliedern der Gemeinsamen Kommission im evangelischen Kloster Kirchberg (Württemberg) unterzeichnet wurde. Darin steht zu lesen:

„Zu den Einsichten des Zweiten Vatikanischen Konzils, in denen man eine Aufnahme Luther'scher Anliegen sehen kann, gehören zum Beispiel:

- *die Herausstellung der maßgeblichen Bedeutung der Heiligen Schrift für Leben und Lehre der Kirche;*
- *die Beschreibung der Kirche als ‚Volk Gottes‘;*
- *die Bejahung der ständigen Erneuerungsbedürftigkeit der Kirche in ihrer geschichtlichen Existenz;*
- *die Bekräftigung des Bekenntnisses zum Kreuz Jesu Christi und seiner Bedeutung für das Leben des einzelnen Christen*

wie der Kirche insgesamt;
- *das Verständnis der kirchlichen Ämter als Dienst;*
- *die Betonung des Priestertums aller Getauften;*
- *der Einsatz für das Recht der Person auf Freiheit in religiösen Dingen." (Z. 24)*[66]

Die imponierende Reihe gemeinsamer Veröffentlichungen wurde 1984 vorerst abgeschlossen mit einer ausführlichen Abhandlung über *„Modelle, Formen und Phasen katholisch-lutherischer Kirchengemeinschaft": Einheit vor uns"*[67]. Sie mündete in die ‚tiefe Überzeugung, dass jeder einzelne Schritt auf Einheit hin als Schritt zur Einheit aller Kirchen verstanden und getan werden muss'[68]. Mit dieser Veröffentlichung hat die bisher ergiebigste *zweite* Phase des internationalen evangelisch-katholischen Dialogs ihren Abschluss gefunden."[69]

3.3 Kirche und Rechtfertigung 1994

Auf der Grundlage dieser zahlreichen Einzeluntersuchungen wagten sich die Teilnehmenden der *dritten Phase* von 1986-1993 an das Grundsatzthema „Kirche und Rechtfertigung". Dabei ging es einerseits darum, Konsequenzen aus den bisherigen Ergebnissen für die Verwirklichung von Kirchengemeinschaft abzuleiten, andererseits das Wechselverhältnis von Rechtfertigungs- und Kirchenverständnis in Blick zu nehmen, wie es der Untertitel sagt: „Das Verständnis der Kirche im Licht der Rechtfertigungslehre." Zahlreiche Einzelthemen werden in dem umfangreichen Dokument in fünf Kapiteln zusammengefasst: (1) Rechtfertigung und Kirche, (2) der bleibende Ursprung der Kirche, (3) die Kirche des dreieinigen Gottes, (4) Kirche als Empfängerin und Vermittlerin des Heils und (5) Sendung und Vollendung der Kirche. Zwar werden bei manchen Problemen wie etwa der dornigen Amtsfrage katholische und lutherische Sichtweisen mehr nebeneinander gestellt als miteinander vermittelt, aber es blitzen auch erfreuliche Annäherungen auf wie bei der Anerkennung des lutherischen Kircheseins und der Realpräsenz beim Abendmahl: „Das Kirchesein der lutherischen Kirchen (wird) nicht bestritten ... (Die) katholische Kirche ...

(muss) keineswegs Heil schaffende Gegenwart des Herrn im lutherischen Abendmahl leugnen."[70]

3.4 Die Apostolizität der Kirche 2009

Die ungelösten Fragen im gegenseitigen Ämterverständnis wurden dann in der *vierten Dialogphase* von 1995-2006 gezielt aufgegriffen und deren Ergebnisse in dem Dokument „Die Apostolizität der Kirche" veröffentlicht.[71] Darin ist man sich in der Beurteilung der apostolischen Tradition von Schrift, kirchlicher Überlieferung und ordinationsgebundenem Amt einig, nicht jedoch in der Frage der apostolischen Sukzession. Immerhin kommt man zu der wichtigen gemeinsamen Erkenntnis, dass der Dienst am apostolischen Evangelium in verschiedenen Formen und Gestalten legitim ausgeübt wird.[72]

3.5 Vom Konflikt zur Gemeinschaft 2013

Die lutherisch-katholische Kommission für die Einheit hat in ihrer gegenwärtigen *fünften Phase* schon 2013 ein wegweisendes Dokument zum „gemeinsamen lutherisch-katholischen Reformationsgedenken im Jahr 2017" vorgelegt: „Vom Konflikt zur Gemeinschaft". Ober- und Untertitel sind bereits als programmatische Thesen für das Gedenkjahr 2017 zu verstehen: „Dieses Gedenkjahr stellt uns vor zwei Herausforderungen: Reinigung und Heilung der Erinnerungen und Wiederherstellung der christlichen Einheit in Übereinstimmung mit der Wahrheit des Evangeliums von Jesus Christus (Epheser 4,4-6)."[73] Der Vorbereitung zur Meisterung dieser Herausforderungen wollen die sechs Kapitel des Berichtes dienen: (1) Reformationsgedenken im Zeitalter von Ökumene und Globalisierung, (2) Martin Luther und die Reformation – neue Perspektiven, (3) Eine historische Skizze der lutherischen Reformation und der katholischen Antwort, (4) Hauptthemen der Theologie Martin Luthers im Licht der lutherisch/römisch-katholischen Dialoge: Rechtfertigung, Eucharistie, Amt, Schrift und Tradition, (5) Zum gemeinsamen Gedenken aufgerufen, und (6) Fünf ökumenische Imperative. Zu den neuen Perspektiven auf Luther und die Reformation gehört beispielsweise die Erkenntnis, „dass Luther in sich einen Katholizismus überwand, der nicht voll katholisch war … Die Krise des (damaligen) Katholizismus machte verständlich, dass der religiöse Protest Luthers für viele überzeugend war." Noch wichtiger ist die Einsicht, „dass nicht die Kerngedanken der Reformation, wie zum Beispiel die Rechtfertigungslehre, zur Spaltung der Kirche führten, sondern vielmehr Luthers Kritik an der Verfassung der Kirche seiner Zeit …"[74]

Sehr bemerkenswert ist auch der erstmalige Versuch, „eine historische Skizze der lutherischen Reformation und der katholischen Antwort" gemeinsam zu entwerfen und zu verantworten. Darin wird das *Augsburger Bekenntnis* von 1530 so beurteilt: „Das Augsburger Bekenntnis ist ein starkes Zeugnis für die Entschlossenheit der lutherischen Reformatoren, die Einheit der Kirche zu bewahren und innerhalb der einen sichtbaren Kirche zu bleiben. Indem es die Differenz ausdrücklich als von geringerer Bedeutung dargestellt hat, ist dieses Bekenntnis dem ähnlich, was wir heute einen differenzierenden Konsens nennen würden."[75] Zum *Konzil von Trient* wird festgehalten: „Auch wenn das Konzil von Trient in großem Maß eine Antwort auf die protestantische Reformation war, verurteilte es dennoch nicht Einzelne oder Gemeinschaften, sondern bestimmte Lehrauffassungen. Weil die Lehrdekrete weithin auf das, was man als protestantische Irrtümer verstand, antworteten, förderte das Konzil ein polemisches Verhältnis zwischen Evangelischen und Katholiken …"[76] Schließlich sei noch auf den Aufruf „zum gemeinsamen Gedenken" hingewiesen, der auf die gemeinsame Taufe aufmerksam macht, auf die notwendige Vorbereitung für 2017, die gemeinsame Freude am Evangelium, aber auch auf bisheriges und ein notwendiges künftiges „Bekenntnis von Sünden gegen die Einheit" und zwar von katholischer wie von evangelischer Seite.[77]

3.6 *Lehrverurteilungen – kirchentrennend? 1985*

Außer diesen bisherigen fünf Phasen des internationalen lutherisch-katholischen Dialogs gab es zumindest in den Vereinigten Staaten und in Deutschland intensive Gespräche auf nationaler Ebene. Aus dem in den USA wesentlich früher, nämlich noch während des Konzils begonnenen Dialog sind zwei Themen besonders hervorzuheben: Päpstlicher Primat und die universale Kirche (1974), sowie: Rechtfertigung durch den Glauben (1985). In Deutschland, wo das offizielle katholisch-lutherische Gespräch erst mit zehnjähriger Verzögerung im Jahr 1976 begann, sind bisher zwei Ergebnisse veröffentlicht worden: Kirchengemeinschaft in Wort und Sakrament (1984)[78] und Communio Sanctorum (2000)[79]. In diesem Zusammenhang muss aber auch noch das Projekt „Lehrverurteilungen – kirchentrennend?" erwähnt werden, das im Anschluss an den ersten Deutschlandbesuch von Papst *Johannes Paul II.* 1980 von dem Ökumenischen Arbeitskreis evangelischer und katholischer Theologen (Jaeger-Stählin-Kreis) in Angriff genommen worden und nach intensivster fünfjähriger Arbeit 1985 mit einem „Schlussbericht" zum Abschluss gebracht wurde. Er gipfelt in der Bitte an „die Leitungen der betroffenen Kirchen, verbindlich auszusprechen, dass die Verwerfungen des 16. Jahrhunderts den heutigen Partner nicht treffen ..."[80] Dieser Bitte ist bis heute – 30 Jahre später – noch nicht entsprochen worden.

3.7 *Die Gemeinsame Erklärung zur Rechtfertigungslehre 1999*

Vergegenwärtigt man sich den bisherigen Verlauf des internationalen katholisch-lutherischen Dialogs, dann fällt zunächst auf, dass er seit 1967 ununterbrochen geführt wird, also fast ein halbes Jahrhundert lang. Das zeugt von Beharrlichkeit, Intensität und langem Atem. Hier wird nicht an schnellen Sensationserfolgen gearbeitet, sondern eine Jahrhunderte lange Entfremdungsgeschichte aufgearbeitet. Sicherlich tragen die persönlichen Auseinandersetzungen zwischen *Luther* und den Päpsten seiner Zeit zu dem heute positiven emotionsreichen Interesse

beider Seiten aneinander bei. Zehn offiziell veröffentlichte Dialogergebnisse in 50 Jahren sind eine stolze Erfolgsbilanz, die so in keinem anderen der zahlreichen von katholischer Seite geführten Dialoge erzielt worden ist. Dabei sind so gut wie alle Kontroversthemen zwischen beiden Traditionen angesprochen worden. Es gibt allerdings zwei Ausnahmen: die Papstfrage und die Ordination von Frauen; sie sind aber in Gesprächen, die in den USA geführt wurden, zur Sprache gekommen.
Acht der zehn internationalen Dialogergebnisse waren bereits erarbeitet und veröffentlicht, als man in der zweiten Hälfte der neunziger Jahre daran ging, die *Gemeinsame Erklärung zur Rechtfertigungslehre* zu formulieren. Sie ist keine neue Darstellung der Rechtfertigungslehre neben den Dialogergebnissen, wie in der Präambel zutreffend bemerkt wird[81], vielmehr fasst sie die bis dahin in Jahrzehnte langen Gesprächen gewonnenen Einsichten prägnant und systematisch zusammen. Ihre drei Schlüsselsätze lauten:

1. „Lutheraner und Katholiken haben gemeinsam das Ziel, in allem Christus zu bekennen, dem allein über alles zu vertrauen ist als dem einen Mittler (1. Timotheus 2,5 f), durch den Gott im Heiligen Geist sich selbst gibt und seine erneuernden Gaben schenkt."
2. „Das in dieser Erklärung dargelegte Verständnis der Rechtfertigungslehre zeigt, dass zwischen Lutheranern und Katholiken ein Konsens in Grundwahrheiten der Rechtfertigungslehre besteht ..."
3. „Unser Konsens in Grundwahrheiten der Rechtfertigungslehre muss (!) sich im Leben und in der Lehre der Kirchen auswirken und bewähren."[82]

Noch am selben Tag der offiziellen Unterzeichnung, am Sonntag 31. Oktober 1999, hat Papst *Johannes Paul II.* in Rom die Gemeinsame Erklärung zur Rechtfertigungslehre als „Meilenstein" in den Beziehungen zwischen beiden Kirchen gewürdigt.[83] Auf evangelischer Seite waren bis zur Unterzeichnung offiziell nur lutherische Theologen, Synoden und Kirchen beteiligt, im Anschluss daran haben auch unierte und einige reformierte Kirchen der

Erklärung ihre Zustimmung gegeben. Dass ausgerechnet und ausschließlich in Deutschland über 200 evangelische universitäre Theologieprofessoren der Gemeinsamen Erklärung zur Rechtfertigungslehre ihre Zustimmung verweigert haben, zeigt erstens, dass sie den dreißigjährigen Annäherungsprozess zwischen lutherischen und römisch-katholischen Theologen nicht mitvollzogen haben, zweitens ihre Entfremdung von Synoden und Kirchen, die der Erklärung zugestimmt haben, und drittens ein weitreichendes Vorurteil bis hin zum Misstrauen gegenüber Vereinbarungen mit der römisch-katholischen Kirche.

Wenn nun Papst *Franziskus* am 31. Oktober 2016 nach Lund reist, um mit dem Lutherischen Weltbund anlässlich seiner Gründung vor knapp 70 Jahren[84] eine Liturgie der Versöhnung zu feiern, zeigt sich darin eine weitere Frucht und Anerkennung des fünfzigjährigen theologischen und spirituellen Annäherungsprozesses zwischen beiden weltweiten Kirchen. Dieser Weg ist ein Musterbeispiel dafür, wie ein ernsthafter Dialog zu einer umfassenden Annäherung und schließlich zu einer gewissen Form von konziliarer Gemeinschaft führt, auch wenn sie noch nicht offiziell besiegelt worden ist.

4 Annäherungen zwischen Genf und Rom

4.1 Gemeinsame Arbeitsgruppe

Im Umfeld der Beratungen und Verabschiedung des Ökumenismus-Dekrets fanden bereits im Herbst 1964 Gespräche zwischen dem vatikanischen Einheitssekretariat in Rom und dem Ökumenischen Rat in Genf statt, um Möglichkeiten einer engeren Zusammenarbeit auszuloten. Ihr Ergebnis bestand im Februar 1965 darin, eine *Gemeinsame Arbeitsgruppe* – Joint Working Group (JWG) – zu bilden, die den Prozess der Annäherung begleiten und fördern sollte. Es gibt sie bis heute und wird sie auch in Zukunft geben, denn sie hat sich im Lauf der Jahrzehnte als Kristallisationspunkt in den beiderseitigen Beziehungen bewährt. Ihr ursprünglicher Auftrag, bei dem es im Wesentlichen bis heute geblieben ist, umfasst 3 Schwerpunkte: 1. Sie

ist ein beratendes, kein beschließendes Gremium für ihre beiden Träger. 2. Ihre Arbeit hat geistlichen und pastoralen Charakter: Sie soll versuchen, „den Willen Gottes in der gegenwärtigen ökumenischen Situation zu erkennen“[85]. 3. Sie soll Formen der Zusammenarbeit zwischen den verschiedenen Organen und Programmen von Ökumenischem Rat und Katholischer Kirche entwickeln und fördern.
Heutzutage besteht die Gemeinsame Arbeitsgruppe aus etwa 16 paritätischen Mitgliedern, sie kommt einmal jährlich zusammen, häufig in Bossey bei Genf und in Rom; ein sechsköpfiger Exekutivausschuss regelt die laufende Arbeit zwischen den Plenarsitzungen.[86] Inzwischen hat die Gruppe *neun offizielle Berichte* über die ökumenische Lage und ihre Tätigkeit vorgelegt; seit dem vierten Bericht für die Vollversammlung in Nairobi 1975 erscheinen die Berichte regelmäßig zu den jeweiligen Vollversammlungen des Ökumenischen Rates, auf denen sie eine mehr oder – wie in Busan 2013 – minder beachtete Rolle spielen. Sie sind so etwas wie der Seismograph der jeweiligen ökumenischen Situation und spiegeln auf diese Weise sorgfältig die Entwicklungen in den Beziehungen zwischen Genf und Rom während der vergangenen 50 Jahre wider.[87]
Darüber hinaus hat die Arbeitsgruppe von Anfang an eigene Studien betrieben und veröffentlicht. Die erste erschien sofort im Anhang des ersten Berichtes 1966 zum Thema: „Gemeinsamer Gottesdienst bei ökumenischen Veranstaltungen“.[88] Im Lauf der Jahrzehnte kamen an die *15 Studientexte* zusammen, darunter so wichtige wie „Gemeinsames Zeugnis und Proselytismus“ (1970)[89], „Katholizität und Apostolizität“ (1970)[90], „Auf dem Weg zu einem Bekenntnis des gemeinsamen Glaubens“ (1980)[91], „Die Kirche: lokal und universal“ (1990)[92], „Hierarchie der Wahrheiten“ (1990)[93], „Ekklesiologische und ökumenische Implikationen einer gemeinsamen Taufe“ (2004)[94]. Die vorerst letzten Ausarbeitungen betreffen die Themen „Rezeption“, „Die geistlichen Wurzeln der Ökumene“ und „Die Kirche im Leben der jungen Menschen und junge Menschen im Leben der Kirche“[95]. Als nächste Schwerpunkte sind für die Jahre bis 2020 ein Pilotprojekt für Pilgerreisen ins Heilige Land, Migration und interreligiöser Dialog angedacht.[96]

4.2 *Kommission für Glauben und Kirchenverfassung*

Die Gemeinsame Arbeitsgruppe war das erste und ist in gewisser Weise bis heute das wichtigste Instrument der Annäherung zwischen Genf und Rom, aber sie ist beileibe nicht das einzige geblieben. Drei Jahre nach Abschluss des Konzils wurden bei der 4. ökumenischen Vollversammlung in Uppsala 1968 weitere Ebenen der Zusammenarbeit beschlossen. Seitdem gehören der Kommission für Glauben und Kirchenverfassung 12 vom Vatikan offiziell benannte Theologen und Theologinnen als Vollmitglieder mit gleichen Rechten und gleichen Pflichten an, das sind 10 % des damals 120 Mitglieder umfassenden Gremiums. Das hat einerseits zu einer eigenen Verfassung der Kommission mit einer gewissen Unabhängigkeit geführt; andererseits ist sie durch die Mitgliedschaft römisch-katholischer Personen zum theologisch repräsentativsten theologischen Organ geworden, das die Christenheit bis heute besitzt.

4.3 *Gebetswoche für die Einheit der Christen*

Seit Uppsala werden Texte und Liturgien für die jährliche Gebetswoche für die Einheit der Christen von einer Gruppe bearbeitet, die zu gleichen Teilen vom Vatikan und vom Ökumenischen Rat beschickt wird. Sie vertieft den geistlichen Ökumenismus, die Seele der ganzen ökumenischen Bewegung.

4.4 *Soziales Engagement*

Im Jahr 1968 ist auch eine Zusammenarbeit auf sozialem Gebiet vereinbart worden: ein gemeinsamer Ausschuss für Gesellschaft, Entwicklung und Frieden: SODEPAX[97], der in Genf ein eigenes Sekretariat erhielt. Allerdings hat sich diese Kooperation wegen der unterschiedlichen Strukturen des Ökumenischen Rates und des Vatikans als schwierig erwiesen, sodass SODEPAX 1980 seine Tätigkeit offiziell wieder einstellte – ein erster Fehlschlag in der Zusammenarbeit. Es wurde ersetzt durch eine

„Gemeinsame Konsultativgruppe für soziales Denken und Handeln“.

4.5 *Katholische Mitarbeit in Genf*

Seit Uppsala(1968) ist es üblich geworden, dass der Vatikan zu den Vollversammlungen des Ökumenischen Rates jeweils eine *offizielle Delegation* entsendet, deren Mitglieder als „delegated observers“ Zugang zu und Rederecht bei allen öffentlichen Veranstaltungen haben. Um es nicht bei solchen punktuellen Begegnungen zu belassen, hat man sich Ende der siebziger Jahre darauf verständigt, dass auch ein römisch-katholischer Theologe ständig zum Dozentenstab des ökumenischen Instituts *Bossey* gehört. Das hat den Vorteil, die Studierenden der internationalen Graduierten-Schule regelmäßig mit Themen und Fragen der katholischen Kirche vertraut zu machen. Wenig später hat es sich seit den achtziger Jahren eingebürgert, dass in jedem Winterhalbjahr alle Mitglieder der Graduate School für eine Woche nach Rom reisen, wo sie u. a. einen Besuch im Einheitssekretariat machen und vom Papst empfangen werden. Mit der Genfer *Kommission für Weltmission und Evangelisation* hat sich auch eine besonders intensive Zusammenarbeit entwickelt, sodass im Mitarbeiterstab dort ebenfalls regelmäßig eine vom Vatikan entsandte Person mit theologischer Kompetenz vertreten ist. Gelegentlich hat sogar in der Genfer Abteilung für den Konziliaren Prozess zu Gerechtigkeit, Frieden und Bewahrung der Schöpfung ein katholischer Repräsentant mitgearbeitet. Dazu passt, dass der Vatikan und der Ökumenische Rat einen gemeinsamen *Dokumentationsband* zum Thema „Frieden und Abrüstung“ veröffentlicht haben.[98] Zwar ist es bisher nicht dazu gekommen, dass Repräsentanten des Ökumenischen Rates an irgendeiner Stelle im Vatikan regelmäßig tätig geworden sind, aber seine *Generalsekretäre* haben es sich nicht nehmen lassen, allein oder mit kleinen Delegationen die Päpste in Rom aufzusuchen.

4.6 Papst Paul VI. beim Ökumenischen Rat 1969

Zu Höhepunkten in den Beziehungen und der öffentlichen Aufmerksamkeit sind die beiden Besuche geworden, die die Päpste Paul VI. und Johannes Paul II. dem Ökumenischen Zentrum in Genf abgestattet haben. Der erstmalige Besuch von *Paul VI.* beim Ökumenischen Rat am 10. Juni 1969 erregte eine solche Aufmerksamkeit, dass er den eigentlichen Anlass seiner Reise, das fünfzigjährige Jubiläum des Internationalen Arbeitsamtes, durchaus in den Schatten stellte. In seiner Ansprache stellte sich Paul VI. mit den Worten vor: „Mein Name ist Petrus" und gab damit sein Selbstverständnis wie seinen Anspruch unmissverständlich zu erkennen. Vor den eigenen Reihen konnte er sich durchaus selbstkritischer äußern, wie etwa mit der zwei Jahre zuvor gemachten Bemerkung im Einheitssekretariat: „Der Papst, wir wissen es, ist zweifelsohne das größte Hindernis auf dem Weg der Ökumene."[99] Zugleich erkannte Paul VI. aber auch die Tragweite seiner Genfer Begegnung und bezeichnete sie als „prophetischen Augenblick". Er erläuterte seinen Besuch als ein „klares Zeichen christlicher Gemeinschaft, die bereits zwischen allen Getauften besteht und so zwischen den Mitgliedskirchen des Ökumenischen Rates und der Römisch-katholischen Kirche."[100] Er verstand den Ökumenischen Rat als „eine wundervolle Bewegung von Christen, die zerstreut waren und jetzt ihre Einheit wiederzugewinnen suchen"[101]. Dieser erste Besuch eines Papstes beim Ökumenischen Rat der Kirchen in Genf löste eine geradezu euphorische Stimmung auch in der Öffentlichkeit aus, sodass die Frage nicht mehr abzuweisen war, ob und wann der Vatikan dem Ökumenischen Rat als Mitglied beitreten werde.

4.7 Papst Johannes Paul II. beim Ökumenischen Rat 1984

Fast auf den Tag genau 15 Jahre später, am Dienstag nach Pfingsten, 12. Juni 1984, besuchte Papst *Johannes Paul II.* die Zentrale des Ökumenischen Rates in Genf. Diese Nähe zum Fest des Heiligen Geistes prägte nicht nur Liturgie und Lieder des gemeinsamen Gottesdienstes in der Kapelle des Ökumenischen Zentrums, sondern auch den Geist der beiden Ansprachen von Generalsekretär *Philip Potter* und Papst Johannes Paul II. Potter beschrieb den Weg zur bisherigen „konziliaren Gemeinschaft" in vier Schritten: gemeinsamer Glaube, gemeinsames Zeugnis, gemeinsames soziales Engagement und erneuerte Spiritualität: „Wir können über diese Entwicklung nur jubeln und sie weiter vorwärts bringen."[102]

Papst *Johannes Paul II.* stellte sich als „Bischof von Rom" vor, der mit seinem „brüderlichen Besuch" ein Zeichen des Willens zur Einheit setzen will. Er würdigte die gemeinsame Taufe und das Ökumenismus-Dekret als Brücken zueinander: „Daher stehen unsere Spaltungen der schon existierenden Einheit ganz entgegen und sind deshalb nur umso skandalöser." Er schloss seine Rede mit dem Wunsch, dass Christus, „unser Weg, unser Führer, unsere Hoffnung und unser Ziel, es seiner Kirche auf Erden schenke, in ihrem Geheimnis und ihrer sichtbaren Einheit mehr und mehr eine Epiphanie der Liebe zu werden, die Vater, Sohn und Heiligen Geist vereint."[103]

Mit diesen beiden eindrücklichen Reden hatte es jedoch keineswegs sein Bewenden. Anlässlich des päpstlichen Besuches legten Kardinal *Willebrands*, der damalige Leiter des Einheitssekretariats, und Generalsekretär Potter eine gemeinsame Erklärung vor, in der die zwanzigjährige Bewegung zueinander gewürdigt wird. Sie beschreibt die „volle Gemeinschaft", auf die sowohl der Ökumenische Rat als auch die Römisch-katholische Kirche hinarbeiten, mit folgenden Worten: *„Wir sehnen uns nach einer solchen Gemeinschaft, die in der einen Taufe gründet, im Bekenntnis des einen apostolischen Glaubens vereint ist, der mit einem apostolischen Amt gedient wird und die ihren Ausdruck findet in einer gemeinsamen Feier der Eucharistie zur Ehre Gottes und zum Heil der Menschheit."* Diese gemeinsame Erklärung mündet in die Qualifizierung, dass „unsere heutige Begegnung etwas zum Ausdruck bringt … von unserer Verantwortlichkeit auf dem Weg zueinander als Glieder Christi."[104]

Während einer kurzen Abschlusszeremonie tauschten alle Anwesenden den Friedensgruß miteinander aus, bei dem Potter und Papst einander umarmten. Johannes Paul II. spendete der

Versammlung den Segen und Philip Potter entließ sie mit den Worten: „Geht im Frieden; liebt und dient dem Herrn; freut euch in der Macht des Heiligen Geistes."[105] Diese Schlussworte fassen den guten und hoffnungsfrohen Geist zusammen, in dem der Besuch von Papst Johannes Paul II. beim Ökumenischen Rat verlief, bevor er unter dem Beifall der drinnen und draußen Versammelten das Genfer Ökumenische Zentrum verließ.

5 Zusammenfassung: Konziliare Öffnungen der Römisch-katholischen Kirche

5.1 Die Ekklesiologie der Gemeinschaft

Aus dem Abstand eines halben Jahrhunderts sieht man deutlicher, welchen epochalen Einschnitt das Zweite Vatikanische Konzil für die katholische Kirche und ihre konziliaren Beziehungen bedeutet hat. Man übertreibt nicht, wenn man feststellt, dass dieses Konzil in den Jahren 1962 bis 1965 das bedeutendste kirchengeschichtliche Ereignis im 20. Jahrhundert gewesen ist. Das gilt zunächst innerkirchlich, denn es hat in der 1700-jährigen Konzilsgeschichte den neuen Typus des Pastoralkonzils hervorgebracht. Mit seiner Volk-Gottes-Theologie, die in der Kirchenkonstitution breit entfaltet wird, hat es sozusagen einen konziliaren Ansatz „von unten" genommen. Der wirkt sich besonders aus in der Aufwertung des Laienapostolats, in der Betonung der bischöflichen Kollegialität sowie im Ernstnehmen der „Kirche in der Welt von heute" insgesamt, wie es die pastorale Konstitution Gaudium et Spes in vorbildlicher Weise tut. Die traditionelle hierarchische Struktur der katholischen Kirche hat mit und durch das Zweite Vatikanische Konzil ihre Ergänzung in der *Communio-Ekklesiologie* erhalten. Dass beide Sichtweisen der Kirche in den Konzilstexten oft ohne hinreichende und überzeugende Vermittlung einfach nebeneinanderstehen, macht ihre Interpretation nicht einfacher. Wenn auch ein konzilshermeneutischer Grundsatz besagt, dass die traditionelle Lehre im Licht der neuen Erkenntnis zu verstehen und auszulegen ist und nicht umgekehrt, so hat die Konzilsinterpretation der vergangenen Jahrzehnte

doch deutlich gemacht, dass sich dieser Grundsatz beileibe noch nicht überall durchgesetzt hat.[106]
Für die Beziehungen der ehedem „alleinseligmachenden" Kirche zu den nicht-katholischen Kirchen bleibt das Ökumenismus-Dekret der Dreh- und Angelpunkt – eine Erklärung, die es in der Kirchengeschichte überhaupt noch nicht gegeben hat. Sein Ansatz bei dem christlichen Basissakrament der Taufe und dem daraus sich ergebenden Grund-Satz „einer gewissen, wenn auch nicht vollkommenen Gemeinschaft mit der katholischen Kirche"[107] hat Türen zu anderen Kirchen geöffnet, die jahrhundertelang verschlossen waren.

5.2 Fünf Stadien in den ökumenischen Beziehungen

In dem zeitweiligen ökumenischen Auf und Ab mit der römisch-katholischen Kirche kann man *fünf Stadien* unterscheiden.
Das *erste* reicht von der Ankündigung des Konzils 1959 bis zur 4. Vollversammlung des Ökumenischen Rates 1968 in Uppsala. Man darf es das *goldene ökumenische Jahrzehnt* nennen, denn in diesem Zeitraum sind alle grundlegenden Entscheidungen bzw. Neuorientierungen der katholischen Kirche vollzogen worden. Die Veränderungen in den Beziehungen zum Ökumenischen Rat sind nie deutlicher in Erscheinung getreten als zwischen Neu-Delhi 1961 und Uppsala 1968.
Das *zweite* Stadium umfasst die Zeit vom Besuch Papst Pauls VI. beim Ökumenischen Rat 1969 bis zur Mitte der achtziger Jahre, als der Abschlussbericht zur Frage der Lehrverurteilungen veröffentlicht wurde. Es ist das Stadium der *Aufbrüche*, der ersten Begegnungen und Ergebnisse. In diese Zeit fallen das ökumenische Pfingsttreffen in Augsburg 1971, der Beitritt der römisch-katholischen und orthodoxen Kirche zur Arbeitsgemeinschaft Christlicher Kirchen in Deutschland 1974, die erste Begegnung von Papst Johannes Paul II. mit dem Rat der EKD in Mainz 1980, die Aufarbeitung der Lehrverurteilungen des 16. Jahrhunderts, die Reihe der katholisch-lutherischen Erklärungen bis hin zur einstimmigen Verabschiedung der Konvergenzerklärungen zu Taufe, Eucharistie und Amt am 12. Januar 1982 in Lima.

Das *dritte* Stadium von der zweiten Hälfte der achtziger Jahre bis zur Unterzeichnung der Gemeinsamen Erklärung zur Rechtfertigungslehre am 31. Oktober 1999 kann man als *Ausweitung und Konsolidierung* der Beziehungen charakterisieren. Damals begann die katholische Kirche, sich auch im Konziliaren Prozess für Gerechtigkeit, Frieden und Bewahrung der Schöpfung zu engagieren, in der DDR, in Westdeutschland und auch international. Damit hängen die drei Europäischen Ökumenischen Versammlungen in Basel 1989, Graz 1997 und Sibiu 2007 zusammen. Papst *Johannes Paul II.* veröffentlichte 1995 seine wegweisende Enzyklika „Ut unum sint. Über den Einsatz für die Ökumene“.[108] In diese Zeit gehört aber auch das erste ökumenische Jahr mit der Bibel 1993 und vor allem die Auseinandersetzung um und schließlich die feierliche Unterzeichnung der Gemeinsamen Erklärung zur Rechtfertigungslehre, bis heute die einzige bilaterale Vereinbarung, die vom Vatikan offiziell anerkannt und verbindlich gemacht worden ist.
Das *vierte* Stadium der Enttäuschung und *Ernüchterung* begann am 6. August 2000, also zu Beginn des neuen Jahrtausends, mit der völlig überraschenden Erklärung der Kongregation für die Glaubenslehre unter Kardinal *Joseph Ratzinger* „Dominus Iesus“, die den aus der Reformation hervorgegangenen Kirchen das Kirchesein „im eigentlichen Sinn“ absprach. Es folgten ähnlich unerfreuliche Texte wie die Enzyklika Ecclesia de Eucharistia im Jahr 2003 kurz vor dem ersten Ökumenischen Kirchentag in Berlin[109] und „Antworten auf Fragen zu einigen Aspekten bezüglich der Lehre über die Kirche“[110], die so niemand gestellt hatte. Die evangelische Seite beantwortete solche Zumutungen mit der ebenfalls nicht sehr hilfreichen Losung von der „Ökumene der Profile“. Obwohl es in dieser Zeit namentlich in Deutschland auch hoffnungsvolle Ereignisse gab wie die beiden ökumenischen Kirchentage 2003 in Berlin und 2010 in München und vor allem die Unterzeichnung von 11 ACK-Kirchen zur gegenseitigen Anerkennung der Taufe am 29. April 2007 im Magdeburger Dom, endete dieses Stadium doch erst mit dem Beginn des Pontifikats von Papst *Franziskus* am 13. März 2013.
Seitdem bewegen wir uns im *fünften* Stadium, das durchaus Chancen in sich birgt, einen *neuen Frühling* in den ökumeni-

schen Beziehungen erblühen zu lassen. Papst *Franziskus* hat gleich in seinem ersten apostolischen Schreiben Evangelii Gaudium – die Freude des Evangeliums – neue ökumenische Töne angeschlagen, als er vom nicht hinnehmbaren „Skandal der Spaltungen unter den Kirchen“ sprach, von „gemeinsamem Pilgern“, von „voneinander Lernen“, von dem, was der Geist bei anderen Christen gesät hat, „als ein Geschenk aufzunehmen, das auch für uns bestimmt ist“[111]. Dieser neue Geist der offenen Zuwendung wurde beim fünfzigjährigen Jubiläum des Ökumenismus-Dekrets am 21. November 2014 spürbar, als in allen deutschen Kathedralen zu ökumenischen Gottesdiensten eingeladen wurde. Die Deutsche Bischofskonferenz veröffentlichte dazu nach langer Zeit ein Wort „Zur Einheit gerufen“, in dem sie sich für eine missionarische, eine diakonische und eine geistliche Ökumene aussprach.[112] Papst Franziskus hat im Jahr 2015 die Kirche der Böhmischen Brüder und der Waldenser um Vergebung für die Verfolgungen durch die katholische Kirche gebeten. Bei seinem Besuch in der evangelisch-lutherischen Gemeinde in Rom brachte er am 15. November 2015 als Gastgeschenk einen Abendmahlskelch mit! Das sind Worte und Zeichen, die auf Versöhnung und neue konziliare Gemeinschaft hoffen lassen.

5.3 Konziliare Gemeinschaft zwischen Rom und Genf?

Abschließend komme ich auf die schon erwähnte Frage einer Mitgliedschaft der römisch-katholischen Kirche im Ökumenischen Rat zurück. Papst *Paul VI.* hatte bei seinem Besuch in Genf 1969 eine sorgfältige Prüfung zugesagt. Sie wurde auch gleich von der Gemeinsamen Arbeitsgruppe in Angriff genommen und das Ergebnis ihrer Studien zu „Strukturen der Beziehungen zwischen der römisch-katholischen Kirche und dem Ökumenischen Rat der Kirchen“ 1972 veröffentlicht.[113] Dort werden vor allem drei Gesichtspunkte ins Feld geführt, weshalb ein Antrag der römisch-katholischen Kirche auf Mitgliedschaft im Ökumenischen Rat der Kirchen „in nächster Zeit“ nicht zu erwarten sei: 1. ihre universale Mission und Struktur, 2. Verständnis von und Verfahrensweise mit Autorität, 3. praktische Differenzen in praktischen Fragen wie öffentlichen Verlautbarungen.[114] Es mag dahingestellt bleiben, ob es noch weitere Gründe gab; *Konrad Raiser* ist der Meinung, „dass es offenbar auf höchster Ebene im Vatikan starke Vorbehalte gegenüber der Perspektive einer katholischen Mitgliedschaft im Ökumenischen Rat der Kirchen gab."[115]

Jedenfalls sollte der katholische Verzicht auf eine offizielle Mitgliedschaft nicht dazu führen, die Zusammenarbeit zu verringern, im Gegenteil, wie es Papst *Paul VI.* in seiner Grußbotschaft zum 25-jährigen Bestehen des Ökumenischen Rates formulierte, sie „fortzusetzen und zu verstärken, wie es dem Geist des Zweiten Vatikanischen Konzils entspricht".[116] Wenn man sich die zahlreichen verschiedenen Ebenen vergegenwärtigt, auf denen die katholische Kirche nun schon seit Jahrzehnten beim Ökumenischen Rat regelmäßig mitarbeitet, dann muss man anerkennen, dass sie in die Genfer ökumenische Arbeit weit mehr einbezogen ist als die allermeisten der knapp 350 Mitgliedskirchen. Im 9. Bericht der Gemeinsamen Arbeitsgruppe, der in Busan 2013 vorgelegt wurde, ist ein ganzes Kapitel mit „wachsende Vertrauensbeziehungen" überschrieben. Darin wird davon berichtet, wie angesichts neuer Herausforderungen durch Pfingst- und charismatische Kirchen „der Ökumenische Rat der Kirchen auf die ausgezeichnete Zusammenarbeit mit der römisch-katholischen Kirche bauen" konnte[117]. In Zukunft soll noch mehr Gewicht auf die Rezeption der zahlreichen gemeinsamen Ergebnisse, auf die geistliche Verwurzelung der Ökumene und auf die Bereicherung durch Migranten gelegt werden.[118]

Was bedeuten diese in Jahrzehnten gewachsenen und entwickelten guten Beziehungen zwischen Genf und Rom für die *konziliare Gemeinschaft* zwischen der katholischen und der ökumenischen Weltfamilie? Mit dieser Frage hat sich die Gemeinsame Arbeitsgruppe erstmals bereits im Jahr 1971 unter der Überschrift „Konziliarität und Primat" auseinandergesetzt – zur selben Zeit, als *Hans Küng* seine öffentliche Anfrage „Unfehlbar?" an Rom richtete. Die Genfer Gruppe formulierte folgende gemeinsame Geschäftsgrundlage: *„Die Kirche bedarf* *notwendig konziliarer Formen, wenn sie diese universale Gemeinschaft erhalten und immer wieder erneuern will. Konziliarität ist hier verstanden als der Ausdruck der Gemeinschaft, in der die verschiedenen lokalen Kirchen verbunden sind; sie ist eine Eigenschaft, die zur Kirche gehört; sie ist zu allen Zeiten auf repräsentative Versammlungen angewiesen, die Probleme aufnehmen und mit dem Anspruch beantworten, von der Kirche gehört zu werden. Die Zusammenkunft in Jerusalem (Acta 15) ist ein Beispiel dafür.“*[119] Wenn also Konziliarität eine notwendige Eigenschaft der Kirche ist, auf die sie nicht verzichten kann, dann lautet die entscheidende Frage: „Wie kann die Konziliarität der Kirche *heute* manifestiert werden?“ Dazu ist 1971 eine Reihe von fünf Einzelthemen formuliert worden, deren Anfragen noch heute Gültigkeit haben:

1. „Wie kann über die Repräsentation durch die Bischöfe hinaus die Stimme des gesamten Volkes hörbar gemacht werden?
2. Inwiefern kann von einem Nachfolger Petri die Rede sein?
3. Kann die Kirche ohne zentrale Autorität als ein Volk in der Wahrheit des Evangeliums leben? Kann es ohne solche Autorität wirklich zu konziliarer Praxis kommen?
4. Bedarf die Kirche eines Ortes als ihr Zentrum?
5. Wie wird die Manifestation der Kirche als Dienst (an der Menschheit) sichtbar?“[120]

Diese *Fragen zur konziliaren Gemeinschaft* stehen auch nach 45 Jahren noch größtenteils unbeantwortet im ökumenischen Raum. Möglicherweise hat das etwas damit zu tun, dass seit über dreißig Jahren kein Papst mehr den Ökumenischen Rat in Genf besucht und seine Solidarität mit der nicht-katholischen ökumenischen Familie auf Augenhöhe zum Ausdruck gebracht hat. Es wäre ein weiteres hoffnungsvolles Signal, wenn nach dem Antrittsbesuch von Generalsekretär *Olav Fykse Tveit* in Rom nun Papst *Franziskus* bei der nächsten Zusammenkunft des Zentralausschusses zu einem dritten päpstlichen Besuch nach Genf reiste und so der konziliaren Gemeinschaft der Christenheit sichtbaren Ausdruck verliehe. Erst dann könnte man an die „konziliare Praxis“ einer von Genf und Rom gemeinsam verant-

worteten *konziliaren Versammlung* denken, bei der die Christenheit ihren apostolischen Glauben bekennt und der Menschheit mit ihrem gemeinsamen Zeugnis und Dienst ein sichtbares Hoffnungszeichen schenkt.
„Nicht allein die skeptische Welt, sondern selbst die Millionen Kirchenglieder werden uns nur dann wirklich ernst nehmen, wenn der Ökumenische Rat der Kirchen und die Römisch-katholische Kirche gemeinsam im Namen Christi sprechen und handeln und so einer von Sinnlosigkeit, Selbstzerstörung, Gewalt und Armut bedrohten Welt neue Hoffnung bringen."[121]

Kapitel IV – Anmerkungen

1. Zit. bei O. H. Pesch, Das Zweite Vatikanische Konzil (1962 – 1965) (VK II). Vorgeschichte – Verlauf – Ergebnisse – Nachgeschichte, Würzburg 1994, 3. Aufl., S. 47,58.
2. Vgl. dazu O. H. Pesch, VK II, S. 58.
3. In: J. Chr. Hampe, Ende der Gegenreformation? (EdG). Das Konzil – Dokumente und Deutung, Stuttgart/Berlin 1964, S. 32 ff; das Augustinus-Zitat: In Psalmos 32, Enarrationes II,29; Migne, PL 36, S. 299.
4. AaO. S. 35.
5. J. Chr. Hampe, EdG (Anm.3), S. 353.
6. Vgl. sein Resümee: Nach dem Konzil, ST 75, München/Hamburg 1966.
7. In: P. Hünermann/B. J. Hilberath (Hg.), Herders Theologischer Kommentar zum Zweiten Vatikanischen Konzil (HThK), Bd. 5, Freiburg i. Br. 2009, S. 487.
8. AaO. S. 488.
9. AaO. S. 489.
10. P.-W. Scheele in seinem Vorwort zu K. H. Schuh (Hg.), Die ökumenische Bedeutung der Konzilsbeschlüsse (ÖBK), Hildesheim 1986, S. 7.
11. In: KKK (s.o. Einführung Anm. 5, S. 51 und 551.
12. AaO. Z 7, S. 54.
13. AaO. Z. 51, S. 69.
14. Vgl. Deutsche Messe und Ordnung (des) Gottesdiensts, in: K. Bornkamm/G. Ebeling, MLAS (s.o. II, 1,Anm.5), V. Kirche, Gottesdienst, Schule, Frankfurt/Main 1983, 2. Aufl., S. 73ff.
15. KKK, Z. 47, S. 67 f.
16. KKK, Z. 55, S. 70.
17.KKK, Z. 56, S. 70.
18. KKK, S. 90.
19. KKK, Z. 2, S. 368.
20. KKK, Z. 10, S. 372.
21. Die göttliche Offenbarung. Ökumenische Aspekte der Dogmatischen Konstitution, in: K. H. Schuh, ÖBK (s. o. Anm. 10), S. 105.
22. KKK, Z. 22, S. 379.
23. Vgl. dazu das von Kardinal Josef Höffner an erster Stelle unterzeichnete Vorwort zur Einheitsübersetzung vom Advent 1979, Stuttgart 1980, S. V.
24. KKK, Z. 4, S. 357-359.

25. In: B. Klappert/H. Starck (Hg.), Umkehr und Erneuerung, Erläuterungen zum Synodal- beschluss der Rheinischen Landessynode 1980 „Zur Erneuerung des Verhältnisses von Christen und Juden“, Neukirchen 1980, S. 264-266.
26. W. Breuning, Die Konstitution über die Kirche; in: K. H. Schuh, ÖBK (s. o. Anm. 10), S. 26.
27. KKK, Z. 1, S.123.
28. KKK, Z. 5, S. 126.
29. KKK, Z. 8, S. 130.
30. Art. 7, in: G. Gassmann, ABD (s. o. II, 2 Anm. 68), S. 26.
31. KKK, Z. 8, S. 131.
32. S. o. III, 2.1 zu Uppsala.
33. Extra ecclesiam nulla salus.
34. Vgl. KKK, Z. 13, S. 137 ff.
35. Vgl. KKK, Z. 9, 15f, S. 132, 140f.
36. KKK, Z. 10, S. 134.
37. KKK, Z. 13, S. 138f.
38. KKK, Z. 15, S. 140 f.
39. So lautet der Schlusssatz im „Schlussbericht der Gemeinsamen Ökumenischen Kommission zur Überprüfung der Verwerfungen des 16. Jahrhunderts“, in: K. Lehmann/W. Pannenberg (Hg.), Lehrverurteilungen – kirchentrennend? I, Freiburg i. Br. 1986, S. 196.
40. KKK, Z. 22, S. 148f.
41. S.o III, 1.2.
42. S. u. V,3.1.
43. KKK, Z. 1, S. 229; vgl. auch S. 218.
44. KKK, Z. 2, S. 230f; vgl. Art. 7 der CA, in: G. Gassmann, ABD (s. o. Anm. 30), S. 26.
45. KKK, Z. 3, S. 232.
46. KKK, Z. 4, S. 234ff.
47. KKK, Z. 4, S. 234.
48. KKK, Z. 19, S. 246.
49. KKK, Z. 20, S. 247.
50. KKK, Z. 21, S. 247.
51. KKK, Z. 22, S. 248.
52. DJ, VAS 148, Bonn 6. August 2000, Z. 17, S. 23. Dazu H.-G. Link, Von der Öffnung zur Abgrenzung. Das Ökumenismus-Dekret und die Erklärung „Dominus Jesus“ im Vergleich, in: KNA-ÖKI, 6. Februar 2001, S. 12 ff.

53.KKK, . Z. 23, S. 248f.
54. KKK, Z. 24, S. 249.
55. In: P. Hünermann/B. J. Hilberath (Hg.), HThK 5 (s.o. Anm. ...), Freiburg i. Br. 2009, S. 572.
56. Bulle von Papst Leo X.: Decet Pontificem Romanum; s.o. II, 1, Anm. 14.
56 a. In: P. Hünermann/B. J. Hilberath (Hg.), HThK 5,2009, S. 510.
57. Dokumente Wachsender Übereinstimmung (DWÜ). Sämtliche Berichte und Konsenstexte interkonfessioneller Gespräche auf Weltebene, Frankfurt/Main-Paderborn:
Bd. I: 1931-1982, Hg. H. Meyer/H. J. Urban/L. Vischer, 1983;
Bd. II: 1982-1990, Hg. H. Meyer/D Papandreou/H. J. Urban/L. Vischer, 1992;
Bd. III: 1990-2001, Hg. H. Meyer,/D. Papandreou/H. J. Urban/L. Vischer, 2003;
Bd. IV: 2001-2010, Hg. J. Oeldemann/F. Nüssel/U. Swarat/A. Vletsis, Leipzig/Paderborn 2012.
58. DWÜ I, S. 248ff.
59. DWÜ I, S. 250.
60. DWÜ I, S. 268.
61. DWÜ I, S. 271ff und Eigenveröffentlichung: Frankfurt/Main und Paderborn 1978ff.
61 a. In: J. Brosseder/H.-G. Link (Hg.), Eucharistische Gastfreundschaft. Ein Plädoyer evangelischer und katholischer Theologen, Neukirchen 2003, 3. Aufl., S. 175. Der Kursivdruck markiert Ergänzungen des Zitats von 1993 aus dem Jahr 2016.
62. DWÜ I, S. 328; Eigenveröffentlichung Frankfurt/Main und Paderborn 1980, S. 62.
63. DWÜ I, S. 296ff; Eigenveröffentlichung Frankfurt/Main und Paderborn 1980.
64. DWÜ I, S. 329ff; Eigenveröffentlichung Frankfurt/Main und Paderborn 1981.
65. DWÜ II, S.444ff; Eigenveröffentlichung, aaO. 1985, S. 86 ff.
66. DWÜ II, S. 449; Eigenveröffentlichung, aaO. S. 93.
67 DWÜ II, S. 451ff; Eigenveröffentlichung Frankfurt/Main und Paderborn 1985.
68. DWÜ II, S. 505; Eigenveröffentlichung, S. 80.
69. H.-G. Link, Was uns miteinander verbindet, ist stärker als das, was

uns noch trennt." Bemerkungen zum evangelisch-katholischen Gespräch (1967-1992), in: J. Brosseder/H.-G. Link (Hg.), Gemeinschaft der Kirchen. Traum oder Wirklichkeit?, Ökumene konkret Bd. 3, Zürich/Neukirchen 1993, S. 60-62.

70. DWÜ III, S. 383f; Eigenveröffentlichung Frankfurt/Main und Paderborn 1994, Z. 203f, S. 102.

71. DWÜ IV, S. 527ff; Eigenveröffentlichung Frankfurt/Main und Paderborn 2009, 213 S.

72. Vgl. Eigenveröffentlichung, aaO. S. 75 ff, 133ff, 202ff.

73. Leipzig/Paderborn 2013, S. 10: Vorwort der beiden Vorsitzenden: Karl-Heinz Dietz, Weihbischof in Fulda, und Eero Huovinen, Bischof em. von Helsinki.

74. AaO. Z. 21 f, S. 20.

75. AaO. Z. 70, S. 37.

76. AaO. Z. 88, S. 42f.

77. Vgl. dazu aaO. S. 88 ff.

78. Verfasser ist jeweils die „Bilaterale Arbeitsgruppe der Deutschen Bischofskonferenz und der Kirchenleitung der Vereinigten Evangelisch-Lutherischen Kirche Deutschlands" (VELKD), Paderborn/Hannover 1984.

79. Untertitel: Die Kirche als Gemeinschaft der Heiligen, Paderborn – Frankfurt/Main 2000.

80. Schlussbericht der Gemeinsamen Ökumenischen Kommission zur Überprüfung der Verwerfungen des 16. Jahrhunderts, in: K. Lehmann/W. Pannenberg (Hg.), Lehrverurteilungen – kirchentrennend? I. Rechtfertigung, Sakramente und Amt im Zeitalter der Reformation und heute, Dialog der Kirchen Bd 4, Freiburg i. Br./Göttingen 1986, S. 195.

81. In: F. Hauschild/U. Hahn/A. Siemens (Hg.), Die Gemeinsame Erklärung zur Rechtfertigungslehre (GER). Dokumentation des Entstehungs- und Rezeptionsprozesses, Göttingen 2009, Z. 6, S. 275.

82. GER, Z. 18,40 und 43, S. 278, 284.

83. GER, S. 1046f.

84. Der Lutherische Weltbund (LWB) ist am 1. Juli 1947 in Lund/Schweden gegründet worden.

85. Erster Offizieller Bericht der Gemeinsamen Arbeitsgruppe (GA) 1966, in: DWÜ I, S. 586.

86. Vgl. Anhang A zum 8. Bericht der GA 2005, in: DWÜ IV, S. 1224.

87. Wenn in wenigen Jahren – ca. im Jahr 2020 – der 10. Bericht der

GA veröffentlicht wird, ist das eine gute Gelegenheit, alle 10 Berichte seit 1966 in einem Buch zusammenzufassen, damit man eine Übersicht über die ökumenische Entwicklung im letzten halben Jahrhundert gewinnen kann.

88. DWÜ I, S. 593ff.
89. DWÜ I, S. 625ff.
90. DWÜ I, S. 635ff.
91. DWÜ I, S. 675ff.
92. DWÜ II, S. 732ff.
93. DWÜ II, S. 751ff.
94. DWÜ IV, S. 1235ff.
95. Gemeinsame Arbeitsgruppe... 9. Bericht, Anhänge A, B und C, Genf-Rom 2013; Zusammenfassung in: Referenztexte der Zehnten Vollversammlung des Ökumenischen Rates der Kirchen in Busan 2013, Genf 2013, S. 148ff.
96. Referenztexte, aaO. S. 154.
97. Exploratory Committee on Society, Development and Peace.
98. Peace and Dirarmament. Documents of the WCC (and the) Roman Catholic Church, Geneva/ Vatican City 1982, 255 S.
99. AAS 59,1967, S. 498; zit. in: Communio Sanctorum (s. o. Anm. 79), S. 77f.
100. In: The Ecumenical Review 21,1969, No3, S. 267.
101. Zit. in: W. A. Visser't Hooft, WmG (s. o. III, 1, Anm. 1), S. 408.
102. Addresses by The Revd Dr Philip Potter... and His Holiness John Paul II., Geneva 12 June 1984, S. 3.
103. AaO. S. 7ff.
104. Joint Statement, WCC-Central Committee, Geneva/Switzerland, 9-18 July 1984, Document No. 4.9.3, Z. 10 und 13.
105. Visit of His Holiness John Paul II. to the Headquarters oft he WCC, Geneva 12th June, S. 18.
106. Ich erinnere in diesem Zusammenhang exemplarisch an das Tauziehen um die subsistit-Interpretation in der Kirchenkonstitution, in: KKK, Z. 8, S. 131.
107. KKK, Z. 3, S. 232.
108. VAS 121, Bonn 25. Mai 1995.
109. VAS 159, Bonn 17. April 2003.
110. In: KNA-ÖKI 29, 17. Juli 2007, Dokumentation Nr. 13.
111. VAS 194, Bonn 24. November 2013, „Über die Verkündigung des Evangeliums in der Welt von heute", Z. 246, S. 167.

112. Wort der deutschen Bischöfe zur Ökumene aus Anlass des 50. Jahrestages der Verabschiedung des Ökumenismus-Dekretes „Unitatis Redintegratio“, Bonn 23. September 2014.

113. In: ÖR 1972/4, S. 521ff.

114. So die Darstellung des 4. Berichtes der Gemeinsamen Arbeitsgruppe 1975, in: DWÜ I, S. 667.

115. In: ÖKW (s. o. III, 2, Anm.63) S. 26.

116. In: DWÜ I, S. 667.

117. In: Referenztexte (für die) 10. Vollversammlung (des ÖRK in) Busan 2013, Genf 2013, S. 147..

118. Vgl. aaO. S. 154.

119. In: DWÜ I, S. 654.

120. DWÜ I, S. 655.

121. Schlusssatz eines Genfer Kommentars zu W. H. Visser´t Hooft, Die Beziehungen zwischen der ökumenischen Bewegung und der Römisch-katholischen Kirche von 1914 bis 1984. Einige persönliche Überlegungen, Genf 1985 (MS).

V.
Versuch einer orthodoxen Erneuerung mit dem Panorthodoxen Konzil

1 Der lange Anmarschweg

1.1 Erste Initiativen für ein Panorthodoxes Konzil seit 1902

Am 12. Juni 1902 schickte der Ökumenische Patriarch *Joachim III.* eine Patriarchal- und Synodalenzyklika aus dem Phanar in Konstantinopel/Istanbul an die Oberhäupter aller orthodoxen autokephalen Kirchen. Es ist noch heute beeindruckend zu lesen, in welchem brüderlichen Geist, wenn auch in etwas barockem Stil der Patriarch sich an seine Mitbrüder im Bischofsamt wendet, ihnen von den Beratungen und der „einmütigen synodalen Zustimmung" des Synod berichtet und sie um ihre Beratungen und Antworten auf drei ihnen vorgelegte panorthodoxe Fragen bittet. Mit Berufung auf die ur-christliche Praxis gegenseitiger Briefe und die Verfahrensweise der sieben altkirchlichen ökumenischen Konzile eröffnet der Patriarch zu Beginn des 20. Jahrhunderts einen schriftlichen Gedankenaustausch zwischen den orthodoxen Lokalkirchen, wie es ihn in dieser Form zuvor nicht gegeben hat. Die meisten der angeschriebenen autokephalen Kirchen haben auf die Enzyklika geantwortet; daraufhin hat Patriarch Joachim III. im Jahr 1904 eine Rückantwort verfasst, die auf die Äußerungen eingeht und die angeschnittenen Themen weiter vertieft. Diese Verfahrensweise erinnert in der Tat an den neutestamentlichen Briefwechsel zwischen Paulus und der Gemeinde in Korinth, auf den sich Joachim auch ausdrücklich mit dem Zitat bezieht: „Seid alle einmütig und duldet keine Spaltungen unter euch."[1] Was hier zu Beginn der ökumenischen Bewegung zwischen den orthodoxen Kirchen geschieht, kann man mit Anastasios Kallis „Konziliarität im Vollzug"[2] nennen.
Inhaltlich stellt der Patriarch *drei Themen* zur Diskussion: 1. angesichts von Zersplitterungen bis hin zu „jammervollen Spaltun-

gen … im Schoß der orthodoxen Kirchen“ häufigere *Kommunikation*, gelegentliche Zusammenkünfte und brüderliche Beratungen „zur weiteren Festigung unseres orthodoxen Glaubens“[3], wie es die ökumenischen Konzile getan haben; 2. gegenwärtige und künftige *Beziehungen zur lateinischen und protestantischen Kirche* und 3. die innerorthodoxe *Kalenderfrage*.

Was haben die orthodoxen Schwesterkirchen dazu geäußert? Der Synod der *russisch-orthodoxen* Kirche unterstützt eine Versammlung aller orthodoxen Bischöfe, hält es aber 1903 für unwahrscheinlich, „dass eine solche Versammlung von Bischöfen oder eine generelle und universale Beratung über Kirchenfragen durch sie zustande“ kommt.[4] Aufschlussreich ist, welches Bild der russisch-orthodoxe Synod von den beiden westlichen Kirchen zeichnet. Da ist von „weltlichen Gelüsten Roms“ die Rede, das sich den orthodoxen Osten „unterwerfen“ will. „Die Konversion Russlands und des russischen Volkes stellt den heimlichen Traum und das unverhohlene Ziel der Bestrebungen des Papsttums in unseren Zeiten dar“; dennoch wird die „apostolische Sukzession der lateinischen Hierarchie“ akzeptiert. Noch kritischer werden die protestantischen Gemeinschaften eingeschätzt: Sie betrachten „unsere östliche Kirche als einen Bereich kirchlicher Stagnation, von Irrtum und Finsternis, die von keinem Lichtstrahl erleuchtet wird“; sie legen eine „geringschätzende Arroganz gegenüber der Orthodoxie“ an den Tag. Orthodoxe müssen sich „vor den unaufhörlichen und vielseitigen Angriffen und Verführungen von Seiten der Lateiner und der Protestanten“ in Acht nehmen. Anders verhält es sich aus orthodoxer Sicht mit Anglikanern und Altkatholiken, weil sie zu den „Traditionen der Väter“ ein positiveres Verhältnis entwickelt haben. Trotz der herben Kritik an Lateinern und Protestanten wird ihr christlicher Glaube nicht in Frage gestellt: „Wir glauben an die Ernsthaftigkeit ihres Glaubens an die allheilige und lebenspendende Dreiheit (Trinität), und darauf bauend akzeptieren wir die Taufe sowohl des einen wie des anderen.“[5]

Man muss um die schlechten Erfahrungen wissen, die russisch-orthodoxe mit westlichen Christen früher gemacht haben, um ihre teilweise bis heute vorhandenen Vorurteile gegenüber den Kirchen im Westen verstehen zu können. Sind sie völlig unberechtigt? In der Kalenderfrage von Julianischer und Gregorianischer Berechnung des Osterfest-Termins ist man damals nicht weitergekommen. Man kann es nur staunend zur Kenntnis nehmen, mit welch langem – und zuweilen auch ermüdetem – Atem die Orthodoxie über ein Jahrhundert: genau 114 Jahre lang auf ein konziliares Ereignis zugegangen ist, das nun in unseren Tagen Wirklichkeit geworden ist.

Fast ein Jahrzehnt, bevor die Weltmissionskonferenz 1910 in Edinburgh zusammentrat, hatte Patriarch Joachim III. von Konstantinopel den ersten ökumenischen Stein bereits ins Wasser geworfen. Ihm folgte im Januar 1920 Metropolit *Dorotheos* mit seiner *Enzyklika „An die Kirchen Christi in der ganzen Welt"*. Darin schlägt er gleich mit dem ersten Satz einen „Bund der verschiedenen christlichen Kirchen" vor, der der „Vorbereitung und Erleichterung einer... dereinstigen vollständigen und gesegneten Einigung" der Kirchen dienen soll.[6] Zu diesem Vorschlag einer *„Liga der Kirchen"* hat sich Dorotheos offensichtlich von den 14 Punkten des amerikanischen Präsidenten *Woodrow Wilson* anregen lassen, der in seinem letzten Punkt die „Gründung eines Völkerbundes" gefordert hatte. Nach dem Ende der Katastrophe des Ersten Weltkriegs war offenbar die Zeit für neue politische und kirchliche Zusammenschlüsse gekommen. Es wurmte den orthodoxen Metropoliten offensichtlich, dass die Kirchen „jammervoll zurückbleiben hinter den politischen Mächten, die in der Tat den Geist des Evangeliums und die Lehre Christi sorgfältig anwendeten und unter günstigen Vorzeichen bereits den Völkerbund gegründet haben"[7].

Die Enzyklika von 1920 begründet ihren Vorschlag eines weltweiten Kirchenbundes einerseits mit der dringend erforderlichen Beseitigung des Proselytismus, des „Schafe Stehlens", unter christlichen Kirchen und Missionen. Andererseits sieht sie gerade auf dem Hintergrund des „furchtbaren Weltkriegs" Gefahren wie „einen großen Mangel an Ehrfurcht vor den Grundlagen des Rechtes und der Humanität", aber auch einen ethischen Verfall in Alkoholismus, Luxus, „Vergötterung des Reichtums und Verachtung höherer Ideale", die eine Zusammenarbeit der christlichen Kirchen herausfordern. Das Schreiben von Dorotheos konkretisiert seinen Kirchenbund-Vorschlag mit

11 Punkten, unter denen die Annahme eines „einheitlichen Kalenders", die Einberufung „all-christlicher Konferenzen" und ein Übereinkommen über „Mischehen" hervorstechen.[8]
Die Verbreitung dieser Enzyklika scheiterte schon zu einem guten Teil an den nicht vorhandenen Anschriftenlisten. Es musste das orthodoxe Patriarchat in Konstantinopel zudem kränken, dass die meisten westlichen Kirchen seiner Bitte um Antwort nicht entsprachen, sodass Metropolit *Germanos*, der eigentliche Verfasser, später feststellte: „Mitten in ihren zahlreichen Problemen, die nach dem Krieg in jeder christlichen Kirche entstanden waren, wurde der Enzyklika unglücklicherweise nur sehr geringe Aufmerksamkeit geschenkt (besonders im Westen) und überhaupt keine Antworten erreichten Konstantinopel, die die Notwendigkeit von Verstehen und Zusammenarbeiten eifrig anerkannt hätten."[9] Das geschah dann wenigstens ansatzweise während der Genfer Vorbereitungstagung für die Weltkonferenz von Glauben und Kirchenverfassung im Sommer 1920. So historisch bedeutsam diese erste orthodoxe Enzyklika an alle Kirchen in der Welt nach wie vor einzuschätzen ist, dennoch muss man leider feststellen, dass ihre damalige Wirkung recht begrenzt geblieben ist.
Immerhin rief Patriarch *Meletios IV.* 1923 eine erste panorthodoxe Konferenz in Konstantinopel zusammen. Sie fasste für 1925 ein orthodoxes Konzil ins Auge, das mit der 1600-Jahr-Feier des ersten Konzils von Nizäa im Jahr 325 verbunden werden sollte. Aber dazu kam es nicht. Fünf Jahre später wurde 1930 auf dem Athos ein neuer Anlauf genommen und eine Vorbereitungskommission für das Konzil eingesetzt, die einen ersten Themenkatalog erarbeitete. Eine geplante Vorsynode im Jahr 1932 kam jedoch ebenfalls nicht zustande. Faschistische Bewegungen in Europa und der Zweite Weltkrieg trugen dann das Ihre dazu bei, dass weitere Vorbereitungen für ein orthodoxes Konzil im Sande verliefen.
Es hat weniger am mangelnden Einsatzwillen der beteiligten Kirchen gelegen als vielmehr an *schwierigsten politischen Verhältnissen*, dass es zu keinen weiteren panorthodoxen Initiativen in der ersten Hälfte des 20. Jahrhunderts mehr gekommen ist. Die russische Revolution von 1917 erschütterte nicht nur die

orthodoxe Kirche in Russland bis ins Mark. Der griechisch-türkische Krieg von 1919-1922 führte zur Umsiedlung von Millionen orthodoxer Christen aus der Türkei nach Griechenland und brachte das orthodoxe Patriarchat in Konstantinopel an den Rand seiner Existenz. Die beiden Weltkriege banden die meisten Kräfte in orthodoxen und anderen Ländern im Kampf um das nackte Überleben.[10] Namentlich die osteuropäischen orthodoxen Kirchen, die seit Jahrhunderten in ihren jeweiligen Ländern zutiefst verwurzelt sind, standen ihren unterdrückten Völkern im Überlebenskampf zur Seite, so gut es ging. Für weitergehende panorthodoxe Unternehmungen fehlte ihnen einfach die Kraft.

1.2 Vorkonferenzen für das Konzil seit 1961

Das änderte sich erst in der zweiten Hälfte des 20. Jahrhunderts mit Patriarch *Athenagoras* von Konstantinopel. Er besuchte die Patriarchen und Metropoliten in anderen orthodoxen Ländern und schuf so ein Klima der Zusammengehörigkeit unter den verschiedenen autokephalen Kirchen. Es kam innerhalb des politischen Ostblocks zu orthodoxen Begegnungen, Kontakten und auch zu zwischenkirchlichen Zusammenkünften in Moskau 1948 und 1958. So konnte der Gedanke an ein panorthodoxes Konzil wieder aufgenommen werden. In dem nun einsetzenden *zweiten Vorbereitungsprozess* seit Beginn der sechziger Jahre des 20. Jahrhunderts kann man 3 Phasen bzw. Schwerpunkte unterscheiden: 1. vier „panorthodoxe Konferenzen" von 1961-1968, drei davon auf der Insel Rhodos, die vierte im orthodoxen Zentrum Chambésy bei Genf; 2. drei „präkonziliare panorthodoxe Konferenzen" zwischen 1976 und 1986 in Chambésy und 3. die beiden letzten panorthodoxen präkonziliaren Konferenzen 2009 und 2015 ebenfalls in Chambésy.

Die *erste panorthodoxe Konferenz* trat auf Betreiben von Patriarch Athenagoras mit rund 200 Teilnehmenden in der letzten Septemberwoche *1961* auf der Insel *Rhodos* zusammen. Da es sich um die erste Zusammenkunft dieser Art in der Nachkriegszeit handelte, fand sie auch in der Öffentlichkeit entsprechend große Aufmerksamkeit. Ihre Hauptaufgabe und ihr Hauptergebnis bestanden darin, nach dem ersten Entwurf von 1930 einen neuen Themenkatalog zu erstellen. *Nikolaus Wyrwoll* spricht von einer „anspruchsvollen Liste von 100 Themen“[11]. Es ging dabei um 8 Themenbereiche: 1. Glaube und Dogma, 2. Gottesdienst, 3. Verwaltung und Kirchenordnung, 4. Beziehungen der orthodoxen Kirchen untereinander, 5. Beziehungen zu der übrigen christlichen Welt, 6. die Orthodoxie in der Welt, 7. theologische Themen und 8. soziale Probleme.[12] Wenn man die einzelnen Themen durchforstet, fällt zunächst die prominente Rolle auf, die der Heiligen Schrift in den ersten beiden Themenbereichen zuerkannt wird. Bei den innerorthodoxen Beziehungen stehen „Friedensbriefe“ an erster Stelle. Aufschlussreich ist wieder die Reihenfolge der orthodoxen Beziehungen zur übrigen christlichen Welt: 1. Altorientalen, 2. Römisch-katholische Kirche, 3. Aus der Reformation hervorgegangene Kirchen: a) Konfessionen, die der Orthodoxie ferner stehen: Luthertum, Calvinismus, Methodisten, b) Konfessionen, die der Orthodoxie näher stehen: Anglikanische Kirche, 4. Altkatholizismus und 5. die ökumenische Bewegung. Sie war auch in Kreta 2016 einer der neuralgischen Punkte. Bei den theologischen Themen geht es in erster Linie um die beiden Schlüsselbegriffe der Akribie und Ökonomie, ohne deren Unterscheidung man die orthodoxe Theologie nicht verstehen kann. Schließlich sollen unter sozialen Problemen auch Geburtenkontrolle und Rassendiskriminierung erörtert werden.

Der gute Geist, der offenbar in dieser ersten neuen panorthodoxen Konferenz wirksam war, geht auch aus ihrer Botschaft hervor: Sie hat Themen vorgeschlagen, deren „gute und endgültige Lösungen und Entscheidungen nach Gottes Wohlgefallen auf dem einzuberufenden ökumenischen Konzil“ gefunden und getroffen werden sollen. „Unser Ziel war es, unseren lokalen Kirchen das Verantwortungsgefühl in der gegenwärtigen Zeit bewusst zu machen.“ Es ist auch von dem zu erfüllenden „Dienst der Versöhnung“ die Rede und davon, „das Gesetz Christi zu erfüllen, um gegenseitig die Lasten abzunehmen“. Man spürt der ersten Botschaft von Rhodos ab, dass hier ein neuer Geist der konziliaren Gemeinschaft geweht hat, der „die Brüder ... im ehrwürdigen Osten ... als auch jene im Westen“

umfasst, damit das Gebot des Herrn, „dass alle eins seien“, erfüllt wird, „wofür unsere heilige Kirche unablässig betet“[13]. Rhodos 1961 war offensichtlich ein guter Auftakt zu einem neuen Anlauf für das panorthodoxe Konzil.
Die *zweite* panorthodoxe Konferenz 1963 hatte Papst *Paul VI.* mit seiner Einladung an die einzelnen orthodoxen Kirchen zur beobachtenden Teilnahme am Zweiten Vatikanischen Konzil provoziert. Man überließ die Entscheidung den einzelnen autokephalen Kirchen. Aber der Wille zum Dialog hatte sich durchgesetzt. Bei der *dritten* Rhodos-Konferenz ging es 1964 um die Einheit der Kirche im Gespräch mit Vertretern der altkatholischen und anglikanischen Kirche. Erst die *vierte* panorthodoxe Konferenz, die vom 8. bis 15. Juni 1968 im neugebauten orthodoxen Zentrum von Chambésy bei Genf stattfand, befasste sich wieder mit der Vorbereitung des Konzils. Dabei kam es zu einer gewissen „Kurskorrektur“, die den Weg zum Konzil erleichtern sollte. *Anastasios Kallis* nennt 5 Gesichtspunkte[14]:

1. An die Stelle einer Vorkonferenz, „Prosynode“, soll eine Reihe von „vorkonziliaren panorthodoxen Konferenzen“ treten.
2. Es wird eine „interorthodoxe Vorbereitungskommission“ gegründet.
3. Im Chambésy-Zentrum wird ein Sekretariat eingerichtet.
4. Für die Dialoge mit anderen Kirchen werden „Interorthodoxe Kommissionen“ gebildet.
5. Die Bearbeitung der – reduzierten! – Themen soll mit größerer Beteiligung von autokephalen Kirchen geschehen.

Im Blick auf die ökumenische Bewegung und die Beteiligung an der 4. Vollversammlung des Ökumenischen Rates in Uppsala 1968 hält der Beschluss der 4. panorthodoxen Konferenz in Chambésy fest: „Die in Genf versammelte Interorthodoxe Kommission bringt das allgemeine Bewusstsein der Orthodoxen Kirche zum Ausdruck, ein organisches Glied des Ökumenischen Rates der Kirchen zu sein, ebenso ihren festen Entschluss, mit allen ihr zur Verfügung stehenden Mitteln, theologischen und anderen, zur Förderung und zum guten Ausgang der gesamten Arbeit des Ökumenischen Rates der Kirchen beizutragen.“[15]

Die *vier panorthodoxen Konferenzen* der sechziger Jahre haben im Umfeld des Zweiten Vatikanischen Konzils stattgefunden; man spürt ihnen die Freude an der neuen Begegnung mit der katholischen Kirche und dem Ökumenischen Rat ab. Das katholische Konzil hat auch die orthodoxen Kirchen inspiriert, ihrerseits erneut und verstärkt auf ein panorthodoxes Konzil zuzugehen.
Die *erste* Vorbereitungskommission tagte 1971, aber es dauerte fünf weitere Jahre, bis die erste *vorkonziliare* panorthodoxe Konferenz 1976 in Chambésy zusammenkommen konnte. Ihre Aufgabe bestand vor allem darin, den zu umfangreichen Themenkatalog von Rhodos 1961 auf ein realistisches Maß zu reduzieren. Folgende *10 Themen* wurden vereinbart, die auf dem panorthodoxen Konzil entschieden werden sollten: 1. Orthodoxe Diaspora, 2. Autokephalie, 3. Autonomie, 4. Diptychen, 5. gemeinsamer Kalender, 6. Ehehindernisse, 7. Fastenvorschriften, 8. Beziehungen zur übrigen christlichen Welt, 9. Ökumenische Bewegung und 10. Christliche Ideale des Friedens, der Freiheit, der Brüderlichkeit... und Aufhebung der Rassendiskriminierung. Man kann diese 10 Themen drei Bereichen zuordnen: Die ersten 4 Themen betreffen die inneren Beziehungen der Orthodoxie. Die Themen 5-7 handeln von Anpassungen der Orthodoxie an die moderne Welt: Kalender, Eherecht und Fastenvorschriften. Die letzten 3 Themen befassen sich mit den Beziehungen zwischen der Orthodoxie und den anderen Bereichen: christliche Welt, Ökumene und Weltverantwortung.
Die *zweite* vorkonziliare Konferenz begann 1982 damit, drei der 10 Themen abzuarbeiten: Ehehindernisse, Fastenvorschriften und die Kalenderfrage – die Probleme der Anpassung an die moderne Welt. Man diskutierte die Problemstellungen, war aber nicht in der Lage, eine Entscheidung zu treffen. Entsprechend groß waren Enttäuschung und Frustration vieler Delegierter. Hier führte erst die *dritte* vorkonziliare Konferenz im November 1986 weiter, die 4 Konzilsvorlagen verabschieden konnte: 1. zur Fastenfrage, 2. Beziehungen zur übrigen christlichen Welt, 3. Orthodoxie und ökumenische Bewegung und 4. Fragen von Frieden, Gerechtigkeit und Freiheit.
Danach führten die interorthodoxen Vorbereitungskommissionen die Konzilsvorbereitung weiter. Sie tagten mehrfach in den

neunziger Jahren in Chambésy. Die politische Wende in Osteuropa 1989/90 veränderte auch die Grundkoordinaten in den Beziehungen zwischen den orthodoxen Kirchen. *Rivalitäten* zwischen Konstantinopel und Moskau sowie Krankheit und Tod des Konzilssekretärs Metropolit *Damaskinos* im Jahr 2001 verhinderten, dass die *vierte* vorkonziliare panorthodoxe Konferenz vor dem Jahr 2009 in Chambésy zusammentreten konnte. Sie befasste sich vor allem mit dem Problem der orthodoxen Diaspora und sprach sich für vorläufige Bischofsversammlungen als „Übergangslösung" aus, die seitdem auch in Deutschland als orthodoxe Bischofskonferenz eingeführt wurde.
Die interorthodoxe Vorbereitungskommission nahm sich anschließend der noch unbearbeiteten Konzilsthemen an: Autokephalie und Autonomie der Kirchen sowie die Diptychen, die Rangfolge in der Nennung der Ersthierarchen bei der Göttlichen Liturgie. Nachdem bereits im Jahr 2014 das panorthodoxe Konzil für 2016 angekündigt worden war, trat im Oktober 2015 die *fünfte* vorkonziliare panorthodoxe Konferenz wieder in Chambésy zusammen, um sich über die verbliebenen offenen Fragen zu verständigen. Schließlich beschloss im Januar 2016 eine weitere panorthodoxe Zusammenkunft aller 14 autokephalen Kirchenführer (Synaxis) 6 überarbeitete Vorlagen, die auf dem Konzil in Kreta behandelt und verabschiedet werden sollten:

1. Die Mission der Orthodoxen Kirche in der heutigen Welt;
2. Orthodoxe Diaspora;
3. Autonomie und die Methode ihrer Erklärung;
4. Das Sakrament der Ehe und seine Hindernisse;
5. Anpassung der Fastenvorschriften;
6. Beziehungen der orthodoxen Kirche zur übrigen christlichen Welt (Ökumene).

1.3 Aktuelle Vorbereitungen und Verfahrensweisen 2014 bis 2016

Der ökumenische Patriarch *Bartholomäus* lud die Leiter der anderen 13 autokephalen Kirchen zu einer Zusammenkunft

(Synaxis) im März 2014 an seinem Dienstsitz, dem Phanar in Konstantinopel, ein. Dort wurde entschieden, dass das „Heilige und Große Konzil" (griechisch: Synodos) zu Pfingsten im Jahr 2016 stattfinden soll, „wenn nichts Unvorhersehbares dazwischenkommt" – ein Hintertürchen, dass man sich angesichts zahlreicher „Zwischenfälle" in der Vergangenheit offen ließ. Der Name „Konzil" knüpft an die große Konzilstradition der Alten Kirche von 325 bis 787 an. Ob das Konzil später einmal das Attribut „ökumenisch" erhalten wird, entscheidet sich nach orthodoxer Auffassung im Nachhinein daran, ob seine Beschlüsse von den verschiedenen orthodoxen Kirchen angenommen werden oder nicht. Ungeklärt ist bislang auch die Zählung dieses Konzils. Patriarch Bartholomäus ordnete es in seiner Eröffnungsrede in eine Reihe von „allorthodoxen Synoden" ein, die im 14. Jahrhundert begannen und zuletzt 1872 und 1895 stattgefunden haben.[16] Es dürfte „unmöglich sein, das ... Panorthodoxe Konzil auf Kreta in eine wie auch immer geartete bestehende Zählung einzugliedern. In dieser Form und Geschlossenheit hat es noch keine derart hochrangige Versammlung der Weltorthodoxie gegeben."[17]
Nachdem das Datum für das Konzil festgelegt war, trat die interorthodoxe Vorbereitungskommission wieder zusammen, um die vorgesehenen Texte zu überarbeiten, und es kam im Oktober 2015 zu einer 5. panorthodoxen Konferenz, um an die Vorlagen letzte Hand anzulegen. Im Januar 2016 entschied eine weitere Zusammenkunft der 14 autokephalen Kirchenführer in Chambésy, dass das Konzil wegen politischer Spannungen zwischen Russland und der Türkei nicht in der Istanbuler Irenenkirche stattfinden würde, wo das Zweite Ökumenische Konzil im Jahr 381 zusammengekommen war und den „Glauben der 150 Väter" verabschiedet hatte, sondern in der Orthodoxen Akademie auf der Insel Kreta. Gleichzeitig wurden Regeln für die *„Organisations- und Arbeitsweise"*[17a] der Synode verabschiedet. Darin wird festgelegt, dass nur Bischöfe offizielle „Konzilsväter" sein können und zwar pro Delegation bis zu 25 Personen. Außerdem können diese Delegationen von maximal sechs Beratern begleitet werden, unter denen auch Laien und Frauen Platz finden können. Faktisch haben nur die albanische Kirche und

das Ökumenische Patriarchat je zwei Frauen als Beraterinnen aufgenommen. Jede autokephale Kirche konnte auch drei Helfer mitbringen, die in ökumenischen Konferenzen bekannten und beliebten Stewards (Art. 3). Den Vorsitz des Konzils führt laut Verfahrensregeln ausschließlich der Ökumenische Patriarch, der vom Konzilssekretariat unterstützt wird. Die Abstimmung über Texte geschieht während des Konzils nach dem Konsensprinzip der Delegationen. „Die Abstimmung nach Kirchen und nicht nach einzelnen Teilnehmern, schließt die Nichtzustimmung eines oder mehrerer Bischöfe ... zu vorgeschlagenen Textmodifikationen oder zu ganzen Texten nicht aus ..." (Art. 12,2). Es geht also um überzeugende Einmütigkeit, nicht aber um Einstimmigkeit. „Die Beschlüsse haben panorthodoxe Gültigkeit" (Art. 13,2). Dieses Konsensprinzip ist auf orthodoxe Initiative hin seit Porto Alegre 2006 auch in die Vollversammlungen des Ökumenischen Rates übernommen worden und hat sich dort überraschend schnell und gut bewährt.

Beobachter anderer Kirchen konnten nur an der Eröffnungs- und Abschlusssitzung des Konzils „ohne Stimm- oder Rederecht" (Art. 14) teilnehmen. „Außer der Eröffnung und der Abschluss-Sitzung des Konzils finden alle Sitzungen hinter geschlossenen Türen statt." (Art. 8,3). Faktisch sind es 15 „delegierte Beobachter" gewesen, die am Konzil in Kreta teilgenommen haben, unter ihnen Kardinal *Kurt Koch* als Vertreter der römisch-katholischen Kirche, der Präsident des Lutherischen Weltbundes Bischof *Munib Younan,* der Generalsekretär des Ökumenischen Rates der Kirchen *Olav Fykse Tveit* und der Ratsvorsitzende der EKD, Bischof *Heinrich Bedford-Strohm*.

Am „Sonntag der Orthodoxie", dem 20. März 2016, hat dann Patriarch Bartholomäus zusammen mit den 12 Bischöfen des Heiligen Synod von Konstantinopel ganz offiziell in einer „Patriarchale(n) und Synodale(n) Enzyklika"[17b] das Panorthodoxe Konzil für den 18. bis 27. Juni nach Kreta einberufen. Hauptaufgabe des Konzils sollte es sein, die Einheit der Orthodoxen Kirche im Glauben, in eucharistischer Gemeinschaft und in ihrer Synodalität sichtbar zu machen: „Die kirchliche Einheit ... (muss) zum Vorbild und Rettungsanker für eine gespaltene und sich selbst zerfleischende Menschheit werden."[18] Außerdem wurden

die orthodoxen Christen zum intensiven Gebet für ein segensreiches Gelingen des Konzils aufgerufen.
Wenige Wochen vor Beginn spitzte sich die Lage plötzlich dramatisch zu, als einige autokephale Kirchen ihre Teilnahme infrage stellten. Es begann mit dem Patriarchat von Antiochia, immerhin dem dritten in der Rangfolge nach Konstantinopel und Alexandria, das wegen eines Konfliktes mit dem Patriarchat Jerusalem über die Zuständigkeit für das Golfemirat Katar schon seit einiger Zeit mit seinem Fernbleiben gedroht hatte. Auch die Georgische Kirche hatte bereits im Januar 2016 Vorbehalte gegenüber den Vorlagen zu Ehe und Ökumene angemeldet, die vor dem Konzil geklärt werden müssten. Die Bulgarische Kirche jedoch, die zuvor allen Beschlüssen zugestimmt hatte, löste Ende Mai mit ihrer Ankündigung aus heiterem Himmel, dem Konzil wegen der Ökumene-Vorlage fernzubleiben, große Irritationen aus. Beide Kirchen, die Georgische und die Bulgarische, hatten bereits 1998/99 ihre Mitgliedschaft im Ökumenischen Rat der Kirchen aufgegeben. Zeitweilig blies auch die Serbische Kirche in dasselbe Horn. Als dann sechs Tage vor Konzilsbeginn die Russisch-orthodoxe Kirche mit ihren rund 150 Millionen Mitgliedern am 13. Juni ihre Teilnahme am Konzil offiziell absagte und seine Verschiebung auf unbestimmte Zeit forderte, stand es auf Spitz und Knopf und sein Scheitern schien näher zu liegen als sein Zustandekommen.
Doch Patriarch Bartholomäus und der Synod in Konstantinopel ließen sich nicht mehr beirren. Sie hielten unbeirrt an dem in Gang befindlichen konziliaren Prozess fest und luden die abtrünnigen Kirchen am 17. Juni ein, ihre Position noch einmal zu überdenken und sich auf den konziliaren Weg nach Kreta zu begeben. Einzig die Serbisch-orthodoxe Kirche hatte schon vorher ihre ablehnende Haltung revidiert und war in Kreta präsent. So fand die erste panorthodoxe Synode nach über 100 Jahren und 55-jähriger Vorbereitung *ohne* die antiochenische, bulgarische, georgische und russische Kirche statt. Dass sie aber dem von russischer Seite forcierten Tauziehen standgehalten hat und überhaupt zustande gekommen ist, ist bereits ihr größter Erfolg.

2 Zum Verlauf des Konzils in Kreta 2016

2.1 Die Eröffnungsliturgie

Das Heilige und Große Konzil der Orthodoxen Kirche begann am Sonntag, den 19. Juni. 2016, um 9:00 Uhr mit der Feier der Göttlichen Liturgie in der Kirche Hagias Minas, der Kathedrale des Erzbischofs von Kreta in der Hauptstadt Heraklion. Sie wurde vom Ökumenischen Patriarchen von Konstantinopel *Bartholomäus I.* geleitet, zusammen mit den Kirchenvorstehern von neun weiteren autokephalen Kirchen; die Leiter der Patriarchate von Antiochia, Bulgarien, Georgien und Russland waren nicht anwesend. Die Feier in der überfüllten Kirche erhielt dadurch besonderes Gewicht, dass der griechische Staatspräsident kam und lautstark vor der Kirche mit militärischen Ehren in Empfang genommen wurde. Gegen Ende der Liturgie tauschten Ökumenischer Patriarch und Staatspräsident den Friedensgruß miteinander aus – Zeichen der engen Verbundenheit von orthodoxer Kirche und griechischem Staat. Der Göttlichen Liturgie war das Morgengebet, der Orthros, vorausgegangen, und ihr schloss sich nahtlos die Pfingstvesper mit knienden Gebeten an, sodass die gesamte liturgische Feier nahezu fünf Stunden (von 8:00 Uhr bis 12:45 Uhr) in Anspruch nahm.

Im Konzert mit Patriarchen und Erzbischöfen wurde die Liturgie von einem kräftigen, jugendlichen und schwungvollen Chor getragen. Das Ganze machte einen feierlich-maskulinen Eindruck, wie auch die Kirche zu 90 % von Männern bevölkert war. An der Kommunion beteiligten sich aber auch eine Reihe „normaler“ Frauen in einfacher Kleidung, die offensichtlich trotz martialischer Sicherheitsvorkehrungen in die Kirche gelangt waren.

In seiner *Eröffnungspredigt* sprach Patriarch Bartholomäus von einem „historischen Moment“ im Blick auf Zeitpunkt und Zusammensetzung des Konzils. Er spielte damit auf die sieben bisherigen offiziellen Konzile an, dessen letztem im Jahr 787 nun nach über einem Jahrtausend – 1229 Jahre! – ein „Heiliges und Großes Konzil“ folgt. Obwohl nicht alle 14 autokephalen Kirchen vertreten waren, legte Bartholomäus großes Gewicht

auf die Feststellung, dass die Synode in Kreta die „ganze Orthodoxie" repräsentiert. Denn das ist nicht nur eine Frage der numerischen Quantität, sondern vor allem eine der kanonischen und theologischen Qualität. In diesem Sinne rückte Bartholomäus die „Einheit der Orthodoxen Kirche" in den Vordergrund: „Unsere kirchliche Einheit hat nicht die Form einer Föderation, sie stammt auch nicht von der Versammlung um eine sterbliche Person. Vielmehr geht sie aus von unserem gemeinsamen Glauben und wird durch ihn vollendet." Einheit verlangt – so der Patriarch – selbstverständlich Opfer, viel Arbeit und wird nach heftigen Auseinandersetzungen erreicht. Dieses Konzil soll dazu „ein Klima des gegenseitigen Vertrauens und Verständnisses" schaffen; denn es ist – zu Pfingsten begonnen – „eine Versammlung im Heiligen Geist"[19].
Nach der Eröffnungsfeier fanden sich die Konzilsväter auf einem geräumigen Platz neben der Kirche unter einem Meer von weißen Sonnenschirmen zu ihrem wohlverdienten Mittagessen bei Sonneneinstrahlung von über 30° ein. Zu ihrer Entspannung sangen und tanzten kretische Folkloregruppen in farbenprächtigen Gewändern. Einige hundert Kreter verfolgten das ganze Schauspiel hinter strengen Absperrungen von einem Café unter freiem Himmel aus. Man konnte sich wundern und fragen, warum aus der kretischen Hauptstadt mit weit über 100 000 Einwohnern nicht mehr orthodoxe Interessenten zu diesem historischen Eröffnungsgottesdienst gekommen waren, der über Lautsprecher in alle Himmelsrichtungen übertragen wurde. Vielleicht lag es wieder an den polizeilichen Absperrmaßnahmen, die aus Furcht vor ungebetenen Gästen und terroristischen Anschlägen die gesamte Umgebung der Minas-Kathedrale hermetisch abgeriegelt hatten.

2.2 Die Eröffnungssitzung

Punkt 11:00 Uhr beginnt mit einem stehend gesungenen Gebet die *Eröffnungssitzung* am Montag, den 20. Juni, in der neugebauten Konferenzhalle der orthodoxen Akademie in Kolymbari am Fuß der Halbinsel Rodopós im Nordwesten von Kreta. Die

156 (166?) Mitglieder der zehn Delegationen sitzen an Tischen dicht gedrängt nebeneinander und hinter ihnen ohne Schreibgelegenheit Berater und Gäste; drei bis maximal fünf Frauen mögen sich unter ihnen befinden. Vorn haben auf einem nur geringfügig erhöhten Podium in einem leicht gerundeten Halbkreis alle Patriarchen, Erzbischöfe und Metropoliten Platz genommen, jeder hinter einem eigenen, weiß betuchten Tisch; Patriarch *Bartholomäus* auf gleicher Höhe in der Mitte: eine gute synodale Sitzordnung. Wenn sie sprechen, bleiben sie sitzen, wie auch die anderen Konzilsväter; ein Rednerpult gibt es im ganzen Saal nicht. Vor Bartholomäus steht im Saal unterhalb des Podiums ein kleiner Tisch mit samtroter Decke und goldbestickten Rändern. Auf ihm haben links und rechts zwei hohe verzierte Silberleuchter Platz, auf denen zwei noch höhere gelbe Kerzen ihr warmes Licht verbreiten. Zwischen beiden liegt ein geschlossenes, rot eingebundenes Buch: ein Evangeliar! An der Stirnwand des Saals sind über den Köpfen der Patriarchen drei große Ikonen angebracht: in der Mitte die Darstellung einer heiligen Versammlung mit weit mehr als nur 12 Personen – Pfingsten, Konzil, Gemeinschaft der Heiligen! Links daneben präsentiert die Gottesgebärerin den segnenden Retter der Welt; auf der anderen Seite segnet der Pantokrator mit seiner rechten Hand und hält die aufgeschlagene Schrift in seiner linken. Zwischen den Ikonen ist in verschiedenen Sprachen das Motto des Konzils zu lesen: „Er rief sie alle zur Einheit."

Das kann man auch als Überschrift über die 75-minütige *Eröffnungsansprache*[19a] setzen, mit der Patriarch Bartholomäus als erster in der Versammlung das Wort ergriff. Er setzte vier Hauptakzente. An *erster* Stelle begrüßte und begründete er die Zusammenkunft des Konzils mit zehn Kirchendelegationen: Ökumenisches Patriarchat von Konstantinopel, Alexandria, Jerusalem, Serbien, Rumänien, Zypern, Griechenland, Polen, Albanien sowie Tschechien und Slowakien. Mit seiner Enttäuschung über die Absage von vier autokephalen Kirchen, einem neuen kirchlichen Ostblock unter Führung des russischen Patriarchats, hielt Bartholomäus nicht hinter dem Berge zurück. Umso herzlicher hieß er – in englischer Sprache – die Repräsentanten anderer christlicher Kirchen willkommen.

Im *zweiten,* theologischen Teil der Ansprache ging es um Notwendigkeit und Sinn des Konzils: „Dieses Konzil erhält seine Notwendigkeit nicht von besonderen Ereignissen, sondern von der konziliaren Identität der Kirche, die nur in einem Konzil besteht. Opposition gegen die Einberufung des Konzils stellt einen Verrat an der patristischen Tradition der Kirche dar und ein vollständiges persönliches In-Misskredit-Bringen seiner Unterstützer. Konziliarität bedeutet das Übersteigen (transcendence) von Individualität im Interesse des Geistes der Universalität. Der Ursprung von Konziliarität ist die eucharistische Versammlung ... Und das Gelingen von Konziliarität ist das einzige Mittel gewesen, um Probleme aller Art zu überwinden, mit denen sich die Kirche auseinanderzusetzen hatte, auf örtlicher wie auf umfassender Ebene. Die Entscheidungen der Konzile (auf örtlicher, regionaler und umfassender Ebene) waren mit Prestige und Autorität ausgestattet, und die, die mit ihnen nicht übereinstimmten, wurden aus der kirchlichen Gemeinschaft ausgeschlossen."[20] Diese Passage der Rede führte allen deutlich vor Augen, welche fundamentale Bedeutung Konziliarität und dieses Konzil für die Orthodoxe Kirche haben.

Auch wenn im engeren Sinne seit über 100 Jahren und im weiteren seit mehr als 1000 Jahren kein Konzil mehr stattgefunden hat, hat man doch in der orthodoxen Tradition nie vergessen, dass seit dem „Apostelkonzil" von Apostelgeschichte 15 Konziliarität zum Wesen der Kirche unabdingbar dazugehört. Damit befasst sich der *dritte* Teil der Rede, der die über 50-jährige Vorbereitungszeit auf das Konzil in Erinnerung ruft. Und schließlich geht es *viertens* um das „Prinzip der Einmütigkeit" – Konsensus! – bei den Beschlüssen, das die „Einheit der Kirche" unter Beweis stellen soll. Es war eine ruhig und mit innerer Überzeugungskraft vorgetragene Rede, die Patriarch Bartholomäus zu Beginn des Panorthodoxen Konzils gehalten hat und die von den Teilnehmenden mit starkem Applaus aufgenommen wurde.

Daran schlossen sich nahtlos ohne jede Unterbrechung die *Eröffnungsworte* aller neun anderen Kirchenführer an. Viele von ihnen gaben ihrer Freude über das Zustandekommen des Konzils Ausdruck, bedankten sich wie der Erzbischof von Warschau und ganz Polen bei Patriarch Bartholomäus für seine Standfestigkeit und erbaten für den weiteren Verlauf den Beistand des Heiligen Geistes. Erzbischof *Chrysostomos II.* von Zypern ging mit den nicht erschienenen vier Kirchen scharf ins Gericht. Der serbische Patriarch *Irinej*, mit 86 Jahren der Senior der Versammlung, sprach von einem neuen „konziliaren Prozess", der nun in Kreta beginnen soll. *Anastasios* von Tirana und ganz Albanien, einer der Präsidenten des Ökumenischen Rates von 2006-2013, erinnerte an den Vorschlag von Chambésy im Januar 2016, dass ein panorthodoxes Konzil „in regelmäßigen Abständen" stattfinden soll. Abschließend brandmarkte er „die eine und großer Häresie", der dieses wie alle früheren Konzile ins Auge zu blicken hat, „nämlich die Häresie des Egozentrismus, der die erste trennende Krankheit ist"[21]. Für seinen Beitrag erhielt er den längsten Beifall. Schließlich bedankte sich Patriarch Bartholomäus bei Gott und allen Redenden wie Zuhörenden – evcharistoo –, bekreuzigte sich und schloss nach genau drei Stunden um 14:00 Uhr die Eröffnungssitzung des ersten Panorthodoxen Konzils in neuerer Zeit.

Der westkirchliche Beobachter hat auch manches vermisst: außer den zehn kirchenleitenden Personen ist niemand zu Wort gekommen; einen Frage-und-Antwort-Dialog hat es nicht gegeben; kein Gast ist namentlich genannt worden, geschweige, dass einer von ihnen ein Grußwort hätte sprechen dürfen. Aber hier kam es auf etwas anderes an: dass zumindest alle zehn anwesenden Kirchenführer einmütig, gleichberechtigt und synodal der orthodoxen und nicht-orthodoxen Öffentlichkeit erstmals seit über tausend Jahren im 21. Jahrhundert ein sichtbares Zeichen und hörbares Zeugnis ihrer Gemeinschaft miteinander und der orthodoxen Einheit untereinander gegeben haben. So gewann man auch als westlicher Beobachter den Eindruck, dass diese konziliare Versammlung unter einem guten Stern steht und der Geist von Pfingsten sich unter den Teilnehmenden auszubreiten beginnt.

2.3 Zum weiteren Verlauf der Konzilswoche

Die sechs Konzilstage von Montag bis Samstag waren von einem regelmäßigen Ablauf geprägt. Sie begannen jeweils um 7:30 Uhr mit der Feier der Göttlichen Liturgie in der Klosterkirche Gonia. Jeden Morgen sang ein stimmkräftiger Männerchor im Wechsel mit einer meditativen Einzelstimme. Am Donnerstagmorgen erlebte ich das ungewöhnliche Schauspiel, dass sich der von brennenden Kerzen festlich erhellte Kronleuchter im Uhrzeigersinn und der ihn umgebende brennende Kerzenring in entgegengesetzter Richtung bewegten. Zum Schluss wurde das gesegnete Brot, Antidoron, ausgeteilt, das der Ökumenereferent der deutschen orthodoxen Bischofskonferenz, Erzpriester *Constantin Miron*, mit mir nicht-orthodoxem Zaungast teilte – eine Artoklasia am Eingang der Kirche.

Die erste Arbeitssitzung des Tages begann jeweils um 9:30 Uhr; nach einer halbstündigen Erfrischungspause ging es um 12:00 Uhr weiter mit einer kurzen zweiten Session. Wegen der heißen Sommertemperaturen gab es eine ausführliche Mittagspause, bevor nachmittags um 17:00 Uhr die längste, 2½-stündige Sitzung des Tages begann. An den Abenden wurde zu erholsamen kretischen kulturellen Veranstaltungen mit Musik, manchmal auch mit Tanz eingeladen oder sie waren für informelle Arbeiten, Gespräche und Verhandlungen freigehalten.

Jeden Nachmittag fand um 15:30 Uhr im Zelt des Pressezentrums eine ausführliche Pressekonferenz statt, die jeweils mit einem kurzen Statement des Sekretariatsleiters, Erzbischof *Job von Telmessos*, Vertreter des Ökumenischen Patriarchats beim Ökumenischen Rat der Kirchen in Genf, zu den Ereignissen des Tages eröffnet wurde. Im anschließenden Pressegespräch stand am ersten Tag, Montag, noch das Nichterscheinen der vier Kirchen von Antiochia, Bulgarien, Georgien und Russland im Vordergrund. Erzbischof Job vertrat dazu den Standpunkt, dass die Absage nichts mit dem Inhalt der Texte, sondern nur mit internen Problemen dieser Kirchen zu tun haben müsse, die er aber nicht kenne. Je länger die konziliare Versammlung währte, desto selbstbewusster wurde die Sicht verbreitet, dass es nicht auf die abwesenden, sondern auf die anwesenden Personen ankommt, die das Konzil gestalten und voll und ganz repräsentieren. Offen musste dabei die Frage bleiben, ob die vier fehlenden Kirchen die Konzilsbeschlüsse im Nachhinein anerkennen und unterzeichnen werden; sie wurden dazu jedenfalls mehrfach ausdrücklich eingeladen.

Am Dienstag ging es in der Pressekonferenz u. a. um die Bedeutung der ersten Vorlage zum „Auftrag der Orthodoxen Kirche in der heutigen Welt“. Dabei betonte der Vertreter des Ökumenischen Patriarchats, Erzdiakon Professor *John Chryssavgis* aus Maine/USA die prophetische Stimme, mit der nun das Konzil Fragen von Diskriminierung und Klimawandel u. a. erörterte. Noch deutlicher wurde der Vertreter des Patriarchats von Alexandrien, Metropolit *Alexander von Nigeria*, der eine künftige kritische Diskussion über die Rolle der internationalen Ökonomie, des Neoliberalismus ebenso wie der Europäischen Union in Aussicht stellte. „Wir werden sagen, wo die Übel von Armut und Aids ihre Ursache haben. Wir werden die neue Kolonialisierung Afrikas, die es unter anderen Namen in neue Abhängigkeit stürzt, zur Sprache bringen.“ Hier vernahm man in der Tat neue offensive orthodoxe Stimmen zu brennenden Gegenwartsfragen, wie sie erstmals auf der weltweiten Bühne dieses Konzils geäußert werden konnten.

Am dritten Tag eröffnete der sonst wortkarge Erzbischof *Job* sein Statement mit den Worten: „I have good news for you.“ Er meinte damit den guten Geist in den Konzilsberatungen: eine Atmosphäre des gegenseitigen Annehmens und Zuhörens, die sich mehr und mehr in der Konzilsaula ausbreitete: „Es ist ein Geist der Wärme und Zusammenarbeit.“ Konzilsväter, die sich größtenteils noch nie zu Gesicht bekommen haben, fanden innerhalb von drei Tagen den Weg zu offenen Gesprächen. Keine Spur von schweigendem Abnicken vorfabrizierter Texte! Diese unvorhersehbare Entwicklung wurde mehrfach als Geschenk des sich immer stärker durchsetzenden Pfingstgeistes dankbar begrüßt. Anderseits wurde der „Ethnophyletismus“, eine vornehme Umschreibung für Nationalismus und eine Gefährdung mancher autokephalen Kirche, eindeutig als der falsche Weg gebrandmarkt. Metropolit *Alexander von Nigeria:* „Wir haben ein Dilemma kirchlicher Identität. Wenn wir sie national bestimmen, geraten wir in Schwierigkeiten. Wenn wir uns von unseren eschatologischen kirchlichen Wurzeln leiten lassen, kommen wir zu einfachen Lösungen.“ In solchen und zahlreichen anderen Äußerungen war es mit Händen zu greifen, wie das konziliare und synodale Denken immer mehr Raum gewann.

An jedem Tag der Woche wurde eine der Vorlagen von den Konzilsvätern besprochen: Als erste der „Auftrag der Orthodoxen Kirche in der heutigen Welt“, als letzte die „Beziehungen der Orthodoxen Kirche zur übrigen christlichen Welt“. Hierbei ging es in der Diskussion offenbar noch einmal hoch her über die Frage, inwieweit die nichtorthodoxen christlichen Gemeinschaften als Sekten, Schismatiker oder Kirchen anzusprechen sind. Dank des ökumenischen Engagements von Patriarch Bartholomäus und seines diplomatischen Geschicks einigte man sich schließlich auf die Formulierung: „immer historisch als solche bezeichnete Kirchen und Bekenntnisse“. Bartholomäus ließ es sich auch nicht nehmen, zum Abschluss die ökumenischen Beobachter des Konzils zu bitten, „unsere Grüße und unsere Liebe Ihren Kirchen und kirchlichen Organisationen zu überbringen“[22].

3. Die in Kreta verabschiedeten Vorlagen

3.1 Beziehungen der Orthodoxen Kirche zur übrigen christlichen Welt[23]

Diese Vorlage ist für alle nicht-orthodoxen Kirchen von besonderem Interesse, weil sie den offiziellen orthodoxen Standpunkt zu ihnen und zur ökumenischen Bewegung insgesamt formuliert. Die Brisanz, die in ihr steckt, geht aus ihrer Rangordnung an letzter Stelle hervor; das sagt auch etwas aus über den Stellenwert der Beziehungen zur „übrigen christlichen Welt“ für die orthodoxen Kirchen. Für alle nicht-orthodoxen Kirchen ist es jedoch die wichtigste Fragestellung; deswegen wird sie hier an erster Stelle behandelt. Das Thema steht seit der ersten panorthodoxen Konferenz 1961 in Rhodos auf der Tagesordnung; es wurde 1976 in Chambésy wieder aufgenommen und 1986 wurden dazu auf der dritten panorthodoxen vorkonziliaren Konferenz zwei Texte verabschiedet. Inzwischen hat man die beiden Aspekte: nicht-orthodoxe Kirchen und ökumenische Bewegung überarbeitet und in einem einzigen Papier zusammengefasst. Die während der 5. vorkonziliaren panorthodoxen Konferenz in Chambésy im Oktober 2015 verabschiedete Vorlage für das Konzil umrahmt die Hauptthemen mit einführenden Grundlagen und abschließenden Folgerungen, so dass sich folgender Aufbau ergibt:

I Die orthodoxen Grundlagen (Z. 1-3);
II. Dialoge mit nicht-orthodoxen Kirchen (Z. 4-15);
III. Der Ökumenische Rat der Kirchen (Z. 16-21);
IV. Abgrenzende und herausfordernde Folgerungen (Z. 22-24).

Die Orthodoxe Kirche, die von sich durchgehend im Singular spricht, während einzelne als örtliche, lokale orthodoxe Kirchen bezeichnet werden, stellt ihre eigenen *Grundlagen* bewusst an den Anfang, weil sie zugleich ihre ökumenische Geschäftsgrundlage sind. Sie versteht sich als die eine, heilige, katholische und apostolische Kirche des Glaubensbekenntnisses von 381, die von Christus gegründet, in der Trinität und den Sakramenten verwurzelt, in der apostolischen Sukzession verankert, von Schrift und Überlieferung getragen ist und in den 7 ökumenischen Konzile ihre Weltverantwortung wahrgenommen hat. Diese Basis ist nicht verhandelbar, sondern der Ausgangspunkt für das orthodoxe ökumenische Engagement.
Der Schwerpunkt dieser ökumenischen Vorlage liegt auf dem Dialog mit den *nicht-orthodoxen* Kirchen. Zunächst wird an die im Westen wenig gewürdigte Tatsache erinnert, dass die orthodoxe Kirche an der ökumenischen Bewegung „vom Augenblick ihrer Entstehung“ an im „Geist der Ökumene“ teilgenommen hat (Z. 4). Sie anerkennt auch die „Existenz anderer nicht mit ihr in Gemeinschaft stehender christlicher Kirchen und Konfessionen“ (Z. 6) und spricht sich wohlwollend positiv für einen Dialog mit ihnen aus. Diese Stellungnahme ist zweifellos einer der Konfliktpunkte zwischen den orthodoxen Lokalkirchen. Das

zeigt sich in der Fortsetzung, wo zwar alle orthodoxen Kirchen an den offiziellen Dialogen beteiligt werden sollen „unbeschadet der sich entwickelnden tiefen Krise in der ökumenischen Bewegung“, aber faktisch gegen Abwesenheit und Auszug einzelner Lokalkirchen Stellung bezogen wird (Z. 7-10). Die Vorlage setzt sich bei Konflikten und Problemen jeweils vehement für die Fortsetzung des Dialogs ein, der nicht durch Verweigerung, sondern durch Konsens zum Abschluss gebracht werden und zu einem „Beschluss über die Wiederherstellung der kirchlichen Gemeinschaft“ (Z. 15) führen soll.

Der zweite Hauptteil der Vorlage befasst sich mit dem *Ökumenischen Rat der Kirchen*, dem „eine wichtige Aufgabe zur Beförderung der Einheit der christlichen Welt“ zuerkannt wird (Z. 16). Mit einem gewissen Stolz werden die Sonderkommission für die orthodoxe Mitwirkung im Ökumenischen Rat von 1999-2002 sowie die ständige Kommission zur Zusammenarbeit erwähnt, die z. B. das Konsensverfahren bei den ökumenischen Vollversammlungen eingeführt haben und inzwischen in der Geschäftsordnung verankert sind (Z. 17). Allerdings sieht sich die orthodoxe Kirche nicht in der Lage, die Vorstellung einer „Gleichheit der Konfessionen“ (Z. 18) zu akzeptieren und beruft sich dafür auf die Toronto-Erklärung von 1950.[24] Sehr deutlich wird die Arbeit der Kommission für Glauben und Kirchenverfassung unterstützt, deren theologische Beiträge „bis zum heutigen Tage“ mit besonderem Interesse begleitet werden (Z. 21).

Aus diesen ökumenischen Positionen werden im abschließenden Teil der Vorlage bemerkenswerte *Folgerungen* abgeleitet. Zunächst wird die „konziliar-synodale Struktur“ der Orthodoxen Kirche gegen einzelne Gruppen ins Feld geführt, die unter dem Vorwand einer „Verteidigung der wahren Orthodoxie“ die Einheit der Kirche zerstören (Z. 22). Hier klingen Auseinandersetzungen mit traditionalistischen Hardlinern an. Dann wendet sich das Papier energisch gegen „jede Praxis des Proselytismus“ (Z. 23), die man bei verschiedenen Aktivitäten westlicher Kirchen am Werk sieht. Schließlich kommen die „schwierigen Probleme“ und „neuen Herausforderungen“ der heutigen Welt zur Sprache, die der „Bewegung zur Wiederherstellung der Einheit der Christen auch neue Formen“ abverlangen (Z. 24).

Man hätte sich gewünscht, dass die Themen der heutigen Welt ausführlicher angesprochen worden und die sozialen Dimensionen der „Liturgie nach der Liturgie“ ebenfalls in Blick genommen worden wären. Aber angesichts der innerorthodoxen Auseinandersetzungen über das ökumenische Engagement muss man realistisch und dankbar für diese Vorlage sein, die insgesamt vom „Geist der Ökumenizität“ geprägt ist und sowohl für nicht-orthodoxe Kirchen wie für den Ökumenischen Rat der Kirchen manche bedenkenswerte Gesichtspunkte festgeschrieben hat.

3.2 Die Sendung der Orthodoxen Kirche in der heutigen Welt[25]

Auch dieses Thema wurde bereits bei der ersten panorthodoxen Konferenz 1961 in Rhodos vorgeschlagen und zwar von der russisch-orthodoxen Delegation unter der Überschrift: „Die Zusammenarbeit der orthodoxen Kirchen bei der Verwirklichung der christlichen Idee des Friedens, der Brüderlichkeit und der Liebe zwischen den Völkern“. Es ging also von vornherein auch um das Anliegen, einen orthodoxen Beitrag zu den *gegenwärtigen Problemstellungen* beizusteuern. Dass es von allen 6 Vorlagen an die erste Stelle gesetzt worden ist, ist eine Referenz an die russisch-orthodoxe Kirche, die es eingebracht hat und der man als zahlenmäßig bei weitem größer orthodoxer Kirche – man schätzt ca. 150 Millionen Mitglieder – bei der Vorbereitung des Konzils auf jede nur denkbare Weise entgegenzukommen bemüht war. Diese erstrangige Platzierung beinhaltet zugleich eine Botschaft, die die orthodoxe Kirche der gesamten „heutigen Welt“ des 21. Jahrhunderts übermitteln will.[26]
Zwischen dem ersten Vorschlag des Themas und seiner jetzigen Ausarbeitung liegen 55 Jahre. Jetzt lautet der etwas umständliche Untertitel: „Der Beitrag der Orthodoxen Kirche zur Verwirklichung von Frieden, Gerechtigkeit, Freiheit, Brüderlichkeit und Liebe zwischen Völkern und bei der Beseitigung von rassischen und anderen Diskriminierungen.“ Die Vorlage besteht aus einer

Einleitung und *6 Teilen*: (1) Die Würde der menschlichen Person, (2) Freiheit und Verantwortung, (3) Frieden und Gerechtigkeit, (4) Frieden und die Abwendung von Krieg, (5) die Einstellung der Kirche gegenüber Diskriminierung und (6) die Aufgabe der Orthodoxen Kirche als ein dienendes Zeugnis der Liebe. Einführung und letzter Teil bilden die Klammer, innerhalb deren die heutige orthodoxe Mission entfaltet wird.

Auch diese Ausarbeitung beginnt mit den wichtigsten orthodoxen *Grund-Sätzen* zum Thema. Die Kirche, in deren Mitte die Göttliche Liturgie gefeiert wird, die die verstreuten Kinder Gottes „ohne Rücksicht auf Rasse, Geschlecht, Alter, soziale oder irgendeine andere Bedingung" in einem einzigen Leib versammelt, hat es mit dem Vorgeschmack einer neuen Schöpfung und einer verwandelten Welt zu tun. Sie verkündigt das Evangelium vom Reich Gottes und die Hoffnung, dass das Böse nicht das letzte Wort in der Geschichte behält. Gerade deshalb kann sie gegenüber den Problemen und Nöten der Menschheit nicht unbeteiligt bleiben, sondern begreift ihre Aufgabe als „guter Samariter", der Öl und Wein auf die Wunden gießt.

Das ist der auf das Evangelium bezogene Ausgangspunkt, von dem aus die Vorlage an erster Stelle die *Würde der menschlichen Person* zur Geltung bringt. Sie besteht nach orthodoxem Verständnis in der „Vergöttlichung" (deification): „Das Ziel der Inkarnation des Wortes Gottes ist die Vergöttlichung des menschlichen Seins." (Z. 1). Als biblischer Anhaltspunkt dafür wird die Adam-Christus-Typologie von Paulus in Römer 5 ins Feld geführt. Weil es hier umfassend um ein neues Menschsein geht, spricht sich die Vorlage für zwischenchristliche und interreligiöse Zusammenarbeit aus, um „Versöhnung zwischen den Völkern" zustande zu bringen.

Die Abschnitte zur Freiheit, Gerechtigkeit und Diskriminierung bewegen sich mehr im konventionellen Bereich mit Zitaten aus dem Neuen Testament und den Kirchenvätern, ohne konkrete Akzente zu setzen; sie wirken mehr wie Pflichtübungen in sozialer Korrektheit. Anders wird beim Thema *„Friede und die Abwendung des Krieges"* gesprochen: mutig, konkret, fordernd. Nukleare, chemische und biologische Waffen werden als falscher Weg gebrandmarkt, weil sie ein falsches Gefühl von Überlegenheit und Herrschaft hervorrufen und zu einer Atmosphäre von Angst und Misstrauen führen. Hier wird die Sprache eindeutig: „Die Kirche Christi verurteilt Krieg grundsätzlich ... Jeder Krieg droht Schöpfung und Leben zu zerstören" (Z. 4.1). Ganz am Ende erlaubt sich die Vorlage sogar einen Seitenhieb auf gegenwärtige Konflikte: „Kriege, die von Nationalismus beflügelt werden und zu ethnischen Säuberungen führen, ebenso wie die Verletzung staatlicher Grenzen und die Besetzung von Gebieten werden ebenfalls verurteilt" (Z. 4,3). Man gewinnt den Eindruck, dass hier leidvolle Erfahrungen orthodoxer Kirchen vom Zweiten Weltkrieg über die Balkankriege bis zum Krim- und Ukraine-Konflikt in christlichem Geist verarbeitet sind.

Der lange abschließende Teil über die Sendung der Orthodoxen Kirche setzt sich mit verschiedenen *gegenwärtigen Nöten* der Menschheit auseinander: ökonomische Konflikte zwischen Arm und Reich, Hunger und Konsumleben, die ökologische Krise sowie Gefahren der neuesten Biotechnologie kommen zur Sprache und erhalten Lösungsansätze aus orthodoxer Sicht: „Eine nachhaltige Ökonomie verbindet Effizienz mit Gerechtigkeit und sozialer Solidarität ... Ein konsumhafter Lebensstil führt zum Verlust von spirituellen Wurzeln der Völker ... Wir unterstreichen die nicht hinterfragbare Heiligkeit des menschlichen Lebens von der Empfängnis bis zum natürlichen Tod" (Z. 6,4.7.11). Die Heiligkeit, man kann auch sagen: Unantastbarkeit des menschlichen Lebens ist der Cantus firmus des orthodoxen prophetischen Zeugnisses in der gegenwärtigen Welt. Dazu gehört auch „das heilige Mysterium der christlichen Ehe als eine Verbindung zwischen Mann und Frau" (Z. 6,14), die den Grund für die gottgegebene Institution der Familie bildet.

In dieser Konzilsvorlage nimmt die orthodoxe Kirche mutig und selbstbewusst Stellung zu Fragen und Nöten *unserer Zeit.* Sie nimmt die Gefährdungen der modernen Welt scharf und kritisch in Blick, um sich einerseits von ihnen abzugrenzen, andererseits aus dem Schatz ihrer großen Tradition ein prophetisches Zeugnis für Alternativen aus christlichem Geist zu geben. Man kann einwenden, dass die Sicht auf die gegenwärtige Welt zu negativ geraten ist – es gibt einen regelrechten „Lasterkatalog“ (Z. 2,2) – und ihre positiven Möglichkeiten zu wenig bedacht sind. Nahe liegende Bezugnahmen auf die katholische Pastoralkonstitution über „die Kirche in der Welt von heute“ oder den ökumenischen Konziliaren Prozess für Gerechtigkeit, Frieden und Bewahrung der Schöpfung sucht man vergebens. Darin zeigt sich ein konfliktreiches Verhältnis der orthodoxen Kirchen zur heutigen Welt und ihre gewisse Ferne zu ähnlichen katholischen und ökumenischen Ansätzen. Es leidet aber keinen Zweifel, dass sich mit dieser erstmaligen Vorlage die orthodoxen Kirchen evangelisch, prophetisch und kompetent mit den Nöten unserer zunehmend gefährdeten Welt auseinandersetzen.

3.3 Das Sakrament der Ehe und seine Hindernisse[27]

Diese Vorlage hat zwei Teile: 1. die Darlegung der orthodoxen Ehetheologie und 2. Ehehindernisse nach orthodoxer Tradition. Wie die beiden anderen Themen der Sendung und der Beziehungen zur übrigen christlichen Welt wird auch die Ehethematik trinitätstheologisch begründet. Die *Institution der Ehe* wird alttestamentlich (Genesis 2,24) als „älteste Einrichtung göttlichen Rechts“ (Z. 2) begründet und christozentrisch verstanden (Epheser 5,32). In diesen Bund – so der Polykarpbrief von *Ignatius* – tritt man „mit Zustimmung des Bischofs“ (Z. 3) ein. Dieser Bund wird mit *Clemens von Alexandrien* als „eine kleine Kirche“ verstanden: die zwei oder drei in Christi Namen Versammelten werden als „Ehemann, Ehefrau und Kind“ interpretiert. Hier ist von der „durch den Heiligen Geist gesegneten ehelichen Liebe“ die Rede, (die) „die Liebe Christi und der Kirche widerspiegelt“ (Z. 4). Dieser trinitätstheologische Ansatz macht jedenfalls deutlich, dass es sich bei der Ehe nicht um irgendein Zusammenleben von Mann und Frau neben anderen „neuen Formen des Zusammenlebens“ (Z. 8) handelt, vielmehr um die „im Paradies gestiftete Ehe zwischen Mann und Frau“, die das Menschengeschlecht fortsetzt und eine „schöpferische Kraft“ darstellt (Z. 2 und 5).
Auf diesem Hintergrund wird die *Sorge* verständlich, dass die

Ehe in den heutigen „ungünstigen“ Umständen von „Säkularisation und moralischem Relativismus“ (Z. 7 und 1) bedroht wird, wie es gleich zu Beginn heißt. Daher hält es die orthodoxe Kirche für „unmöglich für ihre Mitglieder, gleichgeschlechtliche Verbindungen zu schließen wie überhaupt in irgendeine Form des Zusammenlebens außer der Ehe einzutreten“ (Z. 10). In dieser Ausschließlichkeit spiegeln sich andere kulturelle und soziale Erfahrungen, als sie in der westlichen Hemisphäre gemacht werden.

Ehehindernisse nach Priesterweihe und Mönchsgelübden betreffen nur interne – für verwitwete Priester oft schwer zu ertragende – Regelungen. Wichtig ist für Nicht-orthodoxe die Bestimmung, dass eine Ehe zwischen *orthodoxen und nicht-orthodoxen* Menschen zwar „gemäß der kanonischen Akribia verboten“ sind, aber im Sinne der orthodoxen Oikonomia „gesegnet werden“ (kann) aus Barmherzigkeit und Menschenliebe“ (Z. II,5a). Kinder müssen orthodox getauft und erzogen werden, wie das früher auch in der römisch-katholischen Kirche der Fall war. Immer wieder ist in der Vorlage von notwendiger „pastoraler“ Arbeit (Z. 6-10) die Rede, um den schwankenden Boden der Ehe wieder zu festigen, „eine große Herausforderung für die Mission der Kirche in der heutigen Welt“ (Z. 11).

Man kann den apologetischen, z. T. an altkirchlichen Kanones orientierten Charakter dieser Vorlage nicht verkennen. Sie hat aber auch *drei große Vorzüge*: 1. den trinitätstheologischen Ansatz; 2. die Nähe zu römisch-katholischen und christlich-bewahrenden Positionen; 3. die positive, im Paradies gestiftete, alttestamentliche und von Jesus in Kana mitgefeierte (Z. 2) Sicht auf die Ehe. In orthodoxem Sinn kann man die Ehe als konziliare Grundform des menschlichen Zusammenlebens bezeichnen.

3.4 Zur Bedeutung des Fastens[28]

Der Entwurf zur „Bedeutung des Fastens und seine Befolgung heute“ ist bereits 1986 von der Vorbereitungskommission erarbeitet und im selben Jahr von der 3. vorkonziliaren panorthodoxen Konferenz in Chambésy verabschiedet worden. Sein umfangreicherer erster Teil (Z. 1-5) erörtert die geistliche Bedeutung des Fastens, der knappe zweite Teil (Z. 6-9) behandelt den heutigen Umgang mit dem Fasten. Die *Bedeutung* dieser Vorlage für nicht-orthodoxe Christen und Kirchen liegt darin, ihnen einen wesentlichen Aspekt des geistlichen Lebens der orthodoxen Kirchen zu erschließen, der für alle Christen und Kirchen wichtig ist.

Denn das Fasten wird ebenso wie die anderen Themen zunächst biblisch begründet. Es wird auf eine Vorschrift im Paradies (Genesis 2,16 f) zurückgeführt, dann aber vor allem auf das 40-tägige Fasten Jesu vor Beginn seiner öffentlichen Wirksamkeit verwiesen sowie auf die Praxis Johannes des Täufers und der Apostel (Apostelgeschichte 13,2; 14,3 und 20) (Z. 2)[29]. „Das 40-tägige Fasten des Herrn ist zum Vorbild für das Fasten der Gläubigen geworden. Durch das Fasten nehmen die Gläubigen aktiv am Gehorsam des Herrn teil ..." Es geht hier nicht um irgendwelche äußerliche Vorschriften, vielmehr um „die christozentrische Auffassung über den geistlichen Charakter des Fastens", der sich in der Verbindung von Fasten, Beten und Umkehr zu erkennen gibt sowie in sozialer Verantwortung – ähnlich wie beim *Ramadan* des Islam: „Ebenso ist das Fasten ohne Wohltätigkeit tot, insbesondere in der heutigen Zeit, in der die ungleiche und ungerechte Aufteilung der Güter ganze Völker auch das tägliche Brot entbehren lässt." Hier kommt die sozial- und ökonomie-kritische Dimension des Fastens in Blick: „Lasst uns jede Verbindung zur Ungerechtigkeit lösen und die Fesseln der gewaltsamen Beziehungen zerbrechen. Jeden ungerechten Schuldschein lasst uns zerreißen, den Hungernden lasst uns Brot geben und die obdachlosen Armen in die Häuser aufnehmen." Mit *Basílios dem Großen* wird schließlich der Sinn des „wahren Fastens" zusammengefasst: „Entfremdung vom Bösen, Zügelung der Zunge, Enthaltung von Zornesausbrüchen ... Nur darin ist das Fasten etwas Gutes."

Beim Fasten handelt es sich also in orthodoxer Sicht um einen umfassenden leiblich-geistigen Vorgang der Christus-Entsprechung und des „asketischen Ideals der Orthodoxie", die insgesamt stark vom klösterlichen Leben geprägt ist. Die *Fastenzeiten* gelten für alle Gläubigen als ein von Gott geschenktes „‚Schutzmittel‘ des neuen Lebens der Gläubigen in Christus gegen jede List von feindlichen Mächten“. Sie sollen jedoch nicht unbarmherzig aufoktroyiert werden – „es ist eine Tatsache, dass viele Gläubigen heute nicht alle Fastenvorschriften einhalten“ –, sondern die „lokalen“ Kirchen sollen „menschenliebende Oikonomia und Nachsicht“ im Blick auf persönliche und allgemeine Schwierigkeiten mit der Erfüllung von Fastenvorschriften walten lassen[30].

Diese theologisch eindrucksvolle Entfaltung der Bedeutung und Praxis des Fastens kann und will andere, insbesondere *protestantische* Kirchen anregen, sich weniger von Luthers Kritik an werkgerechtem Missbrauch des Fastens leiten zu lassen als vielmehr von Jesu Umgang mit und Anleitung zum angemessenen Fasten: „Diese Art wird nur überwunden durch Beten und Fasten“ (Matthäus 17,21).

3.5 Autonome orthodoxe Kirchen[31]

Autonome Kirchen haben im orthodoxen Kirchenrecht einen mittleren Status zwischen abhängigen Ortskirchen und eigenständigen autokephalen Kirchen. „Die Einrichtung der Autonomie drückt auf kanonische Weise den Status einer relativen oder teilweisen Unabhägigkeit eines konkreten Kirchengebietes von der kanonischen Jurisdiktion einer autokephalen Kirche aus, zu der sie kanonisch gehört“ (Z. 1). Autonome Kirchen besitzen in ihrem inneren kirchlichen Leben administrative Unabhängigkeit, werden aber nach außen von der autokephalen Kirche vertreten, zu deren Gebiet sie gehören. Dabei gibt es unterschiedliche Grade der Abhängigkeit zwischen autonomen und autokephalen Kirchen und entsprechende unterschiedliche Weisen ihrer Proklamation.[32] Die Tragweite einer klaren Bestimmung über autonome Kirchen liegt darin, lokalen Wildwuchs in der Gestaltung des kirchlichen Lebens zu verhindern und Machtkämpfe zwischen autonomen und autokephalen Kirchen möglichst zu vermeiden.

In Deutschland kann man diese Beziehungen formal mit dem

Verhältnis zwischen evangelischen Landeskirchen und der Evangelischen Kirche in Deutschland (EKD) bzw. zwischen Diözesen und Erzdiözesen vergleichen. Während in Deutschland auf den Landeskirchen bzw. Diözesen das Schwergewicht liegt, haben in der orthodoxen Welt die 14 *autokephalen* Kirchen den Hauptakzent. Ihnen entsprechen auf römisch-katholische Seite in etwa die nationalen bzw. regionalen Bischofskonferenzen, während es auf evangelischer Seite dazu keine regionale oder internationale Entsprechung gibt und demzufolge auch keine „Stimme des Protestantismus".

3.6 Die Orthodoxe Diaspora[33]

Durch Fluchtbewegungen und Bevölkerungsverschiebungen, die vor allem während des und nach dem Zweiten Weltkrieg eingesetzt haben, ist für die orthodoxe Kirche eine neue Situation entstanden. Es gibt jetzt nicht nur traditionelle orthodoxe Länder wie Griechenland, Russland oder Serbien, sondern in Westeuropa, den beiden Amerikas und dem pazifischen Raum Einwanderungsländer mit einer erheblichen Anzahl orthodoxer Christen, die ganz unterschiedlichen Heimatkirchen angehören: die orthodoxe *Diaspora*. Wie der Vertreter des Ökumenischen Patriarchats in Kreta erläuterte, kann es zumindest theoretisch der Fall sein, dass etwa in den USA orthodoxe Christen aus allen 14 autokephalen Kirchen leben, die im Lauf der Jahrzehnte eigene Gemeinden und Kirchenstrukturen entwickelt haben. Um angesichts solcher unübersichtlicher bis chaotischer Verhältnisse eine „kanonische Ordnung in der Diaspora" zu erreichen, hat die vierte vorkonziliare panorthodoxe Konferenz 2009 in Chambésy als ersten Schritt in diese Richtung die „Schaffung eines Übergangszustands" beschlossen: In 12 Regionen der beiden Amerikas, des Pazifik sowie in Zentral- und Westeuropa werden „Bischofsversammlungen" eingerichtet, in denen alle Repräsentanten der dort jeweils vorhandenen autokephalen Kirchen vertreten sind. Den Vorsitz führt der Vertreter des Ökumenischen bzw. des nächstfolgenden Patriarchats. Aufgabe und Verantwortung dieser orthodoxen *Bischofsversammlungen* ist

1. „die Sichtbarmachung der Einheit der Orthodoxie“;
2. „die Entwicklung eines gemeinsamen Wirkens aller Orthodoxen in jeder Region“;
3. alle Orthodoxen gegenüber „Nichtorthodoxen und der Gesamtheit der Region gemeinsam zu vertreten“;
4. „die theologische Ausbildung und kirchliche Erziehung zu pflegen usw.“

In *Deutschland* gibt es seit 2010 die „Orthodoxe Bischofskonferenz Deutschlands“ (OBKD), die vom langjährigen Vertreter des Ökumenischen Patriarchats, Metropolit *Augoustinos* in Bonn-Beuel, geleitet wird. Ihr gehören derzeit 16 Bischöfe an, die aus 7 verschiedenen Patriarchaten stammen. Sie tagt zweimal jährlich jeweils an einem anderen Ort. Ihre theologische Kommission erarbeitet „Stellungnahmen zu aktuellen Fragen und Herausforderungen“ wie z. B. Ehen mit nicht-orthodoxen Personen. Nach Auskunft von Metropolit Augoustinos hat man mit der Arbeit der Orthodoxen Bischofskonferenz in Deutschland „gute Erfahrungen“ gemacht, die „gegen eine baldige Abschaffung derselben sprechen. Vielleicht gilt letztendlich auch hier das Sprichwort der Alten Griechen: ‚Nichts hat längeren Bestand als das Provisorische‘“[34]. Das Panorthodoxe Konzil in Kreta hat die Einrichtung der Bischofsversammlungen in der orthodoxen Diaspora im Wesentlichen bestätigt.
Was besagen diese orthodoxen Beschlüsse für das Verständnis von *Diaspora*? Es geht in der Diaspora, wie der afrikanische Vertreter des Alexandrinischen Patriarchats in Kreta erläuterte, um die Frage der kirchlichen Identität. Wenn man sie von der Nationalität der Herkunftskirche aus bestimmt, hat man Schwierigkeiten in dem neuen Diasporaland. Wenn man sich hingegen auf die neutestamentlichen und altkirchlichen Wurzeln der Kirche besinnt, die ursprünglich in jedem Land als Diaspora missionarisch gewirkt hat, gibt es für orthodoxe Christen in ihren jeweiligen Einwanderungsländern „einfache Lösungen“ als neue Diasporakirchen. Es ist jedenfalls bemerkenswert, wie in der orthodoxen Diaspora z. B. in Deutschland nicht kirchliche Abschottung und finanzielles Überleben im Vordergrund stehen, sondern das Bemühen um sichtbare orthodoxe Einheit

mehr und mehr Platz greift. Zum sommerlichen Jahresempfang der *orthodoxen Metropolie in Bonn-Beuel* kommen inzwischen nicht nur orthodoxe, sondern auch alt- und römisch-katholische, anglikanische, evangelische und freikirchliche Vertreter aus dem ganzen Land zusammen. Ich kenne keine regelmäßige evangelische oder katholische Zusammenkunft mit ähnlich breiter ökumenischer Beteiligung. Statt nur die eigenen ausländischen Diasporagemeinden geistlich und finanziell in Blick zu nehmen, kann man sich mit der orthodoxen Diaspora zu einem gemeinsamen christlichen Zeugnis zusammenschließen, was Zukunftsmusik für alle Beteiligten bedeutet.

4 Die Botschaft des Konzils[35]

Das Konzil wurde Sonntag, den 26. Juni, mit der Feier der Göttlichen Liturgie in der Peter-und-Paul-Kirche von Chania, der früheren kretischen Hauptstadt und zweitgrößten Metropole der Insel, offiziell beendet. Patriarch *Bartholomäus* zelebrierte wieder gemeinsam mit den anderen kirchlichen Oberhäuptern die Liturgie. Während der Feier wurde die „Botschaft des Heiligen und Großen Konzils der Orthodoxen Kirche" verlesen, die die umfangreichere *Enzyklika*[35a] des Konzils zusammenfasst. Diese Botschaft hat zwei Teile: der erste erläutert die spezifischen Anliegen der Orthodoxen Kirche, der zweite nimmt zu verschiedenen aktuellen Themen Stellung.
„Das wichtigste Anliegen des Konzils war es, die Einheit der Orthodoxen Kirche zu verkünden." So beginnt der erste Teil der Botschaft, und obwohl vier autokephale Kirchen nicht teilgenommen haben, ist es den Vertretern der übrigen 10 Kirchen eindrucksvoll gelungen, ihre Gemeinschaft in der täglichen Feier der Göttlichen Liturgie, in ihren von Verstehen und Akzeptanz getragenen Beratungen sowie mit ihren einvernehmlichen Entscheidungen vor der Weltöffentlichkeit sichtbar werden zu lassen. Für dieses orthodoxe *Selbstverständnis* findet die Botschaft gleich zu Beginn starke und deutliche Worte: „Die Orthodoxe Kirche ist, getreu der einmütigen apostolischen Tradition und ihrer sakramentalen Erfahrung, die authentische Fortsetzung

der einen, heiligen, katholischen und apostolischen Kirche, wie sie im Glaubensbekenntnis bekannt ist ..." (Z. 1). Wie in der Kirchenkonstitution des Zweiten Vatikanischen Konzils nicht eine platte Identität zwischen der Kirche des Glaubensbekenntnisses und der römisch-katholischen Kirche behauptet wird, sondern von ihrer „Verwirklichung" bzw. „Existenz" (subsistit) gesprochen wird[36], so ist hier mit der Konstituierung der „authentischen Fortsetzung" (constitutes the authentic continuation) eine vorsichtige Differenzierung vorgenommen worden, die für orthodoxes dogmatisches Denken äußerst bemerkenswert ist.

„Die Orthodoxe Kirche drückt ihre Einheit und Katholizität ‚im Konzil' aus. Konziliarität zieht sich durch ihre gesamte Organisation, durch die Art und Weise, wie Entscheidungen getroffen werden, und bestimmt ihren Weg. Die autokephalen orthodoxen Kirchen stellen keine Föderation von Kirchen dar, sondern die eine, heilige, katholische und apostolische Kirche. Jede lokale Kirche ist, wenn sie die heilige Eucharistie feiert, die örtliche Gegenwart und Gestalt der einen, heiligen, katholischen und apostolischen Kirche" (Z. 1). Es ist wiederum sehr erstaunlich, wie stark sich die Botschaft zur *Konziliarität* als Grundprinzip der gesamten orthodoxen Kirche bekennt, obwohl mindestens seit 1872 kein „heiliges und großes Konzil" mehr stattgefunden hat. Aber die Enzyklika spricht von „ökumenischen und lokalen" Konzilen, bezieht also auch örtliche Versammlungen in ihre konziliare Tradition ein. Man kann sagen, dass dank des Zustandekommens des Konzils von Kreta die konziliare Dimension der Kirche über autokephalistische Tendenzen den Sieg davongetragen hat.

Das bestätigen *drei Anregungen* von Kreta: 1. Die Institution der regionalen Bischofskonferenzen wird beibehalten; sie „garantiert den Respekt vor dem orthodoxen Prinzip der Konziliarität". 2. Die Bedeutung der Zusammenkunft der autokephalen Kirchenführer, der „Synaxis der Vorsteher", wird unterstrichen. 3. Es wird vorgeschlagen, „aus dem Heiligen und Großen Konzil eine regelmäßige Institution zu machen und es alle 7 oder 10 Jahre einzuberufen" (Z. 1). Dieser letzte Vorschlag erinnert durchaus an das Frequens-Dekret des Konstanzer Konzils vom 9. Oktober 1417, das ebenfalls bestimmte, ein Konzil erst im

Abstand von 5 Jahren, dann von 7, schließlich alle 10 Jahre einzuberufen[38], und damit dem Konziliarismus im 15. Jahrhundert den Weg bereitete.
Als Kontrapunkt zu dieser Neufassung des orthodoxen *Kirchenverständnisses* formuliert die Botschaft von Kreta wenig später die orthodoxe *Verantwortung* im Blick auf Konflikte unserer Zeit: „Das Öl der religiösen Erfahrung muss verwendet werden, um Wunden zu heilen, anstatt das Feuer militärischer Konflikte neu zu entfachen. Die orthodoxe Kirche verurteilt entschieden die Ausweitung von militärischer Gewalt ... Ganz besonders drückt sie ihre tiefe Besorgnis über die Lage der Christen und aller verfolgten Minderheiten im Nahen Osten aus. .. Wir wenden uns mit unserem Appell vor allem an die politisch Verantwortlichen, damit sie so handeln, dass wieder *Frieden und Gerechtigkeit* in den Herkunftsländern der Flüchtlinge die Oberhand gewinnen. Wir fordern „Hilfe zu leisten bis zur Grenze oder sogar über die Grenze ihrer Möglichkeiten hinaus" (Z. 4).
Hier wird aufgenommen, was in der Erklärung zur „Sendung der Orthodoxen Kirche in der heutigen Welt" ausführlich dargelegt wird. Es ist eine der ältesten Erklärungen und eines der wichtigsten Anliegen orthodoxer Weltverantwortung, die nun endlich an die Öffentlichkeit gelangen und das Zerrbild einer weltabgewandten, in sich gekehrten Orthodoxie korrigieren.
Wichtig für das Gespräch mit westlichen Kirchen ist auch die Aufnahme des orthodoxen *Eheverständnisses* in der Botschaft, wo von der Familie als „kleiner Kirche" gesprochen und der Wert der Askese hervorgehoben wird: „Das asketische Ethos ist ein Merkmal des christlichen Lebens in all seinen Ausprägungen" (Z. 6). Es wird hohe Zeit, sich in solchen ethischen Fragen auch mit orthodoxen Positionen auseinanderzusetzen, bevor protestantische Kirchen in Homo- und Gender-Diskussionen versinken.
In ihrem kürzeren zweiten Teil greift die Botschaft von Kreta *aktuelle Themen* auf, die ebenfalls in der Erklärung zur orthodoxen Sendung in der heutigen Welt angesprochen werden. Es geht dabei um die Ambivalenz naturwissenschaftlicher Forschung, um die ökologische Krise, um Wirtschaft als Selbstzweck, Menschenrechte und den „Schutz der Religionsfreiheit",

um junge Menschen und schließlich um „unsere Verantwortung... an Ort und Stelle und in der Zeit ... Die Orthodoxe Kirche... ist empfindsam für den Schmerz, die Not und den Ruf nach Gerechtigkeit und Frieden für die Völker in der Welt" (Z. 12). Um zu verdeutlichen, dass hier nicht nur schöne Worte gemacht werden, wird daran erinnert, dass es die Orthodoxe Kirche war, die bei der 3. Europäischen Ökumenischen Versammlung 2007 in Sibiu/Hermannstadt zur Bewusstmachung wie Bewältigung der ökologischen Krise einen „Tag des Gebets für den Schutz der natürlichen Umwelt" (Z. 8) angeregt hat, der inzwischen als *„Tag der Schöpfung"* Anfang September auch in westlichen Kirchen begangen wird.
Man kann der Botschaft und der Enzyklika von Kreta nur wünschen, dass sie als zusammenfassendes Wort des Panorthodoxen Konzils nicht nur von orthodoxen Gläubigen, sondern auch von westlichen Christen aufgenommen und im Geist ökumenischer Hörbereitschaft kreativ und kritisch verarbeitet werden.

5 Zusammenfassung: Konziliare Erneuerung der Orthodoxie?

Seit den Bemühungen des Ökumenischen Patriarchen *Joachim III.* im Jahr 1902 um eine Wiederbelebung konziliaren Denkens und Handelns in der orthodoxen Kirche sind mehr als hundert Jahre vergangen. Die beiden Weltkriege im 20. Jahrhundert, der mitteleuropäische Faschismus in der ersten Hälfte und der osteuropäische Kommunismus in der zweiten haben die Einberufung eines panorthodoxen Konzils unmöglich gemacht. Erst mit der Überwindung der europäischen Ost-West-Spaltung 1989-1991 bahnte sich auch für die orthodoxen Kirchen eine *neue Situation* an. Erstmals seit über 70 Jahren gewannen die Kirchen in osteuropäischen Ländern ihre Religionsfreiheit zurück. Das führte bei vielen autokephalen orthodoxen Kirchen verständlicherweise dazu, sich zunächst auf die eigenen Grundlagen zurückzubesinnen und ein neues „intaktes" kirchliches Leben im eigenen Bereich aufzubauen, was z. B. in Rumänien und Russland zu einem erstaunlichen Aufblühen des traditionellen klösterlichen Lebens geführt hat. Das neu gewonnene orthodoxe Selbstbewusstsein zeigte sich auch in den Auseinandersetzungen mit dem Ökumenischen Rat um seine 8. Vollversammlung 1998 in Harare herum, wo Fragen der ökumenischen Orientierung und der orthodoxen Mitarbeit auf des Messers Schneide standen. Die im Jahr 2002 veröffentlichten Ergebnisse der „Sonderkommission zur orthodoxen Mitarbeit im Ökumenischen Rat der Kirchen“[39] haben jedenfalls zu einem erneuten orthodoxen ökumenischen Engagement beigetragen und das Konsensverfahren bei Abstimmungen in den Vollversammlungen eingeführt, was sich inzwischen segensreich ausgewirkt hat.

So erfreulich diese orthodoxe ökumenische Öffnung den Weg nach außen zur Begegnung mit nicht-orthodoxen Kirchen vielfach geebnet hat, so problematisch ist es auf der anderen Seite, dass die neue Konsolidierung seit Beginn der neunziger Jahre nach innen zu autokephalen Alleingängen geführt hat, die das konziliare Zusammenleben innerhalb der orthodoxen Weltgemeinschaft durchaus nicht immer erleichtert haben. *Anastasios Kallis* urteilt: „Der Missbrauch der Autokephalie zu Lasten der zweiten Komponente orthodoxer Kirchenstruktur, der Konziliarität, hat durch die wiedergewonnene Freiheit der orthodoxen Kirchen neuen Auftrieb erhalten.“[40] Im Vorfeld des Konzils von Kreta konnte man den Eindruck gewinnen, dass zwischen den Patriarchaten von Konstantinopel und Moskau ein Machtkampf öffentlich ausgetragen wird. Jedenfalls hat das Fernbleiben der Moskau-orientierten Kirchen von Antiochia, Bulgarien und Georgien und erst recht die russische Absage sechs Tage vor Beginn des Konzils der orthodoxen Einheit vor der Weltöffentlichkeit schweren Schaden zugefügt. Anastasios Kallis meint, dass „der Lernprozess der in der leidvollen Geschichte der orthodoxen Kirchen vernachlässigten Konziliarität als Grundlage panorthodoxen Denkens und Wirkens … noch nicht abgeschlossen“ ist.[41]

Welche *Ergebnisse* hat das „Heilige und Große Konzil“ *von Kreta* nun im Blick auf den Leitgedanken der Konziliarität gezeitigt? Am wichtigsten ist sicher die Tatsache, dass es weder abgesagt noch verschoben worden, sondern nach einem kanonischen

konziliaren Verfahrensprozess zustande gekommen und durchgeführt worden ist. Man spürte bei den Konzilsvätern mit jedem Tag deutlicher Erleichterung und Freude darüber, eine neue weltweite orthodoxe Gemeinschaftserfahrung zu erleben, die in dieser Form keiner der Teilnehmenden zuvor hat machen können. Mit dem Kreta-Konzil hat ein 55-jähriger Vorbereitungsprozess seinen Abschluss gefunden, der mit der ersten panorthodoxen Konferenz 1961 auf der Insel Rhodos begonnen hatte. Einen vergleichbar langen Vorbereitungsweg haben nur die Konvergenzerklärungen der Kommission für Glauben und Kirchenverfassung zu Taufe, Eucharistie und Amt genommen: von der ersten Weltkonferenz 1927 in Lausanne bis zu ihrer einstimmigen (!) Verabschiedung am 12. Januar1982 in der Oasis de los Santos Apostolos bei Lima. Sie sind zur bekanntesten und verbreitetsten Erklärung in der bisherigen Geschichte des Ökumenischen Rates geworden.
Das Konzil von Kreta hat innerhalb einer Woche sechs gewichtige theologische Vorlagen diskutiert und mit offenbar nur geringfügigen Änderungen einmütig im Konsens verabschiedet. Neu hat es in diesen Tagen eine Enzyklika und eine zusammenfassende Botschaft erarbeitet. Metropolit *Augustinus* sprach anschließend von „acht sehr erfüllten, aber auch anstrengenden Tagen. Das ist nicht nur auf die hier in meiner Heimat Kreta herrschende Hitze zurückzuführen, sondern auch darauf, dass wir detaillierte Textarbeit (in 4 Sprachen!) an komplizierten theologischen Dokumenten geleistet haben ... Knapp 300 Bischöfe aus aller Welt haben äußerst intensiv gearbeitet."[42] Darin wird etwas von dem *theologischen* Eros des Konzils erkennbar: diese Bilanz einer Woche kann sich sehen lassen. Die in Kreta zuerst verabschiedete Erklärung zur „Sendung der Orthodoxen Kirche in der heutigen Welt" zeigt, dass die Mehrheit der orthodoxen Christen endgültig in der Gegenwart des 21. Jahrhunderts angekommen ist. Die zuletzt behandelte Vorlage über die „Beziehungen der Orthodoxen Kirche zur übrigen christlichen Welt" kann mit Recht in Anspruch nehmen, „an der ökumenischen Bewegung vom Augenblick ihrer Entstehung Anteil genommen und ihren Beitrag zu ihrer Ausformung und weiteren Entwicklung geleistet" (Z. 4) zu haben, was man beileibe nicht von jeder westlichen oder gar deutschen

Kirche behaupten kann. Gewiss haben auch die orthodoxen Kirchen noch einen großen *Lernprozess* vor sich, wenn sie sich nicht in der Lage sehen, „die Einheit der Kirche als einen interkonfessionellen Kompromiss anzunehmen“ (Z. 18) Die Tatsache, dass nur 15 „heterodoxe“ Gäste eingeladen wurden, die nur an der Eröffnungs- und Schlusssitzung teilnehmen durften – ohne Rede- und Stimmrecht, zeigt ebenfalls einen ziemlichen ökumenischen Nachholbedarf. Laien, Frauen und Jugendliche waren auf diesem Bischofskonzil wenig gefragt und kaum zu sehen. Dennoch wäre schon viel gewonnen, wenn zumindest diese beiden orthodoxen Erklärungen samt der „Botschaft“ des Konzils von den Kirchen im Westen aufmerksam und selbstkritisch aufgenommen und zum Ausgangspunkt für ein erneuertes oder erstmaliges Gespräch mit orthodoxen Christen gemacht würden.

Offen bleibt vorerst die *Frage der „Rezeption* gleich in mehrfacher Hinsicht. Zunächst ist fraglich, ob die vier Kirchen, die nicht zum Konzil gekommen sind, allen voran die russisch-orthodoxe Kirche, seine Beschlüsse nachträglich anerkennen werden, wozu sie mehrfach aufgefordert worden sind. Dann muss sich erst noch erweisen, wie die orthodoxen Gläubigen in den verschiedenen Regionen der Erde, das Pleroma der Kirche, mit den Texten und Beschlüssen des Konzils umgehen werden. Denn die Rezeption des Gottesvolkes gehört nach orthodoxem Verständnis zum konziliaren Prozess hinzu. Unklar ist auch, ob und wie die Kirchen des Westens, also die katholischen und die reformatorischen, das orthodoxe Konzil beachten oder in westlicher Überheblichkeit links liegen lassen werden. Die mangelnde bis nicht vorhandene Berichterstattung über Kreta in der kirchlichen und weltlichen Presse hierzulande, wie es auch bei der Zehnten Vollversammlung des Ökumenischen Rates in Busan 2013 der Fall war, gibt da zu ernsten Sorgen Anlass. Schließlich bleibt abzuwarten, ob die heutige Menschheit, zu der das Konzil auch sprechen wollte, seine Botschaft zur Würde der menschlichen Person, zur Absage an militärische Gewalt oder zum Kampf um Gerechtigkeit hören und aufnehmen wird. Erst danach, in einigen Jahren, wird sich herausstellen, ob das Konzil das Attribut „ökumenisch“ erhalten wird oder nicht.

Hat oder wird das Konzil zu einer konziliaren Renaissance innerhalb der orthodoxen Welt beitragen?[43] Nachdem es seit 1872, der letzten panorthodoxen Synode, bzw. 869/70 bzw. 787 tatsächlich erstmals wieder gelungen ist, ein Heiliges und Großes Konzil durchzuführen, scheint das Eis gebrochen zu sein. Man will in absehbarer Zeit, in 7 oder 10 Jahren, zu einer nächsten konziliaren Versammlung zusammenkommen und damit die Einrichtung des Konzils zu einer Veranstaltung auf regelmäßiger Basis werden lassen. Damit würde diese konziliare Woche in Kreta zu einer ersten Session in einem länger andauernden konziliaren Prozess gemacht werden. Außerdem will man die orthodoxen Bischofskonferenzen in der Diaspora und die Synaxis (Zusammenkunft) der autokephalen Patriarchen, Erzbischöfe und Metropoliten stärken. All das weist in die Richtung einer Wiederentdeckung der konziliaren, katholischen und synodalen Dimension in der orthodoxen Welt, die auch autokephale Auswüchse in ihre Schranken zu weisen in der Lage ist.

Man kann der orthodoxen Kirche nur wünschen, dass ihr dieser konziliare neue Ansatz im 21. Jahrhundert besser gelingt, als es den Auswirkungen des Konstanzer Konzils im 15. Jahrhundert gelungen ist. Wenn das geschieht, dann wird das Panorthodoxe Konzil von Kreta 2016 als Wasserscheide in die Geschichte der orthodoxen Kirche und der ökumenischen Beziehungen eingehen. Unsere westlichen Kirchen sind jedenfalls gut beraten, jetzt und in Zukunft sorgfältiger auf die prophetische und apostolische Stimme der orthodoxen Kirche zu hören, als sie es in der Vergangenheit für nötig erachtet haben.

Kapitel V – Anmerkungen

1. In: A. Basdekis (Hg.), Orthodoxe Kirche und ökumenische Bewegung (OKB). Dokumente – Erklärungen – Berichte 1900-2006, Frankfurt/ Main-Paderborn 2006, S. 3; zitiert wird 1. Korinther 1,10.
2. So der Haupttitel seines Buches von 2006 mit dem Untertitel: „Die orthodoxe Kirche auf dem Weg zu einem Heiligen und Großen Konzil".
3. AaO. S. 11,4.
4. In: N. Thon (Hg.), Sophia. Quellenbuch zur Geschichte der Orthodoxen Kirche, Trier 1983, S. 483.
5. AaO. S. 484f.
6. In: A. Basdekis, OKB (s. o. Anm. 1), S. 16.
7. OKB, S. 19.
8. OKB, S. 18 f.
9. In: W. A. Visser't Hooft, The Genesis and Formation of the World Council of Churches, Geneva 1982, S. 5 (Übersetzung von mir).
10. Vgl. dazu N. Wyrwoll, Wege und Umwege zur Panorthodoxen Synode. Vorbereitung, Durchführung und Rezeption. Vortrag im Serbischen Zentrum Hannover am 16. Oktober 2014 (MS), S. 16 f.
11. AaO. S. 17.
12. Vgl. A. Kallis, Auf dem Weg zum Konzil (AWK). Ein Quellen- und Arbeitsbuch zur orthodoxen Ekklesiologie, Orthodoxe Perspektiven 10, Münster 2013, S. 256ff.
13. AaO. S. 261f.
14. Vgl. AaO. S. 191.
15. AaO. S. 331.
16. So N. Zonker, Lernprozesse auf Kreta, in: KNA-ÖKI 26, 28. Juni 2016, S. 3.
17. A. Brüggemann, In dieser Form erstmalig. Das Panorthodoxe Konzil im Konzert der „Ökumenischen Konzilien", in: KNA-ÖKI 24, 14. Juni 2016, S. 8.
17a. In: B. Hallensleben u. a. (Hg.), Einheit in Synodalität (EiS). Die offiziellen Dokumente der Orthodoxen Synode auf Kreta 18.bis 26. Juni 2016, Münster 2016, S. 5ff.
17b. In: B. Hallensleben, EiS, S. 1ff.
18. H. Gstrein, Endspurt zum orthodoxen Konzil, in: KNA-ÖKI 9, 20. März 2016, S. 9.
19. Vgl. zu Zitaten und ganzem Zusammenhang N. Zonker, Patriarch mahnt zur Einheit. Orthodoxe Kirche eröffnet Konzil trotz Absagen, in:

KNA-ÖKI 25, 21. Juni 2016, S. 3.

19a. Text in: B. Hallensleben, EiS, S. 13 ff.

20. Office of the panorthodox secretariat, News Bulletin No 1, Tuesday 21 June 2016, S. 3f (Übersetzung vom Vf.).

21. AaO. S. 6.

22. In: N. Zonker, Kirche oder was? Das orthodoxe Konzil und die nicht orthodoxen Christen, KNA-ÖKI 26, 28. Juni 2016, S. 7.

23. Der Text ist in englischer Sprache und vorläufiger deutscher Übersetzung im Internet abrufbar; Orthodoxie aktuell 3-4/2016, S. 26-30 hat ihn abgedruckt; jetzt in: B. Hallensleben, EiS, S. 78ff.

24. S. o. III,1.2.

25. Internet: www.Orthodox-Council. Org; jetzt in: B. Hallensleben, EiS, S. 87ff.

26. Die Fassung von 1986 ist bei A. Kallis, AWK (s. o. Anm. 12), S. 491ff, veröffentlicht.

27. Vorkonziliarer deutscher Text in: Orthodoxie aktuell 2016/3-4, S. 24-26; verabschiedeter Text jetzt in: B. Hallensleben, EiS 62ff.

28. Text jetzt in: B. Hallensleben, EiS, S. 56 ff.

29. Vorkonziliarer Text in: A. Kallis, AWK (s. o. Anm. 12), S. 501-504.

30. AWK, S. 502-504 passim.

31. Vorkonziliarer Text in: Orthodoxie Aktuell 2016/3-4, S. 22 f; verabschiedeter Text jetzt in: B. Hallensleben, EiS, S. 67ff.

32. Vgl. dazu A. Kallis, AWK, S. 616f.

33. Vorkonziliarer Text von Chambésy 2009 in: A. Kallis, AWK, S. 604-606; verabschiedeter Text jetzt in: B. Hallensleben, EiS, S. 70ff.

34. Metropolit Augoustinos von Deutschland, Die Orthodoxe Kirche in Deutschland und die Vorbereitung des Großen und Heiligen Konzils, Vortrag vom 1. Oktober 2015, MS S. 7.

35. Deutscher Text in: KNA-ÖKI 26, 28. Juni 2016, Dokumentation S. I – IV; jetzt in: B. Hallensleben, EiS, S. 30ff.

35 a Text in: EiS, S. 37ff.

36. In: K. Rahner/H. Vorgrimler, KKK (s. o. Einführung, Anm.5), S. 131.

37. Encyclical oft he Holy and Great Council oft he Orthodox Church, Crete 2016, Z. 3, S. 2.

38. Dazu: H. Smolinsky, Art. Konstanzer Dekrete, in: LThK 6, Freiburg i. Br. 1997, Sp. 321f.

39. In: D. Heller/B. Rudolph, Die Orthodoxen im Ökumenischen Rat der Kirchen. Dokumente, Hintergründe, Kommentare und Visionen, BÖR

74, Frankfurt/Main 2004, S. 9ff.

40. A. Kallis, AWK (s. o. Anm. 12), S. 40.

41. AWK, S. 42.

42. „Die Tür ist nicht zugeschlagen". Metropolit Augoustinos über das orthodoxe Konzil, KNA-ÖKI 26, 28. Juni 2016, S. 5.

43. Vgl. dazu auch: John Chryssavgis, Toward the Holy and Great Council. Retrieving a Culture of Conciliarity and Communion, New York 2016, S. 43ff.

VI.
Konziliare Gemeinschaft von Kirchen und Gemeinden heute

1 Die Wiederentdeckung von Konziliarität im 20. Jahrhundert

Im Verlauf der vergangenen 70 Jahre hat es *drei maßgebende konziliare Ereignisse* gegeben: 1948 die Gründung und erste Vollversammlung des Ökumenischen Rates der Kirchen in Amsterdam; 1962-1965 das Zweite Vatikanische Konzil in Rom und 2016 das Panorthodoxe Konzil in Kreta. Es ist bemerkenswert genug, dass sich innerhalb dieses Zeitraums in allen drei christlichen Haupttraditionen konziliare Aufbrüche ereignet haben. Unbestritten hat das Zweite Vatikanische Konzil bislang die weitreichendsten Auswirkungen hervorgerufen und sowohl die nachfolgenden ökumenischen Vollversammlungen als auch die Jahrzehnte langen Vorbereitungen des Panorthodoxen Konzils nachhaltig beeinflusst. Deshalb kann man es als das bedeutendste kirchengeschichtliche Ereignis des 20. Jahrhunderts bezeichnen.
Welche *Akzente* haben die drei konziliaren Versammlungen jeweils gesetzt?
(1) Das *Panorthodoxe Konzil von Kreta 2016* steht in gewisser Weise in der Tradition der sieben klassischen ökumenischen Konzile der Alten Kirche von 325 bis 787. Dieser Zusammenhang wird in der Einleitung der Organisations- und Verfahrensregeln für das Konzil hergestellt: „Das Heilige und Große Konzil ist durch die Gnade der Heiligen Dreifaltigkeit der authentische Ausdruck der kanonischen Tradition und der kirchlichen Praxis, wie die Solidarität in der einen, heiligen, katholischen und apostolischen Kirche verwirklicht wird.“[1] Zusätzlich zu den 6 verabschiedeten Erklärungen, der Enzyklika und der Botschaft hat das Panorthodoxe Konzil von Kreta drei Akzente gesetzt: 1. Es ist nach über 50-jähriger Vorbereitung zustande gekommen und durchgeführt worden. Damit schlägt es eine Brücke zu früheren

panorthodoxen Versammlungen (z. B. 1872) und zu den ökumenischen Konzilen der Alten Kirche. 2. Seine wichtigste Botschaft ist die Verkündung der Einheit der Orthodoxen Kirche in Glaube, Eucharistie und apostolischer Nachfolge ihrer Bischöfe, auch wenn nicht alle 14 autokephalen Kirchen vertreten waren.[2] 3. Das Panorthodoxe Konzil soll zu einer regelmäßigen Einrichtung gemacht und alle 7 bis 10 Jahre einberufen werden.[3]

(2) Das *Zweite Vatikanische Konzil* steht in einer anderen Tradition: der der päpstlichen Generalssynoden der Westkirche, wie sie seit dem Hochmittelalter im 1. und 2. Laterankonzil (1123 und 1139) entwickelt worden sind. Sie heißen „ökumenisch", weil sie bischöfliche Repräsentanten der weltweiten römisch-katholischen Kirche zu einer „Generalssynode" versammeln. Da es allein dem Papst vorbehalten ist, ein ökumenisches Konzil einzuberufen[4], konnte Papst *Johannes XXIII.* mit der Ankündigung des Zweiten Vatikanischen Konzils einen synodalen Prozess anstoßen, der bis heute nicht zum Stillstand gekommen ist. Der Hauptakzent dieses Konzils liegt auf dem Volk Gottes, der Gemeinschaft der Bischöfe und der darin zum Ausdruck kommenden Communio-Ekklesiologie, wie sie besonders in der Kirchenkonstitution entfaltet wird.[5] Papst *Franziskus* knüpft daran an, wenn er von Dezentralisierung der römischen Zentralmacht und von der Stärkung synodaler Strukturen in der römisch-katholischen Kirche spricht.[6] Das Zweite Vatikanische Konzil hat mit der Aufnahme vieler reformatorischer Anliegen und seiner ökumenischen Öffnung Grundlage und Gestalt der katholischen Kirche tiefgreifend verändert. Seine Impulse sind bis heute noch nicht voll ausgeschöpft, sodass ein drittes, weiterführendes Vatikanisches Konzil noch nicht absehbar ist.

(3) Während der *4. Vollversammlung des Ökumenischen Rates* kam 1968 in Uppsala als Antwort auf das II. Vatikanum erstmals das Thema Konzil zur Sprache: „Die Mitgliedskirchen des Ökumenischen Rates der Kirchen, die einander verpflichtet sind, sollten auf die Zeit hinarbeiten, wenn ein wirklich universales Konzil wieder für alle Christen sprechen und den Weg in die Zukunft weisen kann."[7] Das war die Geburtsstunde der ökumenischen Realutopie: *das wirklich universale, wahrhaft ökumeni-*

sche Konzil aller Christen. Die Kommission für Glauben und Kirchenverfassung hatte das Konzilsthema bereits nach Neu-Delhi 1961 in den sechziger Jahren erörtert und dabei den allgemeinen Begriff der *Konziliarität* entfaltet, der ein Strukturelement im Leben von Kirchen darstellt.[8] Das Bahnbrechende dieser ökumenischen Interpretation von Konziliarität liegt darin, nicht das Ereignis eines Konzils, sondern Konziliarität als ein Wesensmerkmal „auf allen Ebenen" des kirchlichen Lebens in den Mittelpunkt zu rücken: örtlich, regional und weltweit.[9] Damit ist Konziliarität von der schier unerreichbaren Ebene eines Konzilsereignis in das all-tägliche Zusammenleben innerhalb und zwischen Kirchen überführt. Dieses all-tägliche Lebenselement Konziliarität „demokratisiert" das seltene Ereignis „Konzil" und macht es zu einer ökumenischen Lebensform, die auf allen Ebenen eingeübt werden kann.
Auf diesem Hintergrund hat dann die 5. Vollversammlung 1975 in Nairobi die *konziliare Gemeinschaft* zur Leitvorstellung ökumenischer Einheitsbemühungen erklärt. Das Hauptwort *„Gemeinschaft"* (fellowship) spielte schon 1948 in Amsterdam bei der Basisformulierung eine maßgebende Rolle und ist im Laufe der Jahrzehnte immer stärker in Richtung auf die neutestamentlichen Koinonia vertieft worden, die sowohl die vertikale Teilhabe an Gottes Leben als auch die horizontale Verbindlichkeit zwischen Menschen und Kirchen umschließt. Das Adjektiv *„konziliar"* verweist dazu auf Erfahrungen, Formen und Inhalte, die Christen in altkirchlicher Zeit miteinander entwickelt haben und die für das heutige Zusammenleben von Kirchen fruchtbar gemacht werden können. Es zeichnet die Überzeugungskraft dieser Leitidee der „konziliaren Gemeinschaft" aus, dass sie auf neutestamentliche und altkirchliche Grundmuster zurückgreift und sie mit den heutigen Aufgaben von Kirchen verbindet. Sie sollen ein Modell des Zusammenlebens und Zusammenwirkens entwickeln, das auch für unsere krisengeschüttelte Welt interessant und attraktiv werden kann.
Auf welchem Weg das verwirklicht werden kann, hat die 6. ökumenische Vollversammlung 1983 in Vancouver exemplarisch mit dem *Konziliaren Prozess* für Gerechtigkeit, Frieden und Bewahrung der Schöpfung verdeutlicht. *Prozess* ist hier keine

juristische, sondern eine zeitliche und qualitative Kategorie; Prozesse brauchen Zeit und führen zu einem bestimmten Ziel. Es geht um Wege, die beschritten, manchmal auch um Umwege, die genommen werden müssen. Konziliare Prozesse lösen das Erreichen des Zieles konziliarer Gemeinschaft in Bewegung, Schritte und Wege auf, die von möglichst vielen mitgegangen werden sollen. Konziliare Gemeinschaft wird nicht deklariert – außer auf einem wahrhaft ökumenischen Konzil –, sondern auf einem Weg schrittweise erfahren und erlebt.

Der besondere Beitrag, den die Vollversammlungen des Ökumenischen Rates zur Konzilsthematik beigesteuert haben, liegt darin, dass sie sich gut 30 Jahre lang – von Neu-Delhi 1961 bis Canberra 1991 – damit auseinandergesetzt und dabei die „konziliare Gemeinschaft" als Leitidee aller ökumenischen Bemühungen um die Einheit der Christen entwickelt haben. Es geht dabei im einzelnen 1. um *Strukturen* von Konziliarität, die entdeckt und eingeübt werden sollen; 2. um inhaltliche *Themen* und konkrete *Herausforderungen,* an denen sich konziliare Gemeinschaft zu bewähren hat; und 3. um konziliare *Prozesse,* also Schritte, die unternommen werden, um konziliarer Gemeinschaft näher zu kommen.

Alle drei Formen von konziliaren Zusammenkünften: Kreta, Rom und die Vollversammlungen des Ökumenischen Rates haben im 20. Jahrhundert zu einer überraschenden *Renaissance der Konzilsidee* beigetragen: Kreta mit dem lange nicht für möglich gehaltenen Zustandekommen orthodoxer Einheit; Rom mit der Ekklesiologie der Gemeinschaft und die ökumenischen Vollversammlungen mit dem Entfalten von demokratischen Strukturen der Konziliarität. Auf diese Weise haben alle drei konziliaren Ereignisse ihren Anteil an dem ökumenischen Leitgedanken der konziliaren Gemeinschaft zwischen Christen und Kirchen. Das jüngste Konvergenz-Dokument der Kommission für Glauben und Kirchenverfassung von 2014 „zu einer gemeinsamen Vision" von Kirche spricht sich ebenfalls zugunsten von Synodalität und Konziliarität aus: „In der Eigenschaft der Synodalität bzw. Konziliarität spiegelt sich das Geheimnis des trinitarischen Lebens Gottes wider ..."[9a]

In einer Zeit, in der die ökumenische Bewegung ihre Zielorientierung zu verlieren droht, scheint es mir angebracht, sie an die große *Zielperspektive konziliarer Gemeinschaft* zu erinnern, die schon vor Jahrzehnten entwickelt worden ist, aber m. E. nichts an ihrer Orientierungskraft eingebüßt hat. Heute ist viel von ökumenischen Pilgerwegen der Gerechtigkeit und des Friedens die Rede, die die letzte Vollversammlung in Busan 2013 auf den Weg gebracht hat. Sie haben ihr Recht und ihren Ort angesichts von zunehmender Ungerechtigkeit und zahllosen unfriedlichen Konfliktherden auf der Erde. Es bleibt dabei die Hauptaufgabe der ökumenischen Bewegung, zu Inhalten und Formen konziliarer Gemeinschaft zu finden, die auch der Gerechtigkeit, dem Frieden und der Heilung der Schöpfung zugutekommen. Darin besteht die *ökumenische Reformation*, die wir größtenteils noch vor uns haben.

2 Elemente von Konziliarität

Es war schon davon die Rede, das Konziliarität ein notwendiges Wesensmerkmal der Kirche ist, und zwar auf allen ihren verschiedenen Ebenen: lokal, regional, national und universal. „Unter Konziliarität verstehen wir das Zusammenkommen von Christen – örtlich, regional oder weltweit – zu gemeinsamem Gebet, zu Beratung und Entscheidung in dem Glauben, dass der Heilige Geist solche Zusammenkunft für seine eigenen Zwecke der Versöhnung, Erneuerung und Umgestaltung der Kirche benützen kann, indem er sie zur Fülle der Wahrheit und der Liebe hinführt."[10] Man kann *7 konziliare Elemente* unterscheiden, die aber erst in ihrem Zusammenspiel konziliare Gemeinschaft ermöglichen.

(1) *Einladung:* Eine Person, eine Kirche oder ein Gremium muss die Initiative ergreifen und zu einer konziliaren Zusammenkunft einladen. In altkirchlicher Zeit war es der römische Kaiser, in der Westkirche später der Papst, zum Panorthodoxen Konzil hat der ökumenische Patriarch in Übereinstimmung mit den Vorstehern der autokephalen Kirchen eingeladen und zu den Vollversammlungen des Ökumenischen Rates lädt sein Generalsekretär nach Abstimmung mit dem Zentralausschuss ein. Auf regionaler Ebene

kann das durchaus eine Kirchen- bzw. Bistumsleitung tun und im lokalen Bereich sind Presbyterien, Kirchenvorstände und Pfarrgemeinderäte nach ihren Initiativen in dieser Richtung gefragt.

2. *Teilnehmende:* In der orthodoxen und römisch-katholischen Kirche nehmen an Konzilen bis heute nur Bischöfe als Repräsentanten ihrer Ortskirchen teil. An den Vollversammlungen des Ökumenischen Rates sind offizielle Delegierte seiner Mitgliedskirchen stimmberechtigt beteiligt. Zu diesen Delegierten gehörten von Anfang an nicht nur Ordinierte, sondern auch Laien, Männer wie Frauen, Jugendliche und heutzutage durchaus auch Menschen mit Behinderung. Der langjährige Generalsekretär des ökumenischen Rates *Philip Potter* (1972-1984) hat als Jugenddelegierter an der Gründungsversammlung 1948 in Amsterdam teilgenommen. Die Tradition des Ökumenischen Rates kann als Vorbild für die Zusammensetzung konziliarer Versammlungen dienen. Denn es kommt dabei darauf an, dass nicht Interessenvertreter einzelner Gruppen, sondern Repräsentanten der Vielfalt des Gottesvolkes zusammenkommen.

Was geschieht bei konziliaren Zusammenkünften? Sie haben im Wesentlichen drei Aufgaben: gemeinsames Gebet, Beratung und Entscheidung – diese Reihenfolge ist nicht umkehrbar.

(3) *Gottesdienste:* Die Eröffnungs- und Abschlussgottesdienste gehörten zu den Höhepunkten des Zweiten Vatikanischen und des Panorthodoxen Konzils ebenso wie der Ökumenischen Vollversammlungen, besonders in Vancouver 1983. Während in der katholischen und der orthodoxen Kirche bei diesen Anlässen grundsätzlich Eucharistiefeiern gehalten werden, sind es bei den ökumenischen Vollversammlungen Wort-Gottesdienste, die durch eine programmatische Beteiligung von Christen aller Kontinente, durch vielfältige Musik und besondere Zeichenhandlungen ihren unverwechselbaren Charakter erhalten. Während des Eröffnungsgottesdienstes in Vancouver zum Thema „Jesus Christus, das Leben der Welt“ reichte z. B. eine afrikanische Mutter ihr Baby Generalsekretär *Potter* in seine Hände, der es behutsam in seinen Armen wiegte – unvergesslich für alle Anwesenden. Ökumenische Gottesdienste leiden in unseren Breiten heutzutage oft an Ermüdungserscheinungen und Phantasielosigkeit. Gottesdienste bei konziliaren Versammlun-

gen, etwa in Basel 1989, Graz 1997 und Sibiu 2007, zeichnen sich durch Kreativität und Spontanität aus. Die täglichen Morgengottesdienste, mit denen die Tage bei konziliaren Zusammenkünften beginnen, sind die spirituellen Kraftquellen ihrer oft langwierigen Verhandlungen.

(4) *Beratungen:* Sie machen meistens den Löwenanteil konziliarer Zusammenkünfte aus. Sie sind der ausgezeichnete Ort des qualifizierten Dialogs, der jahre- und jahrzehntelang eingeübt werden muss, wenn er zum Erkenntnisgewinn und nicht zum Zerfall einer Beratung beitragen soll. Bei konziliaren Zusammenkünften kommt ihm die Vielfalt der Beteiligten und ihrer Argumente zugute. Hier ist der Ort, wo der Streit um die Wahrheit ausgetragen werden muss, damit sie im Ergebnis von möglichst vielen mitgetragen, also tragfähig wird. Beispiele sind die Debatten über die Kirchenkonstitution des II. Vatikanums, über das Antirassismusprogramm des Ökumenischen Rates und über die ökumenischen Beziehungen während des Panorthodoxen Konzils. Mir ist bei den Beratungen des Zentralausschusses und der Vollversammlungen des Ökumenischen Rates aufgefallen, dass die Beteiligten ihre Beiträge häufig mit einer positiven Bemerkung beginnen und sie entspannt, zuweilen humorvoll weiter vortragen. Dabei spielt sicher die angelsächsische Gesprächskultur eine nicht unerhebliche Rolle.

(5) *Entscheidungen:* Sie wurden bei den ökumenischen Konzilen der Alten Kirche oft im Schwarz-Weiß-Verfahren getroffen: Wer nicht zustimmte, wurde ausgeschlossen und verbannt. Die Abstimmungen während des Zweiten Vatikanischen Konzils verliefen meist in großer Einmütigkeit, so dass den Vorlagen mit überzeugenden bis überwältigenden Mehrheiten zugestimmt wurde. In Kreta 2016 galt das Konsensprinzip der Kirchendelegationen, das die Nichtzustimmung einzelner Teilnehmer durchaus zuließ.[11] Wichtig ist in diesem Zusammenhang, sich den Unterschied von parlamentarischen und konziliaren bzw. synodalen Entscheidungen klarzumachen. Während gerade bei politisch kontroversen Themen knappe parlamentarische Entscheidungen zählen – „Mehrheit ist Mehrheit", z. B. bei der Abstimmung über die Ostverträge 1972 im Deutschen Bundestag –, kommt es bei konziliaren Entscheidungen, die es in aller

Regel mit Fragen des Glaubens, der Lehre oder der Ethik zu tun haben, auf überzeugende Mehrheiten an, damit sie angenommen und umgesetzt werden können. Es war ein Gewinn, als bei den Vollversammlungen des Ökumenischen Rates auf orthodoxe Initiative hin nach kontroversen Debatten im Jahr 2006 das Konsensverfahren für die Entscheidungsfindung eingeführt wurde. Es ermöglicht ein sachbezogenes, rücksichtsvolles, manchmal auch ein notwendiges dilatorisches Abstimmungsverhalten.

(6) *Rezeption:* Konziliare Beschlüsse wollen und sollen eine Streitfrage abschließend klären; sie sind daher für den Jurisdiktionsbereich eines Konzils verbindlich. Das stellt für die katholische Kirche mit dem Papst an der Spitze kein Problem dar. Auch zu den Entscheidungen von Kreta heißt es bei den Verfahrensregeln lapidar: „Die Beschlüsse haben panorthodoxe Gültigkeit."[12] Allerdings entscheidet erst die faktische Annahme der Beschlüsse durch die vier in Kreta abwesenden Kirchen sowie durch das Pleroma des Kirchenvolkes aller autokephalen Kirchen im Nachhinein darüber, ob einem Panorthodoxen Konzil das Prädikat „ökumenisch" zuerkannt wird oder nicht. Wesentlich schwieriger steht es mit der Verbindlichkeit von Beschlüssen der ökumenischen Vollversammlungen. Sie können faktisch nur Empfehlungen für ihre Mitgliedskirchen aussprechen. „Denn die ´Autorität´ des (Ökumenischen) Rates besteht nur in dem Gewicht, das er durch seine eigene Weisheit bei den Kirchen erhält."[13] Dieses Gewicht hat bei den Mitgliedskirchen in den letzten Jahren eher ab- als zugenommen.

Bislang hat sich nur in England und in Teilen des angelsächsischen Bereichs, z. B. Australien, die neue Richtung eines *„rezeptiven Ökumenismus"* verbreitet. Sie fragt nach dem, was Christen und Kirchen von anderen übernehmen können, um auf diese Weise überzeugender miteinander im Leib Jesu Christi zusammenleben zu können. Hier wird deutlich, dass es sich bei der Frage der Rezeption um einen geistlichen Vorgang handelt.

(7) *Das Wirken des Heiligen Geistes:* Die „klassischen" Konzile der Alten Kirche sind insofern charismatische Ereignisse gewesen, als sie oft sehr kurzfristig einberufen wurden, um über eine aktuelle Streitfrage zu entscheiden, und zu Lösungen gefunden haben, die die Gesamtkirche erhalten und nicht gespalten haben. Es

kommt nicht von ungefähr, dass seit den Tagen von *Basilios dem Großen* und dem Zweiten Ökumenischen Konzil am Ende des 4. Jahrhunderts (381) die Gottheit und damit die Anrufung (Epiklese) des Heiligen Geistes in der konziliaren Bewegung nicht mehr wegzudenken sind. Jede konziliare Zusammenkunft beginnt mit der Bitte um Kommen, Gegenwart und Wirken des Heiligen Geistes „in dem Glauben, dass der Heilige Geist solche Zusammenkunft für seine eigenen Zwecke der Versöhnung, Erneuerung und Umgestaltung der Kirche benützen kann". Er ist damit zuerst und zuletzt das entscheidende „Subjekt" in jedem konziliaren Vorgang, über das niemand verfügen kann, das man aber anrufen und um sein Kommen bitten kann.

3 Formen von konziliarer Gemeinschaft

Elemente und Strukturen von Konziliarität brauchen Formen, in denen sie Gestalt gewinnen und gelebt werden können. Formen von konziliarer Gemeinschaft müssen eingeübt werden, damit sie in ihrer befreienden Kraft erfahren werden können und zwar zuerst auf der *örtlichen* Ebene. Die ökumenische Bewegung hat es lange versäumt, dem konziliaren Denken zu konkreten Formen der Begegnung und des Handelns auf lokaler Ebene zu verhelfen. Aber wenn es nicht gelingt, konziliares Verhalten an der Basis in Gemeinden und Gruppen zu verankern, wird es zu keiner neuen Bewegung für die Einheit der Christen kommen. „Konziliarität ist eine Qualität der Gemeinde, die auf allen Ebenen der Kirche eingeübt und gelebt werden muss, damit die Christen fähig werden, den Prozess der Einheit bis in das Forum eines ökumenischen Konzils weiterzutragen."[14] Zu lange haben Gemeinden dafür auf Initiativen „von oben" gewartet, die von dort nicht gekommen sind. Die Sache liegt umgekehrt: Die Entwicklung von Formen konziliarer Gemeinschaft sind zuerst eine Basisbewegung „von unten", wie sie es im 2. und 3. Jahrhundert gewesen ist, bevor dann im 4. (325) ein erstes ökumenisches Konzil stattfinden konnte und musste. Ich möchte drei Gestalten konziliarer Gemeinschaft vorstellen: 1. innerkirchliche, 2. zwischenkirchliche, 3. gruppenorientierte.

3.1 Gemeindliche Versammlungen

Da Konziliarität ein unverzichtbares Wesenselement jeder Kirche ist, wenn sie nicht zu einem Verein oder gar zu einer Sekte degenerieren will, braucht *jede Gemeinde* konziliare Formen zur Gestaltung ihres Zusammenlebens. Ihr größtes Potenzial sind die unterschiedlichen Menschen, die zu ihr gehören: Laien, Frauen, Kinder, Jugendliche, Behinderte, Sozialschwache. Deren Fähigkeiten und Begabungen in der Begegnung mit dem Evangelium zur Entfaltung zu bringen, ist die erste konziliare Aufgabe jeder Gemeinde und ihrer Leitung. Der konziliare Ort, an dem sich Wohl und Wehe jeder Gemeinde entscheidet, ist ihr *Gottesdienst*, der sonntägliche Versammlungsort. Er ist die Quelle aller konziliaren Gemeinschaft in drei Gestalten: 1. der lebendigen Verkündigung des Evangeliums, 2. der aktiven Beteiligung der Gemeindeglieder, 3. der gemeinschaftlichen Feier des Abendmahls/der Eucharistie. Hier wird an erster Stelle in jeder Gemeinde die Gemeinschaft mit Gott und miteinander erfahren und eingeübt. Ein Gottesdienst ohne eine ihn vorbereitende und tragende Gruppe und ohne die regelmäßige Gemeinschaftserfahrung am Tisch Jesu Christi kann auch keinen Begriff von konziliarer Gemeinschaft vermitteln. „Jede lokale Kirche ist, wenn sie die heilige Eucharistie feiert, die örtliche Gegenwart und Gestalt der einen, heiligen, katholischen und apostolischen Kirche.“[15]

Der Ort, an dem wichtige Fragen des Gemeinde- und des öffentlichen Lebens debattiert werden, ist die *Gemeindeversammlung.* Hier können auch brennende Themen nach innen wie nach außen, z. B. der Umgang mit Homosexuellen oder Flüchtlingsinitiativen, vielfältig, kontrovers und kreativ angesprochen werden. Viele Gemeinden ziehen es vor, solche Fragen in kleinen Zirkeln von Gemeindeleitern oder Gesprächsgruppen zu erörtern. Wie aber soll dann der konziliare Umgang mit Kontroversen und Konflikten eingeübt und gelernt werden? An dieser Stelle besteht offenbar bei katholischen Gemeinden ein besonderer Handlungsbedarf. „Wichtige Entscheidungen der Kirche, die öffentliche Geltung beanspruchen, dürfen nicht hinter verschlossenen Türen getroffen werden.“[16]

Gemeinden feiern gern Feste – besonders im Rheinland –, machen im Sommer Tagesausflüge, manche veranstalten Wochenenden und Freizeiten für Konfirmanden bzw. Firmlinge. Warum kommen sie nicht auch einmal im Jahr zu einem *Tag oder Wochenende* zusammen, um über Fragen des Glaubens und der ökumenischen Gemeinschaft zu sprechen? Was heißt die „Freiheit eines Christenmenschen" heute? Wie wird sie missverstanden? Wie wird sie richtig gelebt? Was wollen und können wir mit unserer Partnergemeinde am Ort gemeinsam tun? Wenn man Tiefe und Perspektive im Gemeindeleben gewinnen will, bietet es sich an, solche Fragestellungen in konziliarer Runde zu bearbeiten.

3.2 Zwischenkirchliche Begegnungen

Erfreulicherweise gibt es an vielen Orten inzwischen Ökumene-Kreise mit Mitgliedern aus verschiedenen Kirchen. Im Lauf der Jahre und Jahrzehnte haben sich bei manchen Ermüdungserscheinungen ausgebreitet, die sie von Motoren zu Bremsen konziliarer Entwicklungen haben werden lassen. Neue Impulse sind gefragt! Ich möchte drei geben.

(1) Schon seit geraumer Zeit ist das *Pilgern* – nicht erst von *Hape Kerkeling* – wiederentdeckt worden: Beten mit den Füßen. Das lässt sich gut auch für neue ökumenische Erfahrungen aufgreifen: Emmauswege zu Ostern, Taufbeckenwege zur Erinnerung an die gemeinsame Taufe, Wege zum Besuch von Kirchen in der Region, um spirituelle Orte kennen und verstehen zu lernen, Schöpfungswege zur Freude an und zur Verantwortung für die Umwelt. In der Kölner Region ist es Tradition, eine Woche lang nach Trier zum Grab des Apostels *Matthias* zu pilgern. Mancher evangelische Christ ist schon mitgegangen und hat etwas über Heiligenverehrung gelernt.

(2) In England ist während der Strukturkrise in den achtziger Jahren die *Covenant-Bewegung* entstanden: Bundesschlüsse zwischen Gemeinden, die mit denselben Schwierigkeiten zu kämpfen hatten. Wir haben diesen Impuls nach Köln übernommen und daraus die Initiative für *Gemeindepartnerschaften am*

Ort entwickelt. Sie leben von 3 Elementen: regelmäßige ökumenische Gottesdienste, kontinuierlicher Gesprächsaustausch und örtliche ökumenische Projekte z. B. mit Jugendlichen, Chören, Senioren. Für Gemeinden, die über gelegentliche Kontakte miteinander hinaus zu einer verbindlichen Partnerschaft kommen und neue Erfahrungen miteinander machen wollen, ist dieses Modell der richtige Weg. Im Bereich der Badischen Landeskirche und des Erzbistums Freiburg gibt es inzwischen über 100 derartige Gemeindepartnerschaften. Sie bieten sich für das Jahr 2017 in besonderer Weise an, um einen substanziellen konziliaren Schritt weiter zu kommen.[17] Man kann solche Partnerschaften auch auf größere Bereiche ausweiten. Dann kommt man zu Partnerschaften zwischen Kirchenkreisen und Dekanaten oder auch zwischen Landeskirchen und Diözesen.[18] Diese Form von konziliarer Gemeinschaft breitet sich dann in konzentrischen Kreisen aus.

(3) Der frühere rheinische Präses *Peter Beier* und der damalige Trierer Bischof *Hermann Josef Spital* haben im Zusammenhang mit der Heilig-Rock-Wallfahrt 1996 einen gemeinsamen Brief an ihre Gemeinden geschrieben. Dessen letzter Satz lautet: „Wir denken daran, uns zur Jahrtausendwende wieder zu treffen in einer weiteren ökumenischen Versammlung im Rheinland, um uns gegenseitig und unserem Herrn Jesus Christus Rechenschaft zu geben über unsere Bemühungen."[19] Diese erste „rheinisch-ökumenische Synode", wie Peter Beier sie genannt hat[20], ist ebenso wenig zustande gekommen wie das „panchristliche Treffen", das Papst *Johannes Paul II.* 1994 zur Jahrtausendwende vorgeschlagen hatte.[21] Was im Jahr 2000 nicht gelang, kann jedoch im Jahr 2017 oder danach gelingen: eine oder mehrere *ökumenische Synoden* zwischen Landeskirchen und Diözesen; früher hießen solche Zusammenkünfte auf Diözesanebene: Provinzialkonzile. Diese Form heute ökumenisch wieder aufleben zu lassen, wäre ein enormer Schritt hin zu weitergehender konziliarer Gemeinschaft.

3.3 *Gruppen-Initiativen*

Es ist eine schöne Frucht der ökumenischen Bewegung, dass es heutzutage zahlreiche ökumenische Gruppen gibt: Gesprächskreise, Gerechtigkeits-, Friedens- und Schöpfungsgruppen, spirituelle Taizé-Kreise, ökumenische Jugend-, Frauen- und Senioren-Gruppen, Initiativen für Flüchtlingsarbeit, die Internationale Ökumenische Gemeinschaft mit Gruppen in 10 europäischen Ländern, Nachfolgegruppen und dergleichen mehr. Sie alle machen im Zusammenwirken untereinander *konziliare Erfahrungen* und wirken häufig als Sauerteig für andere kirchliche und weltliche Kreise.

Vor über 30 Jahren wurde während der Sechsten Vollversammlung des Ökumenischen Rates in Vancouver 1983 der „Konziliare Prozess für Gerechtigkeit, Frieden und Bewahrung der Schöpfung" aus der Taufe gehoben. Er wurde maßgeblich von entsprechenden Initiativgruppen getragen, denen es z. T. gelungen ist, Kirchen bis hin zur römisch-katholischen in Deutschland an diesem *Konziliaren Prozess* zu beteiligen. Auf diesem Weg sind in den Jahren von 1983-1990 namentlich in der DDR und auch in Westdeutschland wertvolle und bislang einmalige Erfahrungen in konziliarer Kooperation gemacht worden.[22] Dieser Prozess hat u. a. zur ersten Europäischen Ökumenischen Versammlung 1989 in Basel geführt, bei der die osteuropäischen Teilnehmenden auf dem Dreiländermarsch von der Schweiz in die Bundesrepublik, nach Frankreich und zurück nach Basel eine erstmalige Erfahrung von kontrollfreien Grenzübertritten gemacht haben, die sich bei der europäischen Wende im Herbst 1989 segensreich ausgewirkt hat.

Dieser Konziliare Prozess ist dann durch die politischen Ereignisse 1989/90 überholt worden, sodass er in seiner bisherigen Form in den neunziger Jahren nicht fortgeführt werden konnte. Das nimmt aber nichts von den Erfahrungen der Beteiligung und des Teilens, von Solidarität und gewaltfreiem Handeln, die auf diesem Weg gemacht worden und für andere konziliare Prozesse wegweisend geworden sind und wieder werden können. Ich denke hier zunächst an die anschließenden Dekaden „Kirchen in Solidarität mit den Frauen" (1991-2000) und „Zur Überwindung von Gewalt“ (2001-2010) bis hin zu dem in Busan 2013 ausgerufenen „Pilgerweg der Gerechtigkeit und des Friedens“. Diese Entwicklung zeigt, wie aus Initiativen von zunächst einzelnen Gruppen auch weltweite Bewegungen entstehen können.

Es gibt auch *andere konziliare Prozesse* wie die schon mehrfach erwähnte spirituelle Taizé-Bewegung seit Mitte der siebziger Jahre, die europäischen Pilgerwege seit der Jahrtausendwende oder die im Anschluss an die Gemeinsame Erklärung zur Rechtfertigungslehre 1999 entstandene geistliche Initiative „Miteinander für Europa“. Sie alle sind aus kleinen ökumenischen Initiativ-Gruppen entstanden und vermitteln den Beteiligten bis heute wertvolle konziliare Erfahrungen. Zusätzlich möchte ich *drei weitere Formen* für Initiativgruppen ansprechen, deren Potenzial bisher zu wenig genutzt worden ist.

(1) Seit den Tagen des Apostels Paulus *besuchen* sich Christen untereinander, um miteinander Gemeinschaft zu pflegen, sich gegenseitig zu stärken und zu stützen, voneinander eine Horizonterweiterung zu erhalten und sich aneinander und miteinander über den „neuen Weg“ des Evangeliums zu freuen. In vielen Gemeinden haben sich heutzutage Besuche bei und von *Partnergemeinden* im In- und Ausland eingebürgert. Dabei bleibt es dann häufig und zieht keine weiteren Kreise, so dass geschlossene statt offener Zirkel entstehen, die irgendwann zum Erliegen kommen, wie es mit vielen West-Ost-Partnerschaften nach der Wende in Deutschland geschehen ist.

Als ich in den siebziger Jahren im Neubaugebiet Köln-Weiden als Pfarrer und Lehrer tätig war, haben wir eine *Arbeitsgemeinschaft der Neubaugemeinden* gegründet und uns gegenseitig besucht. Wir haben uns beraten, getröstet und ermutigt in unseren „Betonwüsten“ und sogar „Neubaufeste“ in Köln-Chorweiler, in Koblenz-Karthause und in Saarbrücken-Eschberg gefeiert. In den neunziger Jahren hat das *Ökumenische Netz Mittelrhein* seine jährlichen Wochenendtagungen grundsätzlich und programmatisch nie in Tagungshäusern oder Akademien veranstaltet, sondern immer bei und mit ökumenisch orientierten Ortsgemeinden, wo wir Mitgebrachtes teilten, in Privatwohnungen übernachteten, das Thema miteinander entfalteten und zum Abschluss immer einen ökumenischen Gottesdienst am Sonntagmorgen in der evangelischen oder katholischen Kirche am Ort feierten. Ökumenische Gruppen können einander einladen zu solchen Begegnungen am Ort, die weit mehr vermitteln als ein zweistündiger Gedankenaustausch an einem Abend in der Woche.

(2) Der Ökumenische Rat der Kirchen hat erstmals im Vorfeld seiner Sechsten Vollversammlung in Vancouver 1982/83 *Team-Besuche* bei seinen Mitgliedskirchen durchgeführt, um sie mit seiner Arbeit vertraut zu machen und seinerseits mit ihren Realitäten am Ort vertraut zu werden. Diese Begegnungen mit ihren Rückfragen und Vorschlägen haben den besuchten Kirchen oft neue Gesichtspunkte erschlossen und zum Gelingen der Vollversammlung in Vancouver nicht unerheblich beigetragen. Diese konziliaren Erfahrungen sind dann zu so genannten *„Lebendigen Briefen"* weiterentwickelt worden, die darin bestehen, dass ökumenische Delegationen zu kirchlichen oder politischen Brennpunkten entsandt werden, um Solidarität zu erweisen und für Hilfestellungen zur Verfügung zu stehen. Jüngstes Beispiel ist das „Ecumenical Accompaniment Programme in Palästine and Israel" (EAPPI), das Menschen an die Grenzen zwischen Israel und dem besetzten Westjordanland schickt, die beobachten, berichten und zu helfen versuchen.

Kürzlich (2015) hat eine ökumenische Besuchergruppe aus verschiedenen Partnerkirchen die Evangelische Kirche im Rheinland für zwei Wochen besucht, war an verschiedenen Orten zu Gast und hat anschließend einen Bericht über ihre Erfahrungen im Rheinland verfasst. Ein solcher *Blick von außen* hilft der besuchten Kirche, ihre Stärken und Schwächen besser wahrzunehmen und ökumenefähiger zu werden. Im Rheinland wird z. B. das gesellschaftspolitische Engagement der rheinischen Kirche anerkannt, aber gleichzeitig nach seiner theologischen Begründung gefragt. „Die theologische Rede der Kirche sollte stärker trinitarisch sein, d. h., sie sollte auch wieder klarer und deutlicher von Jesus Christus und dem Wirken des Heiligen Geistes sprechen ... Das gute Engagement überlagert oft das Bekenntnis des Glaubens."[23] Solche gezielten Besuche von ökumenischen Gruppen in Gemeinden und Kirchen verhelfen beiden Seiten zu neuen konziliaren Einsichten, die sie allein nicht gewinnen können.

(3) Unter den 27 Schriften des Neuen Testaments befinden sich 21 Briefe, mit anderen Worten, Dreiviertel der Botschaft wird in Briefform übermittelt: persönlich, dialogisch, situationsbezogen. Allein Paulus hat mindestens sieben, vielleicht sogar zehn Briefe verfasst. Ein stärkeres Argument, *Briefe zu schreiben*, gibt es nicht. Warum geschieht es dann so selten zwischen Kirchen und Gemeinden? In den zahllosen „Gemeindebriefen" stehen Andachten, Berichte, Einladungen, Termine, aber nur höchst selten wirkliche Briefe. Initiativgruppen können in Briefen ihre Anliegen und Erfahrungen mit anderen austauschen; Bischöfe und Präsides können ihren Gemeinden *Pfingstbriefe* schreiben und sie dabei zu ökumenischem Engagement ermutigen. Einander geistliche Briefe, keine frommen „Ergüsse", zu schreiben, ist eine konziliare Form, die es wieder zu entdecken gilt. Paulus schreibt seine Gemeinde in Korinth: „Ihr seid ein Brief Christi" (2. Korinther 3,3).

Ökumenische Initiativgruppen haben die Chance, Wegweiser zu konziliaren Erfahrungen für innerkirchliche und zwischenkirchliche Gemeindegruppen zu sein. Ihre Gefährdung liegt darin, sich von der kirchlichen Basis zu entfernen und sich mit ihrem eigenen Leben zufrieden zu geben, d. h. eine ökumenische Form von Sektendasein zu entwickeln. Deshalb schreibt ihnen die Kommission für Glauben und Kirchenverfassung schon 1971 aus Löwen ins Stammbuch: „Alle konziliaren Gruppen – lokale, nationale und regionale Räte, konfessionelle Weltbünde oder der Ökumenische Rat selbst – (sollten) dringend aufgefordert werden ..., ihr eigenes Leben und Handeln an dieser Auffassung von echter Konziliarität zu prüfen. Sie sollten erwägen, inwieweit ihr jetziges Leben von echter Konziliarität bestimmt ist, und auch, ob ihr Leben und Handeln dazu beitragen, den Weg für ein ‚wahrhaft ökumenisches Konzil' zu bereiten."[24]

Konziliare Formen leben von Anteil nehmen, Beteiligen, Mitteilen, Verteilen, Teilen. Sie üben ein, dass kein Mensch, keine Gruppe und keine Kirche das Ganze ist, sondern jede und jeder ein Teil davon, der auf Teilen, Beteiligen und Mitteilen angewiesen ist. Nicht ohne Grund ist „sharing" ein Schlüsselwort für konziliares Verhalten.

4 Konziliare Themen

Wenn Christen verbindlich zusammenfinden wollen, brauchen sie eine Verständigung über ihre gemeinsamen Grundlagen. Dabei geht es um inhaltliche Themen und Fragestellungen, mit denen sich die ökumenische Bewegung von Beginn an auseinandergesetzt hat. Die wichtigsten, die hier kurz angesprochen werden sollen, sind: (1) das Evangelium, (2) Umgang mit der Taufe, (3) Glauben und Bekennen, (4) eucharistische Gemeinschaft, (5) gegenseitige Anerkennung, (6) Zeugnis und Dienst und (7) Spiritualität. Das sind Themen, die jeden Christen und jede Kirche angehen. Zugegebenermaßen sind es keine brandneuen Fragestellungen. Aber um aus der Orientierungslosigkeit und den Quisquilien unserer Tage herauszukommen, ist es gerade im Zusammenhang mit dem Reformationsgedenken wichtig, sich auf die wirklich entscheidenden Fragen zu konzentrieren. Nicht der Event, sondern die Beharrlichkeit der Suche nach dem Gemeinsamen wird *im Jahr 2017* maßgebend sein. Ich werde versuchen, diese Themen mehr für die lokale Ebene am Ort und vor Ort anzusprechen als für den universalen Bereich und möchte Beispiele aus eigenen Erfahrungen mit einbringen. Denn es geht darum, den elementaren Themen unseres Christseins heute in konkreter konziliarer Gemeinschaft auf die Spur zu kommen.

4.1 Das eine Evangelium

Damit hat sich bereits die erste Weltkonferenz für Glauben und Kirchenverfassung 1927 in Lausanne befasst und dazu eine damals viel beachtete „Botschaft der Kirche an die Welt" gesandt: „das Evangelium". Weil Jesus Christus „selbst das Evangelium ist, ist das Evangelium als die Botschaft der Kirche an die Welt ... die Gabe der neuen Welt Gottes an diese alte Welt der Sünde und des Todes."[25]

Die Einheitsformulierung von Neu-Delhi 1961 spricht von einer „völlig verpflichteten Gemeinschaft", die „das eine Evangelium verkündigt"[26]. Das geschieht heute am besten im inhaltlichen

Gespräch über der aufgeschlagenen Bibel. *Ernesto Cardenal* hat es mit seinen Bauern in Nicaragua praktiziert und dabei „das Evangelium der Bauern von Solentiname“[27] entdeckt. Es ist eine der Wurzeln für das *„Bibel-Teilen“* geworden, das sich von Lateinamerika und Afrika aus auch in Europa ausgebreitet hat.[28]
Im Gedenken an *Martin Luther*, der wie kaum ein Zweiter seine befreiende Erkenntnis über die Rechtfertigung aus Glauben aus intensivem Studium der Bibel gewonnen hat, liegt es sehr nahe, denselben Weg in ökumenischer Gemeinschaft zu beschreiten. Bibelwochen, Bibelsonntag, die Allianzwoche und Gebetswoche für die Einheit der Christen im Januar oder vor Pfingsten bieten sich dafür an. Im ökumenischen *Kölner Robert-Grosche-Kreis*, der inzwischen seit über 70 (!) Jahren mit wenigen Unterbrechungen regelmäßig monatlich zusammenkommt[29], haben wir beschlossen, anlässlich des Reformationsgedenkens den Galaterbrief des Apostels Paulus miteinander zu besprechen, um der paulinischen „Freiheit eines Christenmenschen“ auf die Spur zu kommen. Ad fontes! – Zu den Quellen! – war das Programm des Humanismus wie der Reformation. Je intensiver man sich mit der Theologie des Paulus befasst, desto mehr kommt man ins Staunen darüber, wie unterschiedlich, vielfältig und kreativ er mit dem einen Evangelium den Juden ein Jude und den Griechen ein Grieche geworden ist. Ähnliche Erfahrungen kann man mit den Evangelien machen, wie sie aus vier ganz unterschiedlichen Perspektiven das eine Evangelium beleuchten. Schließlich gibt der Kanon als ganzer eine enorme Vielfalt von Menschen, Situationen und Schriften zu erkennen, die nur deshalb so groß sein kann, weil sie von der Heilsgeschichte des einen Gottes Israels und Jesu Christi zusammengehalten wird. Es ist das Geheimnis des einen Evangeliums, dass es die vielen Menschen, Konfessionen und Kirchen zusammenbringt, wenn man sich nur darauf einlässt.

4.2 Die eine Taufe

Welche Freude die Taufe hervorrufen kann, habe ich erst 1994 während des Timkat-Festes zur Erinnerung an die Taufe Jesu bei der äthiopisch-orthodoxen Kirche in Addis Abeba kennengelernt. Dort traf man sich am 18. Januar morgens gegen 6:00 Uhr bei dann schon stechender Sonne an einem großen Teichbecken. Nach einer nicht zu kurzen Liturgie warf *Abuna Paulos*, das Oberhaupt der äthiopischen Kirche, sein Kreuz weit ins Wasser hinaus und sofort stürzen sich junge Männer vollständig bekleidet in die Fluten, um in einer Art liturgischem Wettkampf als erste das Kreuz dem Patriarchen wieder zu Füßen zu legen. Dann begann für alle das Taufvergnügen: die einen schwammen jubelnd im Wasser, andere ließen sich mit gefüllten Eimern übergießen und sangen bzw. tanzten dazu. Wir Gäste im Talar bekamen ebenfalls unseren reichlich nassen Anteil. So kann man die Erinnerung an die Taufe Jesu wohl nur in einem afrikanischen Land feiern, das regelmäßig von Dürreperioden heimgesucht wird und wo man die kostbare Frische des Wassers täglich hautnah verspürt.

Nach dem Bericht der Apostelgeschichte (8,39) zog der Kämmerer aus Äthiopien nach seiner Taufe in der Nähe von Gaza ebenfalls „seine Straße fröhlich". Das dürfte weniger mit der Hitze des Südens zu tun gehabt haben, als vielmehr mit dem „Evangelium von Jesus", das *Philippus* ihm verkündete. Hier wird der Zusammenhang von *Evangelium und Taufe* sichtbar: der bedingungslose Zuspruch in Wort und Handlung von Gottes Annahme der Menschen an Kindes Statt. So ist die eine Taufe die sakramentale Seite des einen Evangeliums von der Rechtfertigung unseres Lebens durch Gott. Bei beiden geht es um die Erfahrung von Annahme und Akzeptanz als erstem Zuspruch über einem menschlichen Leben. *Luther* hat in Stunden schwerer Anfechtung auf den Tisch vor sich mit Kreide geschrieben: baptizatus sum – ich bin getauft.

In der ökumenischen Bewegung hat man die Tragweite der Taufe als *Basis-Sakrament* längst wiederentdeckt. Das Ökumenismus-Dekret spricht von einem „sakramentalen Band der Einheit" (vinculum unitatis sacramentale, Z. 22), das die Taufe begründet. Die *Magdeburger Tauferklärung* von 2007 hält fest: „Wer dieses Sakrament empfängt und im Glauben Gottes Liebe bejaht, wird mit Christus und zugleich mit seinem Volk aller Zeiten und Orte vereint." Anschließend wird an die Tauferklärung von Lima 1982 erinnert: „Wir bekennen mit dem Dokument von Lima: Unsere eine Taufe in Christus ist ‚ein Ruf an die Kirchen, ihre Trennungen zu überwinden und ihre Gemeinschaft sichtbar zu manifestieren'"[30]. Diese Erklärung ist von 11 in der ACK zusammengeschlossenen Kirchen, auch von der Orthodoxen Kirche in Deutschland, im Rahmen eines feierlichen Gottesdienstes unterzeichnet worden.

Wie wird diese *ökumenische Tragweite* der einen Taufe nun sichtbar? Es gibt dazu drei Möglichkeiten: bei der Vorbereitung, bei der Feier und in der Nachbereitung der Taufe. Im Vorfeld von Taufen können verschiedene Ortsgemeinden sich zusammentun und den Tauffamilien samt anderen Interessierten Tauftermine und dazu *Taufvorbereitungskurse* an mehreren Abenden oder an einem Wochenende anbieten. Dabei können die Beteiligten ihre Erfahrungen und Hoffnungen zum Ausdruck bringen, unterschiedliche Akzentsetzungen der Kirchen kennenlernen und vor allem die Gemeinschaft stiftende Kraft der einen Taufe zu spüren bekommen.

Eine solche gemeinschaftliche Vorbereitung kommt in aller Regel auch der *Tauffeier* zugute. Gerade bei konfessionellen Taufgottesdiensten ist es besonders wichtig, die ökumenische Dimension der einen Taufe deutlich werden zu lassen. Das beginnt heute meist mit der konfessionell unterschiedlichen Zusammensetzung von Tauffamilien, die man positiv aufnehmen kann. Die Beteiligung zumindest einer/eines Vertreters/Vertreterin aus der konfessionsverschiedenen Nachbargemeinde mit einem Grußwort, einer Lesung, einem Gebet oder einem Geschenk sollte bei keiner konfessionellen Tauffeier fehlen. Wichtig ist, dass der/die Taufende bei der Taufhandlung klar ausspricht, dass der Täufling in und durch die eigene Gemeinde und Kirche mit der weltweiten Gemeinschaft aller Getauften „zu allen Zeiten und an allen Orten" sakramental verbunden wird. Die Reduzierung der Taufe auf die eigene Konfession und die Banalisierung der Taufbedeutung auf ein nettes Familienritual sind schwer erträglich. Sie widersprechen der Tiefe und Fülle neutestamentlicher, besonders paulinische Taufverheißungen. Auf diese Weise betrügt man Täuflinge und Tauffamilien um das reiche Geschenk und die ökumenische Kraft der Taufe.

Viele von diesen konfessionellen Verengungen werden bei *ökumenischen Taufgottesdiensten* überwunden. Vertreter beider Gemeinden gestalten die Liturgie gemeinsam. Die Täuflinge werden jeweils von dem Pfarrer der Gemeinde getauft, in der die Tauffamilie beheimatet ist. Solche ökumenische Taufgottesdienste, wie sie etwa im Archezentrum von Neckargemünd-Wiesenbacher Tal monatlich sonntags morgens um 10:00 Uhr gefeiert werden, tragen enorm zum konziliaren Bewusstsein bei und erhöhen die Freude am gemeinsamen Zusammenleben als getaufte Christen an einem Ort. Man kann den Vollzug der Taufe auch mit einer gemeinsam verwendeten, ökumenisch gestalteten Taufurkunde bezeugen.
Zur ökumenischen Nachbereitung von Taufen bieten sich Tauferinnerungsfeste für Täuflinge und Tauffamilien eines Jahres ebenso an wie regelmäßige *Taufgedächtnisgottesdienste* zu gegebenen Anlässen oder Taufbeckenwege zu Tauforten der Umgebung. Wenn und wo es um die sichtbare Gestalt konziliarer Gemeinschaft am Ort geht, dann und dort bietet die Rückbesinnung auf die eine, allen Christen gemeinsame Taufe dazu vielfältige Gelegenheiten.[31] In Köln ist kürzlich das *Baptisterium* aus dem 6. frühchristlichen Jahrhundert unterhalb des Domes wieder eröffnet worden. Es ist eine einmalige Einladung an alle Christen, sich ihren Ursprung in der einen Taufe zu vergegenwärtigen.

4.3 Der eine Glaube

Ohne eine gemeinsame Verständigung darüber, was Christen im Innersten verbindet, ist eine konziliare Gemeinschaft nicht denkbar. Die Verfassung des Ökumenischen Rates spricht von „sichtbarer Einheit in dem einen Glauben und der einen eucharistischen Gemeinschaft“[32]. In den Einheitserklärungen von Neu-Delhi 1961, Nairobi 1975 und Canberra 1991 ist immer wieder bei der Beschreibung der konziliaren Gemeinschaft, die wir suchen und auf die wir zugehen, an prominenter Stelle von dem „einen apostolischen Glauben“ die Rede. Gesucht wird der Wir-Glaube, der alle Christen verbindet, nicht der Ich-Glaube, der nur meine eigene Glaubensüberzeugung zum Ausdruck bringt. Wo und wie findet der eine gemeinsame Glaube seinen hör- und sichtbaren Ausdruck? Der Ökumenische Rat hat darauf eine erste Antwort schon 1948 mit seiner *Basis*-Formulierung gegeben.[33] Diese erste neuere ökumenische Zusammenfassung des christlichen Glaubens bekennt sich zur Gemeinschaft (fellowship) der Kirchen, zu Christus als Gott und Heiland, zu Berufung und Sendung seines Volkes und mündet in eine trinitarische Doxologie.[34] Wir haben hier eine erste ökumenische „Kurzformel des Glaubens" vor uns.

Sehr viel ausführlicher entfaltet *„Eine gemeinsame Rechenschaft von der Hoffnung"* den Glauben, wie ihn die Kommission für Glauben und Kirchenverfassung 1978 im indischen Bangalore verstanden hat. Sie ist bekannt geworden mit ihrer Formulierung: „Christliche Hoffnung ist eine Widerstandsbewegung gegen den Fatalismus."[35] Diese Rechenschaft ist einer der überzeugendsten Texte, mit denen die moderne ökumenische Bewegung den gemeinsamen Glauben bisher zur Sprache gebracht hat. Er eignet sich gut für Gespräche über die Hoffnung, die in uns ist (1. Petrus 3,15), ist aber bei weitem zu ausführlich, um im Gottesdienst Verwendung zu finden.

Mit welchen Worten können alle Christen in konziliarer Gemeinschaft heute den einen Glauben bekennen? Das *Apostolische Glaubensbekenntnis* kann das nicht leisten, denn es ist in der orthodoxen Welt vollkommen unbekannt. Wer es als Bekenntnis der ganzen Christenheit auf Erden bezeichnet, gibt damit nur seine ökumenische Unkenntnis zu erkennen. Deshalb hat die Kommission für Glauben und Kirchenverfassung bei ihrem Projekt zum apostolischen Glauben heute auf das Bekenntnis des Zweiten Ökumenischen Konzils 381 in Konstantinopel zurückgegriffen, denn es ist „einer der wenigen Fäden, mit denen die zerrissenen Fetzen des geteilten Rockes der Christenheit noch zusammengehalten werden"[36]. Es ist bis heute das einzige Bekenntnis, das in der orthodoxen, katholischen und reformatorischen Tradition beheimatet ist, wenn auch in recht unterschiedlichem Maße. Deshalb wird es auch *„das Ökumenische Bekenntnis von 381"* genannt. Außerdem hat es – im Unterschied zum Apostolikum – die Autorität eines ökumenischen Konzils hinter sich.

Was zeichnet dieses Bekenntnis von 381 theologisch aus? Es unterstreicht die Einheit des dreieinigen Gottes und seines Volkes: *Ein* Gott – *ein* Herr – *eine* Kirche – *eine* Taufe! Es setzt im Bekenntnis zu Jesus Christus die charakteristischen Für-Akzente: „Für uns Menschen und zu unserem Heil ..." Es sprudelt über mit Lobpreisungen des Heiligen Geistes, „der Herr ist und lebendig macht, der aus dem Vater hervorgeht, der mit dem Vater und dem Sohn angebetet und verherrlicht wird, der gesprochen hat durch die Propheten."[37] Dass in den Kirchen der Reformation viel von Christus, aber wenig vom Heiligen Geist gesprochen und bekannt wird, hat auch damit zu tun, dass bei ihnen dieses Ökumenische Bekenntnis von 381 bis heute ausgesprochen stiefmütterlich behandelt wird.
Was ist zu tun, um den einen Glauben besser als bisher zum Ausdruck zu bringen? Zunächst mache ich im Blick auf das Bekenntnis von Nizäa-Konstantinopel drei Vorschläge:

1. Es lohnt, sich mit der *Frage*: „Was glauben wir eigentlich gemeinsam?", anhand dieses Bekenntnisses zu ökumenischen Gesprächen zusammenzusetzen.[38]
2. Um das Bekenntnis mit denselben Worten wie die orthodoxe Christenheit zu sprechen, empfiehlt der Ökumenische Rat, zu seinem *ursprünglichen* altkirchlichen Wortlaut ohne die späteren westkirchlichen Zusätze bzw. Entstellungen zurückzukehren.[39] Das betrifft vor allem die Filioque-Formulierung – „und dem Sohn" – im Dritten Glaubensartikel.
3. Damit das Ökumenische Bekenntnis von 381 wieder stärker in evangelischen und katholischen Gottesdiensten *liturgisch beheimatet* und damit der eine apostolische Glaube hörbar bekannt wird, sollte es in jedem Abendmahlsgottesdienst bzw. in jeder Eucharistiefeier als Ausdruck weltweiter konziliarer Gemeinschaft verwendet werden.

Damit ist die Frage nach dem *heute angemessenen Ausdruck* des einen apostolischen Glaubens durchaus noch nicht erschöpfend beantwortet. Es gibt inzwischen eine Fülle kontextbezogener Bekenntnisse auf allen Kontinenten, die den Christen helfen, mit ihren eigenen Worten ihren eigenen Glauben zur Sprache zu bringen.[40] Sie sind ein notwendiger Kontrapunkt und eine wichtige Ergänzung zu dem Bekenntnis von 381. Sie helfen zur eigenen Sprachfähigkeit des Glaubens. Aber wir sind in der ökumenischen Bewegung noch nicht so weit gekommen, ein neues Bekenntnis für *alle* Christen zu formulieren. Das wäre letztlich die Aufgabe und das Privileg eines künftigen wahrhaft ökumenischen Konzils. Je mehr wir uns jedoch mit der Frage befassen: „Zu welchem Gott bekennen wir uns heute?“, desto näher kommen wir unserem gemeinsamen Glauben an Vater, Sohn und Heiligen Geist.

4.4 Die eine eucharistische Gemeinschaft

Für viele Menschen steht die Frage nach der Abendmahls- bzw. Eucharistie-Gemeinschaft im *Mittelpunkt* ihres ökumenischen Interesses. Das ist durchaus verständlich: Denn einerseits betonen katholische und orthodoxe Kirchen immer wieder, dass die Eucharistie im Zentrum des christlichen Lebens steht, und in den evangelischen Kirchen ist es – Gott sei Dank! – in den vergangenen Jahrzehnten zu einer Wiederentdeckung und Neubelebung des Abendmahls gekommen. Andererseits ist es umso schmerzlicher, wenn Christen verschiedener Konfessionen im Gottesdienst erfahren müssen, nicht gemeinsam an den Tisch des Herrn treten zu können. Bei der Feier des Abendmahls bzw. der Eucharistie wird die Gemeinschaft mit Christus und miteinander am stärksten erfahren und auch die Trennung am tiefsten erlitten.
Zwei Erfahrungen: Bei ökumenischen Einkehrtagen mit Abiturienten kam es zu einem schweren Konflikt in der Gruppe, dessen Aufarbeitung Stunden in Anspruch nahm. In diesem Prozess baten die Schüler ihrerseits um ein positives Gegenzeichen mit einer gemeinsamen Eucharistiefeier. Ich vergesse nicht den ergreifenden Geist und die strahlenden Gesichter in diesem Gottesdienst vor fast 40 Jahren, in dem wir erstmals gemeinsam die Kommunion empfingen und der katholische Pfarrer mir und anschließend ich ihm die Abendmahlsgaben reichte. Ebenfalls habe ich die Erinnerung an eine der schmerzvollsten öku-

menischen Erfahrungen behalten, als wir während der 7. Vollversammlung des Ökumenischen Rates im australischen Canberra die Lima-Liturgie feierten und ständig die Gesänge der nebenan zur gleichen Zeit gefeierten Göttlichen Liturgie unserer orthodoxen Geschwister hörten.

Wir haben schon vor über 50 Jahren vom Zweiten Vatikanischen Konzil gelernt, dass durch „das wunderbare Sakrament der Eucharistie ... die Einheit der Kirche bezeichnet und bewirkt wird (significatur et efficitur)“[41], sie also sowohl Zeichen als auch Instrument auf dem Weg zur Einheit der Christen ist. Wir haben verstanden, was von evangelischer Seite immer wieder betont wird, dass nicht die Kirche oder gar ein/e Pfarrer/in, sondern der auferstandene Christus Herr und Gastgeber des Mahles ist, dessen Einladung Christen folgen und sie weitergeben sollen.[42] Vor allem besitzen wir das Geschenk der einzigartigen *Lima-Erklärung* zur Eucharistie von 1982, die alle anwesenden Mitglieder der Kommission für Glauben und Kirchenverfassung, also auch die katholischen und orthodoxen, einstimmig verabschiedet haben. Sie entfaltet die Bedeutung der Eucharistie theologisch als „Danksagung an den Vater“, christologisch als „Gedächtnis Christi“, pneumatologisch als „Anrufung des Geistes“, ekklesiologisch als „Gemeinschaft der Gläubigen“ und eschatologisch als „Mahl des Gottesreiches.“[43] Sie hat nach 35 Jahren nichts von ihrer ökumenischen Aktualität verloren: Sie lädt zum gemeinsamen Studieren und entsprechenden Handeln ein.

Was können *Gemeinden und Kirchen* nun dazu beitragen, dass nach der theologischen Aufarbeitung der kirchentrennenden Fragen auch die Gemeinschaft bei der Feier des Mahles besser als bisher erfahren werden kann? Die Lima-Erklärung sagt dazu: „Der beste Weg zur Einheit in der eucharistischen Feier und Gemeinschaft ist die Erneuerung der Eucharistie selbst in Bezug auf Lehre und Liturgie in den verschiedenen Kirchen.“[44] Ich mache dazu für evangelische und katholische Gemeinden jeweils drei Vorschläge.[45]

Eine Generation nach Lima sollte es auch in jeder *evangelischen* Abendmahlsfeier selbstverständlich geworden sein, die Liturgie im trinitarischen Dreischritt von Dank an den Vater, Vergegen-

wärtigung des Sohnes und Anrufung des Geistes zu feiern.[46] Eine Liturgie ohne Anrufung des Geistes offenbart ein erhebliches Defizit in der Feier und der Auswirkung des Abendmahls. Der sorglose bis nachlässige Umgang mit den Abendmahlselementen während und nach der Feier erregt immer wieder Ärgernis und verletzt manchen katholischen Christen. Die evangelische Abendmahlsfeier kann durch die Einführung des Friedensgrußes erheblich an persönlicher Zuwendung und Gemeinschaftserfahrung gewinnen. Wenn evangelischen Gemeinden ernsthaft an Abendmahlsgemeinschaft mit katholischen Christen gelegen ist, gewinnen sie an Glaubwürdigkeit, indem sie zuerst in der Gestaltung ihrer *eigenen* Abendmahlsgottesdienste dazu beitragen, dass katholische Christen das Mahl Jesu Christi wiedererkennen können. Hier kann jede/-r Pfarrer/-in und jede Gemeinde in jeder Abendmahlsfeier das Ihre zur konziliaren Annäherung im Zentrum des sonntäglichen Gottesdienstes beitragen!
Katholische Eucharistiefeiern können die Gleichrangigkeit von Wortverkündigung und Sakramentsfeier mit evangelischen Predigten – und Predigern? – deutlich machen. Sie können die Kommunion am Altar gemeinschaftlicher gestalten, indem sie statt der Wandelprozession in kleineren oder größeren Kreisen um den Altar herum mit mehreren Helfern ausgeteilt wird. Nicht-katholische Teilnehmende sollten in ihrer Gewissensentscheidung respektiert werden oder zumindest ein Segenswort mit Handauflegung empfangen, aber auf keinen Fall zurückgewiesen werden.
Es gibt aber auch *nicht-sakramentale* Umgangsweisen mit Brot und Wein, durch die in beiden Kirchen die Sensibilität für beide Grundelemente unseres Lebens geweckt und entwickelt werden kann. Bevor eucharistische Gastfreundschaft in unseren Gottesdiensten zur Regel werden kann, müssen unsere Gemeinden ein Klima umfassender Gastlichkeit entwickeln. Dazu gehören ökumenische Feiern von festlichen Mahlzeiten ebenso wie gemeinsame Fastenspeisen in den Fastenzeiten. In der heutigen Wohlstandszeit ist es wichtig, mit Konfirmanden und Firmanden auf Freizeiten das Teilen von Brot, Mahlzeiten und anderen Lebensmitteln gezielt einzuüben, damit sie das Teilen

als Grundvollzug des Christseins zu praktizieren lernen. Vor allem möchte ich auf die schönen Formen ökumenischer *Agape-Feiern* hinweisen, bei denen Brot und Wein in nicht-sakramentaler, aber nichtsdestoweniger sehr eindrucksvoller Weise untereinander geteilt werden.[47]
Um in der konziliaren Gemeinschaft am Tisch des Herrn einen Schritt weiter zu kommen, brauchen wir die Einübung solcher vor-sakramentaler Gemeinschaftsformen, damit wir im alltäglichen Miteinander und im Gottesdienst gemeinschaftsfähiger werden. Wir brauchen insgesamt eine *ökumenische Kultur der Gastfreundschaft*, die beim (Kirchen-)Türöffnen beginnt und bis zum Umarmen beim Friedensgruß reicht. Denn wenn wir eines Tages wieder einmal zur konziliaren Gemeinschaft in der Eucharistie kommen wollen, dann muss deutlich werden, dass beide Seiten etwas voneinander und miteinander im alltäglichen und sakramentalen Umgang mit Brot und Wein gelernt haben. Die *ökumenische Abendmahlsfeier* macht schon jetzt deutlich – wo und wenn sie möglich ist – und muss immer deutlicher werden lassen, dass sie mehr beinhaltet und bedeutet als die Rückkehr zu der einen oder anderen konfessionellen Form der Feier. Wer im Jahr des Reformationsgedenkens 2017 in der konziliaren Gemeinschaft am Tisch Jesu Christi einen Schritt vorwärts kommen will, der muss heute mit seiner Gemeinde diesen gegenseitigen Lernprozess beginnen. Billiger, einfacher und schneller ist eucharistische Gastfreundschaft nicht zu gewinnen!

4.5 Die gegenseitige Anerkennung

Es gibt keine konziliare Gemeinschaft von Kirchen und Gemeinden ohne gegenseitige Anerkennung als *Glieder des einen Leibes Christi*. Es ist merkwürdig, wie schwer sich einzelne Christen, Gemeinden und Kirchen damit tun, einander als gleichrangig anzuerkennen und sich entsprechend zu verhalten. Das ist umso unverständlicher, je mehr sich Christen auf die Rechtfertigung beziehen, unsere bedingungslose Annahme durch Gott in Jesu Namen. Paulus folgert daraus: „Nehmt einander an, wie

Christus euch angenommen hat zu Gottes Lob“ (Römer 15,7). Man kann zuweilen den Eindruck gewinnen, dass trotz der Gemeinsamen Erklärung zur Rechtfertigungslehre von 1999 evangelische wie katholische Christen nicht wirklich erfasst haben, was *Rechtfertigung* bedeutet und erst recht nicht, was aus ihr folgt. Bei Paulus kann man lernen, wie er vom Ansatz unserer voraussetzungslosen Akzeptanz durch Gott Folgerungen für das Zusammenleben von Christen ableitet: zwischen Juden und Heiden in Antiochia, verschiedenen Gruppen in Korinth, Starken und Schwachen in Rom. Besonders wichtig ist ihm seine eigene Anerkennung durch die Jerusalemer Säulen bzw. Autoritäten als gleichrangiger Apostel: *„Und da sie die Gnade erkannten, die mir gegeben war, gaben Jakobus und Kephas (Petrus) und Johannes, die als Säulen angesehen werden, mir und Barnabas die rechte Hand und wurden mit uns eins, dass wir unter den Heiden, sie aber unter den Juden predigen sollten; nur dass wir an die Armen dächten, was ich mich eifrig bemüht habe zu tun“* (Galater 2,9 f). Hier wird eine offizielle Anerkennung der jeweiligen Berufung als Apostel vollzogen mit handfesten sozialen und finanziellen Auswirkungen: Fürsorge und Geldsammlungen für die Armen in Jerusalem als Ausdruck konziliarer Gemeinschaft von Christen ganz unterschiedlicher Herkunft und Berufung.

Die Einheitserklärungen von Neu-Delhi 1961, Nairobi 1975 und Canberra 1991 sprechen jeweils von der Anerkennung der Glieder unterschiedlicher Kirchen sowie deren geistlicher bzw. ordinierter Ämter. Denn das ganze Volk Gottes ist dazu berufen, wie es in der Amtserklärung von Lima heißt[48], „das Reich Gottes zu verkünden und vorweg darzustellen“. *Luther* begründete seinen Ansatz beim allgemeinen Priestertum aller Glaubenden in seiner plastischen und drastischen Sprache mit der Taufe: „Denn was aus der Taufe gekrochen ist, das kann sich rühmen, dass es schon zum Priester, Bischof und Papst geweiht sei, obwohl es nicht jedem ziemt, solches Amt auszuüben.“[49] Der von Lima empfohlene Ausgangspunkt bei der Berufung des *ganzen Volkes Gottes* führt zu der ersten Konsequenz, dass Christen verschiedener Kirchen einander grundsätzlich nicht von der Teilnahme des einen am Gottesdienst der anderen Kirche ausschließen dürfen, sondern einander einladen und willkommen heißen, wie das in vielen Kirchen Englands mit einem großen Welcome-Schild am Eingang signalisiert wird. Man merkt es oft schon an der Kirchentür, ob man willkommen ist oder nicht: Your door is preaching for you!

Warum tun sich die Kirchen so schwer damit, ihre *ordinierten Ämter* gegenseitig anzuerkennen? Schon die Tatsache, wie lange und ausführlich sie sich seit Jahrzehnten mit dieser Frage befassen, sodass sie von vielen als ungelöste „Schlüsselfrage" der ökumenischen Bewegung angesehen und bezeichnet wird, gibt zu erkennen, wie sehr diese Kirchen mit sich selbst und mit ihren eigenen Strukturen beschäftigt sind. *Lima* hat dazu schon eine bahnbrechende Unterscheidung zwischen apostolischer Tradition und apostolischer Sukzession getroffen und damit einen Lösungsweg gewiesen, den die evangelische und katholische Kirche nach über 30 Jahren immer noch nicht beschritten haben: „Apostolische Tradition *in der Kirche bedeutet Kontinuität in den bleibenden Merkmalen der Kirche der Apostel: Bezeugung des apostolischen Glaubens, Verkündigung und neue Interpretation des Evangeliums, Feier der Taufe und der Eucharistie, Weitergabe der Amtsverantwortung, Gemeinschaft in Gebet, Liebe, Freude und Leiden, Dienst an den Kranken und Bedürftigen, Einheit unter den Ortskirchen und gemeinsame Teilhabe an den Gaben, die der Herr jeder geschenkt hat … Innerhalb dieser apostolischen Tradition besteht eine* apostolische Sukzession *des Amtes, die der Kontinuität der Kirche in ihrem Leben in Christus und ihrer Treue zu den von den Aposteln weitergegebenen Worten und Taten Jesu dient … Es sollte deshalb ein Unterschied zwischen der apostolischen Tradition der ganzen Kirche und der Sukzession des apostolischen Amtes gemacht werden …. Kirchen, die die Sukzession durch das Bischofsamt praktizieren, erkennen zunehmend an, dass eine Kontinuität im apostolischen Glauben, Gottesdienst und in der Sendung bewahrt ist in Kirchen, die nicht die Form des historischen Bischofsamtes beibehalten haben."*[50]

Da es also durchaus theologische Lösungswege gibt, dass und wie Kirchen ihre Ämter gegenseitig anerkennen können, muss man die Frage aufwerfen, warum sie es nicht tun und nicht schon längst getan haben. Je länger diese gegenseitige Anerkennung auf sich warten lässt, desto stärker drängt sich der Eindruck auf, dass es keine theologischen Gründe sind, sondern es um handfeste Machtfragen innerhalb und zwischen den Kirchen geht und dass ihnen letztlich der Wille zur gegenseitigen Anerkennung fehlt. Wie eifersüchtig viele Pfarrer/-innen, Superintendenten/-innen bzw. Dechanten und Bischöfe bzw. Präsides auf ihre Privilegien bedacht sind, ist nicht erst seit gestern ein notvolles Thema. Konziliares Denken und Handeln lebt demgegenüber von gegenseitiger Akzeptanz auf gleicher Augenhöhe.

Was können Gemeindeglieder und ordinierte Amtsträger dazu beitragen, dass es an der *Basis* unserer Kirchen, wenn schon nicht auf der kirchenleitenden Ebene, zu mehr erfahrener gegenseitiger Anerkennung kommt? Es beginnt mit ökumenischen *Konveniats*, zu denen Amtsträger und Mitarbeitende verschiedener Gemeinden zusammenkommen, um miteinander über einen Bibeltext, über wichtige theologische Fragen und Entwicklungen ebenso zu sprechen wie über konkrete ökumenische Kooperationen. Ein Konveniat ist etwas anderes als eine Dienstbesprechung. Man kann zumindest einen jährlichen Besinnungstag miteinander verabreden und *Pfarrkonvente* könnten sich beispielsweise in der Woche vor Pfingsten mit ihren Amtsbrüdern des entsprechenden *Dekanates* treffen. Sich zu Ordinationen, Amtseinführungen, Priesterjubiläen u. a. m. gegenseitig einzuladen und bei diesen kirchlichen Handlungen mit oft großer Gemeindebeteiligung Präsenz zu zeigen und in Amtskleidung daran aktiv teilzunehmen, ist ein starkes, bewusstseinsförderndes Zeichen gegenseitiger Anerkennung unterhalb der sakramentalen Ebene.

Man kann einen *Kanzel- und Predigttausch* zu bestimmten Anlässen regelmäßig vereinbaren und ihn auch am Sonntagvormittag versuchen. Wo steht geschrieben, dass ökumenische Gottesdienste nur morgens um 8.00 Uhr oder abends ab 18.00 Uhr stattfinden dürfen? Der frühere rheinische Präses *Peter Beier* besaß den Mut, in ökumenischen Dingen kleine Regelverletzungen zu empfehlen, wenn man auf anderem Wege nicht weiter kommt. Gegenseitige Anerkennung ist kein Thema für kirchliche

Verordnungen und den Codex Iuris Canonici (CIC). Wer sich nur daran orientiert, hat schon verloren, bevor er begonnen hat. Schließlich kann man im kulturellen und politischen Bereich gemeinsam für Gemeinden, z. B. Kindergärten, und für die Bevölkerung am Ort, z. B. Bürgerhäuser, in gemeinsamem Auftreten, Eintreten und Fürsprechen meist mehr erreichen statt als Einzelkämpfer. Dass alle diese Möglichkeiten, soweit ich sehen kann, heutzutage nur selten ergriffen werden, gibt Ermüdungserscheinungen und Überforderungen in großen Teilen der Pfarrer- und Priesterschaft zu erkennen. Es lässt aber auch auf eine bestürzende theologische Verflachung, gemeindliche Phantasielosigkeit und auf ökumenisches Desinteresse aneinander schließen. Nicht eine einzige Verordnung irgendeiner Kirche gibt es, die gegen solche Initiativen spräche! Aber es sind oft die Strukturen und der vorherrschende Geist in unseren Kirchen, die dagegen stehen.
Als jemand, der sich seit über 40 Jahren in der ökumenischen (Kärrner-)Arbeit vor Ort engagiert hat, erlaube ich mir die Bemerkung, dass die ökumenische Dimension des Christseins bei einem Großteil der Gemeinden und ihrer Pfarrer/-innen zwar gesehen wird und bekannt ist, aber nicht (mehr) innerlich aufgenommen, verarbeitet und umgesetzt wird. Die dritte Weltkonferenz für Glauben und Kirchenverfassung hatte schon 1952 in Lund in ihrem „Wort an die Kirchen“ dazu aufgerufen: „Sollten unsere Kirchen sich nicht fragen, ... ob sie nicht in allen Dingen gemeinsam handeln müssten, abgesehen von solchen, in denen tiefe Unterschiede der Überzeugung sie zwingen, für sich allein zu handeln?“[51] Das daraus entwickelte *konziliare Gemeindemodell* ist an der Basis unserer Kirchen weitestgehend unbekannt, geschweige denn umgesetzt. So wird die konziliare Zukunft unserer Kirchen verschlafen und verspielt. Und unsere Gemeinden werden um ihre konziliaren Chancen gebracht.

4.6 Gemeinsames Zeugnis und gemeinsamer Dienst

Konziliare Gemeinschaft von Kirchen und Gemeinden ist kein Selbstzweck, sondern von Anfang an auf *Welt und Schöpfung* bezogen. Christen sollen Gottes in Christus nahe gekommenes

Reich verkünden, darstellen und vor der Welt bezeugen. Je mehr sie das in konziliarer Gemeinschaft tun, desto überzeugender wird ihr Zeugnis sein. Schon Neu-Delhi spricht 1961 von einem gemeinsamen Leben der „völlig verpflichtete Gemeinschaft ..., das sich in Zeugnis und Dienst an alle wendet“[52]. Nairobi greift das Thema 1975 auf, indem es den „gemeinsamen Auftrag“ der Ortskirchen benennt, „das Evangelium von Christus in ihrer Verkündigung und in ihrem Dienst in der Welt und vor der Welt zu bekennen“[53]. Canberra geht 1991 noch einen Schritt weiter und spricht von einer „gemeinsamen Sendung, in der allen Menschen das Evangelium von Gottes Gnade bezeugt und der ganzen Schöpfung gedient wird“. Es geht um ein „Zusammenwirken in Gottesdienst und Zeugnis, Beratung und Handeln.“[54]

Schon Uppsala besaß 1968 die Kühnheit, die Einheit der Kirche mit der Einheit der Menschheit in Verbindung zu bringen: „Die Kirche wagt es, von sich selbst als dem Zeichen der zukünftigen Einheit der Menschheit zu sprechen.“[55] Diese zweifellos sehr gewagte Behauptung wäre missverstanden, wenn man sie im Sinne früherer triumphalistischer oder gar imperialistischer Vorstellungen und Praktiken verstünde. Vielmehr ist damit in Blick genommen, „Entstellungen des Menschseins im Leben der Menschheit“[56], die auch in den Kirchen anzutreffen sind, solidarisch an- und aufzunehmen und Heilungswege für sie zu suchen und zu finden, die ein zeichenhafte Modell für die Menschheit sein können.

Um welche *Bereiche* handelt es sich dabei? Früher als viele Politiker haben die im Ökumenischen Rat verbundenen Kirchen den *Rassismus* in allen seinen Formen, besonders zwischen Weißen und Schwarzen, als „Leugnung der Katholizität“ erkannt und ihm mit dem ökumenischen „Programm zur Bekämpfung des Rassismus“ entgegengewirkt. In Deutschland haben die Auseinandersetzungen darüber in den Synoden evangelischer Kirchen besonders hohe Wellen geschlagen und bei manchen zu zeitweiliger selbstgewählter Suspendierung ihrer Mitgliedschaft im Ökumenischen Rat geführt. Demgegenüber hat sich *Nelson Mandela*, der nach 27-jähriger Haft erster schwarzer Staatspräsident Südafrikas wurde, 1998 in Harare persönlich bei

den Mitgliedern der Achten Vollversammlung für die Unterstützung des Ökumenischen Rates im Kampf gegen Rassismus bedankt.
Ein weiteres Feld für christliches Zeugnis ist die Gemeinschaft von *Frauen und Männern* in der Kirche, zu der als erste die Kommission für Glauben und Kirchenverfassung in den Jahren 1978-1981 eine Studie durchgeführt hat, die mit einer Weltkonferenz in Sheffield/GB zum Abschluss kam.[57] Ein Jahrzehnt später hat der Ökumenische Rat die Dekade „Kirchen in Solidarität mit den Frauen" ausgerufen, die erheblich zu Bewusstseinsveränderungen und zu wesentlich mehr Beteiligung von Frauen in verantwortlichen kirchlichen Stellungen beigetragen hat. Unvergessen ist die Fraueninitiative: „Kauft keine Früchte der Apartheid!" Seit Busan 2013 wird das Leitungsorgan des Ökumenischen Rates der Kirchen, der Zentralausschuss, erstmals von einer Frau, der Kenianerin und Anglikanerin Dr. *Agnes Abuom*, geleitet.
Als drittes Gebiet eines christlich-konziliaren Dienstes an der Welt nenne ich die *Friedensmissionen* des Ökumenischen Rates. Seit seiner Gründung hatte er sich gegen Krieg und für Gewaltfreiheit eingesetzt. Bis heute ist sein erstes prophetisches Wort dazu von Amsterdam 1948 in Erinnerung geblieben und behält noch immer seine Gültigkeit: „Krieg soll nach Gottes Willen nicht sein. Die Rolle, die der Krieg im heutigen internationalen Leben spielt, ist Sünde wider Gott und eine Entwürdigung des Menschen."[58] In den fünfziger und sechziger Jahren kam es bei den berühmten Puidoux-Konferenzen in der Nähe von Lausanne erstmals zu intensiven Auseinandersetzungen über Fragen von Krieg und Frieden zwischen den historischen Friedenskirchen der Mennoniten, Freunde und Brüder und den europäischen Mehrheitskirchen.[59] Auf Initiative des mennonitischen Theologen *Ferdinando Enns* hat der Ökumenische Rat zu Beginn des neuen Jahrtausends dann eine programmatische „Dekade zur Überwindung von Gewalt" ausgerufen, die mit einer „Friedenskonvokation" in Jamaika im Jahr 2011 ihren Höhepunkt erreichte. In Busan 2013 ist dann die traditionelle Lehre vom Gerechten Krieg durch eine *„Erklärung über den Weg des Gerechten Friedens"* abgelöst worden. Sie beginnt unter der Über-

schrift „Gemeinsam glauben wir“ mit dem ersten trinitarischen Glaubenszeugnis zum Frieden in der Geschichte der ökumenischen Bewegung. Es hat eine vierteilige Struktur:

„Gemeinsam glauben wir an Gott, den Schöpfer allen Lebens.
Gemeinsam glauben wir an Jesus Christus, den Friede-Fürst.
Gemeinsam glauben wir an den Heiligen Geist, den Geber und Erhalter allen Lebens.
Gemeinsam glauben wir, dass die Kirche zur Einheit berufen ist.“

Dort steht zu lesen: wir erkennen „Gerechtigkeit und Frieden als Verheißung ebenso wie als Gabe – als Hoffnung für die Zukunft und als Geschenk im Hier und Jetzt. Daher bekräftigen wir, dass Kirchen gerechte und friedliche Gemeinschaften sein sollten, die versöhnt sind mit anderen Kirchen.“[60]
Was können nun Kirchen und *Gemeinden vor Ort* zum konziliaren Zeugnis und Dienst für und an ihrer (Um-)Welt beitragen? „Ihr habt allezeit *Arme* bei euch, und wenn ihr wollt, könnt ihr ihnen Gutes tun“, sagt Jesus zu seinen Nachfolgern (Markus 14,7). Ob es Kleiderkammern, Wärmestuben oder Suppenküchen sind: Sie gehören zum Dienst von Gemeinden an Bedürftigen, ohne nach Konfession, Religion, Herkunft oder Hautfarbe zu fragen. Eine meiner ersten ökumenischen Erfahrungen bestand darin, als Grundschüler in Düsseldorf täglich eine warme Suppe in der Schule zu erhalten – die Quäkerspeisung nach dem Zweiten Weltkrieg, die unseren ständigen Hunger zu lindern half.
Seit Jahrzehnten leben *Ausländer* in unserem Land. Sie in christlichen Gemeinden willkommen zu heißen, sollte eine Selbstverständlichkeit sein – ist es aber nicht! Warum tun sich viele einheimische Kirchengemeinden so schwer damit, afrikanische oder andere christliche Gemeinden anderer Herkunft und Sprache bei sich aufzunehmen und eine Beziehung zu ihnen aufzubauen? Das konziliare Bewusstsein und ihm entsprechende Handeln, denselben Glauben zu teilen und demselben Gott, Christus und Heiligen Geist anzugehören, sind häufig nur erschütternd kümmerlich entwickelt. Da verlangen deutsche Kir-

chengemeinden von ausländischen Christen, die in ihrer Kirche Gottesdienst feiern oder sich zu Bibelstudium und Gebet treffen wollen, Benutzungsgebühren, als ob es sich um eine Karnevalsgesellschaft handelte, die man nach Belieben zur Kasse bitten dürfte! In Köln ist es mir zusammen mit anderen nicht gelungen, die unmittelbar am Hauptbahnhof gelegene Kreuzkirche als Ort der Begegnung für ausländische Christen und Gemeinden zu erhalten: Sie wurde verkauft und ist heute eine beliebte und wirtschaftlich gut arbeitende Jugendherberge. *Gastfreundschaft* Fremden und Flüchtlingen zu schenken, gehört zu den ältesten christlichen Verhaltensweisen in neutestamentlicher Zeit: „Gastfrei zu sein, vergesst nicht; denn dadurch haben einige ohne ihr Wissen Engel beherbergt" (Hebräer 13,2). Angesichts zunehmender Ablehnung bis hin zu offenem Hass gegenüber Fremden, Ausländern und Migranten in jüngerer Zeit ist es besonders wichtig, dass christliche Gemeinden sich ihrerseits zusammenschließen und Gegenzeichen setzen: in ihren Gemeindehäusern, in Privatwohnungen und wenn nötig durch Demonstrationen auf der Straße. Die Welcome-Cafés und andere Hilfsmaßnahmen, die im Zuge der jüngsten Flüchtlingswelle 2015/16 an vielen Orten entstanden sind, lassen auf weitere konziliare Aktionen vor Ort hoffen.

4.7 Ökumenische Spiritualität

Die ökumenische Bewegung begann in ihren ersten Anfängen mit dem Gebet *miteinander und füreinander*. Soweit mir bekannt ist, war es die Evangelische Allianz, die sich als erste 1846 zum gemeinsamen Gebet zusammenschloss, der Allianz-Gebetswoche, die noch heute in der zweiten Januarwoche gehalten wird. Ende des 19. Jahrhunderts folgte die Initiative von Frauen für einen jährlichen Gebetstag am ersten Freitag im März: der Weltgebetstag, zu dem Frauen aller Konfessionen einladen. Anfang des 20. Jahrhunderts rief der Anglikaner *Paul Wattson* die *„Gebetswoche für die Einheit der Christen"* ins Leben, die entweder vom 18. bis zum 25. Januar oder in der Woche vor Pfingsten durchgeführt wird. Seit 1968 wird sie vom

Einheitssekretariat des Vatikans und dem Genfer Sekretariat der Kommission für Glauben und Kirchenverfassung gemeinsam vorbereitet.

Alle drei Gebetsinitiativen wissen sich in der Fürbitte füreinander miteinander verbunden. Um es nicht bei diesen punktuellen Ereignissen zu belassen, ist vom Ökumenischen Rat in Genf der *Ökumenische Fürbittkalender* entwickelt worden, der die Gebiete der Erde auf 52 Wochen aufteilt, sodass in jeder Woche für eine bestimmte Region von der konziliaren Gemeinschaft der Christen Fürbitte getan wird. Der erste Fürbittkalender erschien 1979 „Für Gottes Volk auf Erden"; der zweite 1988: „Mit Gottes Volk auf Erden" und der dritte 2008: „In Gottes Hand. Gemeinsam beten für die Welt."[61]

Frère *Alois Löser,* der Leiter der ökumenischen Kommunität von Taizé, ist noch einen Schritt weiter gegangen und hat in Busan 2013 empfohlen: „Laden wir einmal im Monat, mindestens aber einmal im Vierteljahr, die Menschen unserer Stadt oder Region zu einem *Abendgebet der Versöhnung* ein! Bereits in einem einfachen Gebet führt uns der Heilige Geist zusammen und wir stellen fest, wie sehr wir aufeinander angewiesen sind."[62] In Köln gibt es seit 1989 einmal monatlich das Ökumenische Abendgebet in der AntoniterCityKirche, dessen Besonderheit darin besteht, dass man sich im Altarraum der Kirche zu einem Gebetskreis zusammenfindet, um Kirchen und Welt ins Gebet zu nehmen.

Ohne das Gebet füreinander und miteinander gibt es keine konziliare Gemeinschaft. Das anglikanische Book of Common Prayer beginnt mit Morgen- und Abendgebet. Wer an einem *Even-Song* einmal teilgenommen hat, weiß, wie da Lesungen, Gesänge und Gebete miteinander zu einer intensiven Einheit verwoben sind. So ist auch das *Common Prayer*, auf das sich orthodoxe und andere Kirchen im Ökumenischen Rat 2002 verständigt haben[63], weit mehr als eine „gemeinsame Andacht", wie die deutsche Übersetzung irreführend wiedergibt, nämlich ein ökumenischer Wortgottesdienst, der von Lesungen, Meditationen, Zeichenhandlungen und Fürbitten lebt.

Nachdem jahrzehntelang die theologischen ökumenischen Gespräche im Vordergrund gestanden haben, ist es heute mehr

die *spirituelle Dimension*, nach der Menschen fragen. Sie hat den Vorteil, dass alle daran Interessierten sich beteiligen und die zusammenführende Macht des Geistes erfahren können. Es war die große Entdeckung während der Sechsten Vollversammlung des Ökumenischen Rates 1983 in Vancouver, dass die täglichen Gottesdienste im überfüllten Zelt den Teilnehmenden eine neue spirituelle Erfahrung erschlossen. Wie kann sie in unseren Gottesdiensten heute zur Geltung kommen?
Man merkt es zu Beginn jedes *konfessionellen Gottesdienstes* bei der Begrüßung, ob nur die eigenen Gemeindeglieder oder auch Angehörige anderer Kirchen, z. B. Ehepartner oder Gäste, im Blick sind. Wenn verschiedene Gemeinden, evangelische, katholische, orthodoxe oder freikirchliche, an einem Ort oder in einem Stadtteil beheimatet sind, liegt es sehr nahe, im jeweils eigenen Gottesdienst an die anderen Gemeinden mit ihren Gliedern, Freuden und Nöten im Gebet zu denken und so ein Bewusstsein für die Zusammengehörigkeit von Christen am jeweiligen Ort zu entwickeln. Warum wird für die Nächsten in der eigenen Gemeinde und für die Fernsten in anderen Kontinenten gebetet, aber fast nie für die christlichen Partner am selben Ort? Wenn in katholischen Gemeinden wegen des Priestermangels keine Eucharistiefeiern gehalten werden können, sondern von Laien geleitete Wortgottesdienste mit und ohne Kommunionausteilung, sollten die evangelischen Gemeinden *gemeinsam gefeierte Wortgottesdienste* anbieten, in denen auch katholische Anliegen und Personen berücksichtigt werden. Das ist eine wichtige neue Erfahrung, miteinander um den Tisch des Wortes am Altar versammelt zu sein, gerade wo es am Tisch des Brotes noch nicht möglich ist.
Das gemeinsame Gebet miteinander und füreinander gehört in die Mitte konziliarer Gemeinschaft am Ort. Vielleicht bedarf es erst wieder einer gemeinsamen Leidenserfahrung, wie sie Christen im Nationalsozialismus und im real existierenden Sozialismus gemacht haben, um sie in der Fürbitte füreinander und miteinander zusammenzubringen. Für die Leiden anderer ein Gespür zu entwickeln, gehört zu den Kennzeichen der Nachfolger Christi. Man kann es – wie Paulus mit der Geldsammlung für die Christen in Jerusalem – mit einem gemeinsamen finanziellen

Projekt für die Notleidenden verbinden: Ora et labora! Die an vielen Orten inzwischen eingebürgerten *Taizé-Gebete* weisen hier in die richtige Richtung. Sie einmal im Monat oder zumindest im Vierteljahr als „Abendgebet der Versöhnung" zu feiern, wie *Frère Alois* vorgeschlagen hat, und zwar möglichst zu der vielerorts schon verwendeten ökumenischen Gebetszeit am *Donnerstag um 18:00 Uhr,* ist ein sich ausbreitendes Zeichen konziliarer Gemeinschaft von Christen überall auf der Erde.

5. Konziliare Herausforderungen

Im 21. Jahrhundert sehen sich Christen mit Herausforderungen konfrontiert wie in keiner früheren Zeit. Das hängt mit Entwicklungen zusammen, die z. T. schon mit der Aufklärung begonnen haben, wie z. B. die Säkularisierung, oder im 19. Jahrhundert die industrielle Revolution oder im 20. die elektronischen Umwälzungen. Nach dem Ende des Zweiten Weltkriegs und der Ost-West-Konfrontation hat sich die *Globalisierung* in einem Ausmaß Bahn gebrochen, wie man es noch nicht gekannt hat. Sie umfasst den Verkehr, die Ost-West und Nord-Süd-Beziehungen, die Wirtschaft, die elektronischen Kommunikationsmittel bis zum Klimawandel und vieles andere mehr. Sie eröffnet eine Chance zum Zusammenwachsen, wie sie noch nicht gegeben war: die Welt als global village. Sie bringt aber zugleich Bedrohungen für das Überleben mit sich, denen wir bislang nicht gewachsen sind. Wir wissen das spätestens seit dem Abwurf der ersten Atombombe über Hiroshima am 6. August 1945.
Diese globalen Fragestellungen können grundsätzlich nicht mehr von einer Kirche oder von Christen auf einem Kontinent allein erörtert und beantwortet werden. Unsere Welt bewegt sich in mehr als einer Hinsicht am Rand eines Abgrunds und es ist die Frage, ob Christen in der Lage sind, sie davor zu bewahren und ihr zu neuen Wegen des Überlebens zu verhelfen. Falls überhaupt, dann wird es ihnen nur gemeinsam gelingen. Mit anderen Worten, die heutige globale Weltlage fordert Christen und Kirchen zu *konziliaren* Beratungen und Antworten heraus. Dabei muss die Frage vorerst offen bleiben, ob die Kirchen die-

ser Herausforderung gewachsen sind, ob sie sie schon in vollem Maß erfasst haben und ob sie überhaupt in der Lage sind, ihrer Sendung „bis an die Enden der Erde" gerecht zu werden. Die globalisierte Welt ruft in ihrem Überlebenskampf nach konziliaren, weltumspannenden Antworten der Christen. Ich möchte das an drei brennenden Herausforderungen verdeutlichen.

5.1 *Zur Frage nach Gerechtigkeit und Frieden*

Mit der „Unordnung der Welt" musste sich bereits die erste Vollversammlung des Ökumenischen Rates auseinandersetzen. Man spürt es der Botschaft von Amsterdam 1948 bis heute ab, wie sie drei Jahre nach Kriegsende mit dem Elend der Menschen ringt und ihm einen anderen Weg entgegenzusetzen sucht: *„Überall aber spürt man in der Tiefe eine Angst. Millionen Menschen leiden Hunger, Millionen sind ohne Obdach, ohne Heimat, ohne Hoffnung, und über der gesamten Menschheit hängt die Drohung des totalen Krieges … (Wir sprechen) ein Nein zu denen, die im Namen der Ordnung das Unrecht zu Recht machen, zu denen, die die Saat des Krieges säen oder zum Kriege drängen, weil er doch unvermeidbar sei. Ein Ja … zu allen Menschen, die das Recht aufrichten, zu allen, die in der Welt einen echten Frieden schaffen möchten."*[64] Seitdem sind die Fragen nach Recht und Gerechtigkeit, Krieg und Frieden nicht mehr von der ökumenischen Tagesordnung verschwunden.

Besonders intensiv wurden sie zur Zeit der Nachrüstung Anfang der achtziger Jahre von der 6. Vollversammlung in Vancouver 1983 aufgegriffen. Dort befassten sich gleich zwei Fachgruppen mit den „Bedrohungen des Friedens und Überlebens" sowie mit „Gerechtigkeit und Menschenwürde".[65] Damals wurde auch das prophetische Wort zu Herstellung, Stationierung und Einsatz von Atomwaffen gesprochen, das in eine neue Richtung wies.[66]

In Vancouver wurde auch der „Konziliare Prozess für Gerechtigkeit, Frieden und Bewahrung der Schöpfung" ins Leben gerufen und damit diesen Überlebensfragen erstmals eine konziliare Dimension zuerkannt. 30 Jahre später hat Busan 2013 diesen

Faden im fernöstlichen Spannungsfeld aufgenommen und weitergesponnen: mit den beiden Podien zu Gerechtigkeit und Frieden, mit der „Erklärung über den Weg des Gerechten Friedens“[67] und vor allem mit dem Aufruf zu einem „Pilgerweg der Gerechtigkeit und des Friedens“.

Was besagen diese bisherigen ökumenischen Auseinandersetzungen über den Umgang mit der Herausforderung von Gerechtigkeit und Frieden?

1. Es handelt sich um ein Grundthema unserer Zeit, das auch in Zukunft nicht von der ökumenischen und politischen Tagesordnung verschwinden wird. Es wird Zeit, das reformatorische Thema der *Rechtfertigung* mit dem neuzeitlichen Thema der Gerechtigkeit so zu verbinden, dass aus der theologischen Einsicht erkennbare Auswirkungen auf die ethisch-politischen Verhaltensweisen gewonnen werden.

2. Erklärungen und *Handlungen* gehören als Antwortversuche zusammen, wie es im Konziliaren Prozess geschehen ist und beim ökumenischen Pilgerweg der Gerechtigkeit und des Friedens versucht wird.

3. Das Hauptfeld, auf dem heute die Schlacht um Gerechtigkeit und Frieden geschlagen wird, ist die *Wirtschaft,* die entweder tötet[68] oder im Dienst des Lebens steht.[69] Wir brauchen konziliar erarbeitete und verantwortete verbindliche Stellungnahmen zu Gerechtigkeit, Frieden und Wirtschaftsethik und ein entsprechendes Handeln der Kirchen.

5.2 Zur Frage nach Heilung der Schöpfung

Im Jahr 1972 veröffentlichte der *Club of Rome* die von ihm in Auftrag gegebene Studie über die „Grenzen des Wachstums“. Darin wurden auch Ausbeutung von Rohstoffreserven der Erde, Umweltverschmutzung und Zerstörung von Lebensraum durch Industrie und Wirtschaft untersucht. Die Studie hat insofern bahnbrechend gewirkt, als sie weltweite Dimensionen ansprach und die Wachstumsideologie erstmals grundsätzlich infrage stellte. Die damit aufgeworfenen Fragen nahm 1979 eine Konferenz in *Boston* zum Thema „Glaube, Wissenschaft und die

Zukunft“ auf, die von der Genfer Abteilung für „Kirche und Gesellschaft“ zusammen mit dem Massachusetts Institute of Technology (MIT) durchgeführt wurde. Sie entwickelte m. W. erstmals den Begriff der *Nachhaltigkeit* (sustainability) im Umgang mit der Schöpfung und sprach sich für eine „gerechte, partizipatorische und überlebensfähige Gesellschaft“ (JPSS) aus. Seit den siebziger Jahren sind Thema und Probleme der „Umweltkrise“ aus der öffentlichen Diskussion nicht mehr wegzudenken.

In Vancouver kamen die Fragen nach dem Umgang mit der Schöpfung 1983 erstmals auf einer ökumenischen Weltversammlung zur Sprache. Dabei ging es um Bedrohungen des Überlebens, um Konfrontation von Leben und Tod und ebenfalls um den Konziliaren Prozess zur Bewahrung der Schöpfung. Damit hatte die Frage nach der Schöpfungsverantwortung zumindest weltweite Aufmerksamkeit erreicht.

Die Losung der 7. Vollversammlung in *Canberra 1991*: „Komm, Heiliger Geist – erneuere die ganze Schöpfung“, ist in dreifacher Hinsicht bemerkenswert: Sie thematisiert erstmals den Heiligen Geist, verbindet ihn mit der „ganzen Schöpfung“ und ruft ihn herab, ist also keine Parole, sondern ein Gebet in der Form der Epiklese. Was in dieser Themaformulierung steckt, erläuterte damals die südkoreanische Theologin *Chung Hyun Kyung*, die zu Recht mit ihrem Vortrag großes Aufsehen erregte. Denn sie beleuchtete die traditionelle westliche Schöpfungstheologie mit ihrem Anthropozentrismus durchaus kritisch und sprach sich für eine umfassende „Lebensbezogenheit“ (life centrism) aus: *„Die Menschen haben die Erde lange Zeit ausgebeutet und vergewaltigt, jetzt beginnen die Natur und die Erde, sich an uns zu rächen. Sie geben uns kein sauberes Wasser, keine saubere Luft und keine sauberen Nahrungsmittel mehr, weil wir uns so schwer an ihnen versündigt haben … Sicher ist es jetzt an der Zeit, dass wir die Bibel aus der Perspektive der Vögel, des Wassers, der Luft, der Bäume und der Berge, die in unserer Zeit die Ärmsten der Armen auf der Erde darstellen, neu lesen müssen.“*[70] Chung brachte die Sache auf den Punkt, als sie eine Umkehr von einer „Kultur des Todes“ zu einer „Kultur des Lebens“ forderte.

Der erste Sektionsbericht zum Thema von Canberra vertieft die angeschnittenen Fragen unter drei Gesichtspunkten: 1. Schöpfungstheologie – eine Herausforderung für unsere Zeit; 2. auf dem Weg zu einer ökologischen Wirtschaftsethik und 3. die Kirche: für das Leben der ganzen Schöpfung: „Die Kraft des Heiligen Geistes befähigt die Kirche, eine lebensspendende, heilende und tragende Gemeinschaft zu sein, in der die Verletzten und Gebrochenen Erneuerung und Ganzheit finden können."[71] Es dürfte kein Zufall sein, dass in Australien, dem Land mit seinen zahlreichen Ureinwohnern, die Wunden der Schöpfung – von Menschen verursacht – in einer Breite zur Sprache kamen, wie noch nie zuvor.

Auch in *Porto Alegre* ging es 2006 um die Verwandlung von Welt und geschundener Schöpfung: „Gott, höre das Schreien der ganzen Schöpfung, die Schreie des Wassers, der Luft, der Erde und alles Lebendigen, die Schreie der Ausgebeuteten, der Ausgegrenzten, der Missbrauchten und der Opfer ..."[72] Und man suchte nach einer alternativen Globalisierung, nicht der Herrschaft über, sondern „im Dienst von Menschen und Erde", indem man den Agape-Prozess ins Leben rief: einen „Aufruf zur Liebe und zum Handeln".[73]

In *Busan 2013* wurde die Schöpfung in ihrer Vielfalt und Ambivalenz thematisiert. Da werden nicht nur ihre Schattenseiten, sondern auch ihre Schönheit ins Visier genommen: „Wir feiern das Leben der Schöpfung in seiner Vielfalt und danken dafür, dass sie gut ist."[74] Es geht um „Spannungen" in der Schöpfung „zwischen der größten Hoffnung und der tiefsten Verzweiflung", an denen die Kirchen natürlich ihren Anteil haben, positiv wie negativ. Sie werden in diese umfassende Schöpfungsdimension hineingestellt, um „Haushalter der Schöpfung Gottes" zu werden, wie es die „Botschaft" ausdrückt.[75] Denn – so die Schlüsselerkenntnis von Busan – die Einheit von Kirche, menschlicher Gemeinschaft und der „ganzen Schöpfung sind miteinander verwoben".[76]

Und wieder die Frage: Was bedeuten diese bisherigen ökumenischen Bemühungen um die Schöpfung für den künftigen Umgang mit ihr? Zunächst ist deutlich geworden, dass die Sicht auf die Schöpfung einen immer breiteren Raum einnimmt. Das

Thema wird von einem partiell naturwissenschaftlichen Aspekt zunehmend in eine umfassende theologische Perspektive gebracht: von Natur über Umwelt und Mitwelt bis zu Schöpfung und Geschöpf. Darin zeigt sich eine *Horizonterweiterung* für die Kirchen: Sie sind nicht mehr nur für ihre Mitglieder verantwortlich, sondern für die Menschen insgesamt und schließlich für die ganze Schöpfung. Es geht dabei um eine Wiederentdeckung des Ersten Glaubensartikels: das Gegenüber von Schöpfer, Schöpfung und Geschöpfen.

Diese Dimensionen fordern die ökumenische Gemeinschaft in dreifacher Hinsicht heraus: Einmal hat das Schöpfungsthema wenig mit den „traditionellen" Kontroversen zwischen Kirchen zu tun, sodass sie hier *gemeinsamen Boden* suchen und finden können. Sodann sind die Schöpfungsfragen dermaßen grundlegend und komplex, dass sie unmöglich von einer Kirche und aus einer Perspektive allein angemessen beantwortet werden können. Schließlich tut sich hier aber auch die Chance auf, dem Überleben der Menschheit auf unserem Planeten aus gemeinsamer christlicher Verantwortung einen neuen, *gangbaren Weg* aufzuzeigen.

Die *orthodoxen* Kirchen haben dafür schon lange eine besondere Sensibilität entwickelt. Die *kosmische* Dimension des Christusglaubens gehört bei ihnen von Anfang an dazu, während wir sie in den westlichen Kirchen gerade wiederzugewinnen versuchen. In der orthodoxen Tradition gibt es schon lange den Tag der Schöpfung am 1. September; seit der dritten Europäischen Ökumenischen Versammlung 2007 in Hermannstadt/Sibiu beginnt sich dieses Datum bzw. die „Schöpfungszeit" vom 1. September bis 4. Oktober auch unter westlichen Gruppen und Kirchen auszubreiten. Seit dem Jahr 2000 gibt es eine *„Erdcharta"*, die Maßstäbe für einen verantwortungsvollen Umgang mit Erde und Welt formuliert.[77] Das sind erste Ansätze zu einem neuen Verstehen von und Umgehen mit der Schöpfung. Die Christenheit ist hier insgesamt herausgefordert, in konziliarer Gemeinschaft Wege zur Heilung für Menschen und Schöpfung sowie zur Anbetung des Schöpfers zu finden und zu weisen.

5.3 *Zur Frage nach dem Verhältnis zu nicht-christlichen Religionen*

Im Ökumenischen Rat gibt es erst seit 1971 eine Abteilung, die sich dem „Dialog mit Menschen verschiedener Religionen und Ideologien“ widmet. Vorher fristete das Gespräch mit Andersgläubigen ein Mauerblümchendasein. Heute sehen wir die Verbindung zwischen Mission und Kolonialismus im 19. Jahrhundert in einem kritischen Licht als unheilige Allianz, die dazu beigetragen hat, nicht-christliche Religionen als „heidnisch“ abzuqualifizieren und sie demzufolge nach Möglichkeit zu zerstören.

In *Neu-Delhi 1961*, wo erstmals eine ökumenische Vollversammlung in einem Land mit mehrheitlich nicht-christlicher Bevölkerung der Hinduisten stattfand, musste der Bericht über das christliche Zeugnis selbstkritisch einräumen: „In unseren Kirchen haben wir nur wenig Verständnis für die Weisheit, Liebe und Macht, die Gott den Menschen anderer Religionen und solchen ohne Religion gegeben hat, wie auch von den Wandlungen, die in anderen Religionen durch ihre ständige Berührung mit dem Christentum erfolgt sind.“[78] Noch 30 Jahre später stieß die südkoreanische Theologin *Chung Hyun Kyung* in Canberra 1991 auf Befremden und Ablehnung, als sie den Heiligen Geist mit anderen Geistern ihrer buddhistischen und schamanistischen Umgebung in Verbindung brachte.[79] Sie handelte sich postwendend den Vorwurf des Synkretismus ein. Sowohl in Harare 1998 als auch in Porto Alegre 2006 kamen die Fragen nach dem Umgang mit Ahnen in Afrika[80] und mit Naturreligionen in Lateinamerika[81] nur ganz am Rande vor. Erst im Jahr 2011 kam eine Erklärung über „Das christliche Zeugnis in einer multireligiösen Welt“ zustande, die auch „Empfehlungen für einen Verhaltenskodex“ aussprach.[82] Sie wird als „historisch“ eingestuft, weil sie in Zusammenarbeit mit dem Päpstlichen Rat für den Interreligiösen Dialog und der Weltweiten Evangelischen Allianz erarbeitet worden ist. In Busan gab es dann 2013 erstmals im Plenum „Botschaften von Vertretern anderer Religionen“ sowie eine ausführliche „Erklärung zur Politisierung von Religion und zu den Rechten religiöser Minderheiten.“[83]

Diese kurze Übersicht macht deutlich, dass die Kirchen in ihrer Verhältnisbestimmung zu anderen Religionen noch weitgehend am Anfang stehen. Die *katholische* Kirche tut sich hier mit ihrem naturrechtlichen Ansatz leichter und ist in der Würdigung nichtchristlicher Religionsgemeinschaften schon weiter vorangeschritten. Das Gebetstreffen der Religionsführer, zu dem Papst *Johannes Paul II.* am 27. Oktober 1986 nach Assisi eingeladen hatte, hat bewusstseinsfördernd gewirkt und positive Maßstäbe gesetzt. Im September 2016 hat eine ähnliche Zusammenkunft wieder in Assisi stattgefunden. In diesem Zusammenhang muss auch das „Projekt Weltethos" des Tübinger katholischen Theologen *Hans Küng* zumindest erwähnt werden, der bereits Anfang der neunziger Jahre die These vertreten hat: „Kein Weltfriede ohne Religionsfrieden. Kein Religionsfriede ohne Religionsdialog."[84] Hier zeigt sich, wie viel evangelische Theologie und Kirche an dieser Stelle von katholischer Theologie und Kirche lernen kann.

Auf dem Hintergrund einer höchst problematischen christlichen Missionstheologie und -praxis in früherer Zeit leuchtet es ein, dass zunächst der *Dialog* mit anderen Religionen zum Thema gemacht wurde, ein Dialog, der sein Gegenüber ernst nimmt, indem er ihm zuhört, es zu verstehen sucht und mit ihm nach gemeinsamen Berührungspunkten Ausschau hält. „Wenn wir den aufrichtigen ‚Dialog in der Gemeinschaft' mit Menschen anderer Religionen und Ideologien suchen, dürfen wir den eindringlichen Fragen nach ihrem Platz im Handeln Gottes in der Geschichte nicht ausweichen."[85] Ein Dialog, der seinen Namen verdient, verträgt sich weder mit Intoleranz noch mit irgendeiner Form von Proselytismus, stattdessen setzt er sich für Religionsfreiheit und angstfreie Kommunikation ein.

Damit sind aber nur die formalen Rahmenbedingungen benannt, unter denen ein verheißungsvolles inhaltliches Gespräch allererst möglich wird. Um welche *Themen* geht es im Gespräch zwischen den Religionen? Mit dem *Judentum* ist der Dialog zumindest in Deutschland am weitesten gediehen, auch weil es sich dabei nicht einfach um eine fremde Religion handelt, sondern um die eigenen christlichen Wurzeln, um das Gespräch mit älteren Brüdern und Schwestern. Bund, Land, Tora, Verheißung

und Erfüllung – das sind Themen, die in beiden Religionen eine wichtige Rolle spielen und deren Klärungen nicht zuletzt zum besseren Selbstverständnis des Christentums beitragen. Das sieht im Gespräch mit dem jüngeren *Islam* ganz anders aus. Hier stehen Fragen nach dem Gottesverständnis, den fünf Lebensregeln und vor allem der Anwendung von Gewalt zur Diskussion. Was verbindet die *drei monotheistischen Religionen* und warum neigen alle drei mehr zu aggressivem Verhalten als die asiatischen Glaubensgemeinschaften? Hier sind Antworten umso dringlicher, je näher die monotheistischen Religionen zueinander rücken.
Im Gespräch mit *afrikanischen Naturreligionen* geht es um Fragen nach tragender Gemeinschaft in Stammesverbänden oder christlichen Gemeinschaften, um Beziehungen zu Ahnen und die Verbindung zwischen Lebenden und Toten. In der Begegnung mit *Buddhismus* und *Hinduismus* stehen Natur, Schöpfung und das Verhalten der Menschen zu ihnen auf der Gesprächsagenda. Das sind nur einige wenige Themen von vielen, die auf eine gemeinsame Erörterung und Beantwortung warten.
Der interreligiöse Dialog steht aber vor allem vor *drei Fragestellungen*, die praktisch alle Religionen betreffen und zu lösen haben:

1. Wie begegnen die Religionen jeweils dem sich ausbreitenden *Säkularismus* auf der Erde?
2. Wie kann man die *Inkulturation* von Religionen so fördern, dass sie Wurzeln schlagen und nicht als aufgesetzter Fremdkörper empfunden werden? Das betrifft besonders das Christentum auf den verschiedenen Kontinenten.
3. Was können Religionen zu einer *Friedensordnung* auf der Erde beitragen? Wie können sie von einem Teil des Problems der Gewalt zu einem Teil ihrer Überwindung werden?

Von diesen drei grundsätzlichen Fragen ist wiederum das *Christentum* als weltumspannende Religion in besonderer Weise herausgefordert. Christen haben durch ihre Gewalttaten, Kriege und Kreuzzüge der Menschheit mehr Schaden zugefügt als andere Religionen. Deshalb sind sie heute stärker als andere herausgefordert, Wegweisendes zur Lösung der Gewaltfrage beizutragen und neue Wege im Gespräch mit anderen Religionen zu beschreiten. Nachdem der Dreißigjährige Krieg, der zu einem Epocheneinschnitt in Europa geführt hat, sich an der Religionsfrage entzündet hat, sind insbesondere wir Christen nach unserem Lösungsmodell gefragt, das heute unserer gleichermaßen gefährdeten wie bedrohten Menschheit zu einem Zusammenleben in Gerechtigkeit und Frieden auf der Erde verhilft.

6. Konziliare Schritte 2017

Schließlich laufen alle in diesem Kapitel angesprochenen Gesichtspunkte auf die *Verwirklichung von konziliarer Gemeinschaft* hinaus. Es ist längst deutlich geworden, dass es sich dabei nicht um eine einmalige Erklärung von konziliarer Gemeinschaft handeln kann, die sozusagen mit einem autoritativen Federstrich die Kirchen aus der Trennung in die Gemeinschaft brächte und gleichsam über Nacht Schwarz in Weiß verwandelte. Eine solche Vorstellung wäre naiv, weil sie die Mühsal des Weges dorthin übersieht; sie wäre auch bequem, um nicht zu sagen: faul, weil sie den Beteiligten nichts zumutet, sondern alles „nach oben" abschiebt; und zudem wäre sie illusionär, weil dieser Zaubermoment nie eintreten wird. Stattdessen geht es um einen *umfassenden konziliaren Prozess*, also um einen Weg, der schrittweise hin zu konziliarer Gemeinschaft gegangen wird. Wodurch zeichnen sich *konziliare Schritte* aus?

(1) Konziliare Schritte werden *gegangen,* einzeln, konkret, Schritt für Schritt. Es gibt große und kleine konziliare Schritte, aber keine Sprünge oder Flüge, die einem das eigene Gehen ersparen.
(2) Konziliare Schritte werden *gemeinsam* gegangen, miteinander, zu zweit, zu dritt, zu vielen. Einsame, alleinige konziliare Schritte gibt es nicht, sie sind ein Widerspruch in sich, weil Konziliarität Gemeinsamkeit voraussetzt.
(3) Konziliare Schritte sind *verbindliche* Unternehmungen, wie Konzile verbindliche Zusammenkünfte sind. Unverbindliche

Schritte, Worte, Zusammenkünfte gibt es viel zu viele in der ökumenischen Szene; sie haben mit konziliaren Schritten nichts zu tun.

(4) Konziliare Schritte verlieren das *Ziel* der konziliaren Gemeinschaft von Christen und Kirchen nicht aus den Augen. Ökumenische Schritte gehen vorwärts und rückwärts, ihnen fehlt häufig die Zielführung. Konziliare Schritte werden unternommen, um über das Nebeneinander von Gemeinden und Kirchen hinauszugelangen hin zu einem Zueinander und Miteinander.

(5) Konziliare Schritte zielen auf *Realisierung*, Sichtbarmachen und letztlich auf eine neue Realität bzw. Qualität der Gemeinschaft miteinander. Sie reden nicht nur von neuer Wirklichkeit, sondern setzen in ihrem Tun und Handeln eine neue Wirklichkeit frei: die konziliare Gemeinschaft.

(6) Konziliare Schritte werden auf *allen Ebenen* des christlichen und kirchlichen Lebens gegangen: örtlich, regional, landesweit, international und universal. Bisher sind konziliare Vorgänge viel zu lange den „oberen Rängen" überlassen worden. Heute kommt es entscheidend darauf an, konziliares Denken, Leben und Handeln auf allen Ebenen zu verbreiten und ganz besonders auf der Ortsebene. Denn nur, wenn konziliare Schritte auf der Basisebene von Gemeinden und Gruppen getan werden und sich fest einbürgern, hat die umfassende konziliare Gemeinschaft eine Chance. Wer hier von oben nach unten denkt, hat verloren; wer von unten nach oben geht, wird gewinnen.

(7) Konziliare Schritte suchen nach neuen Verbindungen. Sie richten sich auf verbindliches *Bund-Schließen* zwischen Partnern, deren Verbindung dadurch Dauer, Tiefe und Festigkeit gewinnt.[86] So wird eine ökumenische Gemeindepartnerschaft zu einem konziliaren Gemeinde-Bund weitergeführt; eine ökumenische Dekanats- und Kirchenkreis-Partnerschaft wandelt sich zu einem konziliaren Dekanats- und Kirchenkreis-Bund und aus einer ökumenischen Kirchenpartnerschaft wird ein konziliarer Kirchenbund.

Bei konziliaren Schritten entscheidet es sich, ob man nur ökumenisch interessiert ist oder ob man den Willen mitbringt, aus getrennten Kirchen und Gemeinden den Schritt hin zu konziliarer Gemeinschaft von Gemeinden, Regionen und Kirchen zu tun. Das ist zu allererst eine geistliche Frage nach dem Geist, der uns leitet, ob es der Geist der Christusgemeinschaft ist, „dass alle eins sind“, oder „der Herren (Damen) eigener Geist“. Das Gedenken an den Reformationsbeginn vor 500 Jahren könnte und sollte ein Anlass sein, sich aus dem Fluch konfessioneller Konkurrenz befreien und sich auf den Weg zum Segen konziliarer Gemeinschaft in konziliaren Schritten mitnehmen zu lassen.

6.1 Konziliarer Gemeinde-Bund

Mit Gemeinden sind in erster Linie konfessionelle Ortsgemeinden gemeint, in zweiter Hinsicht Gemeinden für besondere Personengruppen wie z. B. Studierende, sog. Personalgemeinden, und drittens Gruppen, die sich einer speziellen ökumenischen Aufgabe widmen, z. B. Friedensgruppen. Es geht dabei um „ein neues, noch nie erprobtes Gemeindemodell ... auf lokaler Ebene ... Konziliarität wird als eine Qualität verstanden, die auch regional gelebt und darum tatsächlich in der eigenen Ortskirche eingeübt werden kann und muss.“[87] Es handelt sich also nicht um die heute so beliebte Event-Kultur, die Aufsehen erregt, aber nicht grundlegend etwas ändert, sondern um die Entwicklung gemeindlicher konziliarer Strukturen, die sich mühsamer und unauffälliger gestaltet, dafür aber umso nachhaltiger die Gemeinden verändern wird. In diesem Zusammenhang erinnere ich ausdrücklich an *Luthers* bahnbrechenden Vorschlag, mit Pfarren und Schulen „kleine, doch ewige und nützliche Konzilia“ einzurichten.[88] Ich stelle dieses *konziliare Gemeinde-Modell* unter drei Gesichtspunkten dar: 1. Ansatz, 2. Ebenen, 3. Ziel.

(1) Konziliares Handeln beginnt auf Ortsebene damit, dass Angehörige verschiedener Kirchen zusammenkommen mit der *Frage*: *Was verbindet uns, was fordert uns heraus und wie können wir beides im Jahr 2017 sichtbar zum Ausdruck bringen?* Ein solches Zusammenkommen geschieht am besten als ökumenisches Konveniat oder von einem ökumenischen Gesprächskreis,

der die örtliche Lage kennt und mehr erreichen will als einen kurzatmigen Event.

(2) Wie bei den ökumenischen Gemeindepartnerschaften am Ort, die er aufnimmt und weiterentwickelt, bewegt sich der konziliare Gemeindebund auf drei Ebenen: der spirituellen, der dialogischen und der handlungsorientierten. Die *spirituelle* Ebene lebt von Bibelgesprächen und regelmäßigen gemeinsamen Gottesdiensten. Ich weise hier noch einmal auf den Vorschlag von *Frère Alois* in Taizé hin, monatlich oder vierteljährlich ein Abendgebet der Versöhnung für alle Christen am Ort anzubieten.[89] Im *dialogischen* Bereich kommt es darauf an, dass Gemeindegruppen aus verschiedenen Konfessionen in ein inhaltliches Gespräch miteinander eintreten. Im Jahr 2017 liegt es nahe, dass z. B. Presbyterium, Kirchenvorstand und Gemeindekirchenrat über reformatorische Themen wie Rechtfertigung und Glaube miteinander sprechen und die Gemeinsame Erklärung zur Rechtfertigungslehre (GER) im Blick auf ihre gemeindlichen Auswirkungen wie Kanzeltausch durchforsten. Auf der *praktischen* Ebene geht es um die in England entwickelten Local Ecumenical Projects (LEP), örtliche ökumenische Projekte, die möglichst allen Menschen am Ort zugutekommen sollen. Dazu gehört heutzutage an vorderster Stelle, Verbindungen zu Migranten am Ort aufzunehmen. Bewährt hat sich die Einrichtung eines wöchentlichen Welcome-Cafés, wo Vertrauen aufgebaut und Hilfestellungen vermittelt werden. In (Groß-)Städten leben manche christliche Gemeinden anderer Sprache und Herkunft, die dankbar sind, in einer deutschen Kirchengemeinde Aufnahme zu finden. Der Abschluss einer schriftlichen Partnerschaftsvereinbarung ist eines der sinnvollsten örtlichen Projekte im Jahr 2017.[90]

(3) Wie bei den Gemeindepartnerschaften die Unterzeichnung der Partnerschaftsurkunde mit Gottesdienst und Gemeindefest verbunden ist, so *zielt* auch der konziliare Gemeindebund auf Fest und Feier. Das geschieht am besten im Zusammenhang mit einem Taufgedächtnisgottesdienst, weil dadurch die sakramentale Basis von konziliarer Gemeinschaft unterstrichen wird. Man kann das auch mit der Unterzeichnung einer *Bundes-Erklärung* verbinden. Dazu schlage ich folgenden Entwurf vor:

„Im Jahr des 500-jährigen Gedenkens an den Beginn der Reformation, die zur Erneuerung und Spaltung der Kirche Jesu Christi beigetragen hat, schließen wir, die Gemeinde N. N. und die Gemeinde N. N. heute diesen ***konziliaren Bund*** *miteinander. Wir bringen damit zum Ausdruck, dass wir nicht länger in konfessioneller Trennung nebeneinander oder gar in Konkurrenz gegeneinander leben, sondern uns von nun an miteinander auf die Suche nach konziliarer Gemeinschaft begeben wollen. Unser neuer gemeinsamer Weg wird sich auf unser gottesdienstliches, gruppenorientiertes und praktisches Gemeindeleben auswirken.*
(Hier werden Projekte zu den drei Ebenen benannt.)
Aufgrund der einen Taufe sind wir keine Fremden mehr füreinander, sondern wir gehören als Geschwister unterschiedlicher Herkunft und Orientierung in dem einen Leib Jesu Christi zusammen.
500 Jahre Kirchenspaltung sind genug! Wir erhoffen den Tag und gehen ihm mit sichtbaren konziliaren Schritten entgegen, an dem wir in konziliarer Gemeinschaft um den Tisch unseres gemeinsamen Herrn und Heilandes Jesus Christus versammelt sein und ihn mit Herzen, Mund und Händen miteinander loben und preisen werden."
Für die Feier eines solchen *konziliaren Bundesschlusses* eignen sich besonders der Pfingstmontag (5. Juni 2017) oder das Erntedankfest (1. Oktober 2017).

6.2 Konziliarer Regional-Bund

Eine Region kann eine Stadtregion, z. B. den Großraum Köln, umfassen oder eine Landregion, z. B. den Landkreis Rhein-Berg. Es ist der Bereich von evangelischen Kirchenkreisen und katholischen Dekanaten. Hier beginnt die konziliare Zusammenarbeit mit einem ökumenischen Arbeitskreis oder einer örtlichen Arbeitsgemeinschaft Christlicher Kirchen (ACK).
Auf *spiritueller* Ebene bedeutet regionales konziliares Engagement ein regelmäßiges Gebet für die Stadt oder die Region. Es ist sinnvoll, wenn es nicht am Rande, sondern in einer Haupt- oder City-Kirche stattfindet. Es kann aber ebenso überzeugend

sein, wenn ein monatliches Abendgebet jeweils in einer anderen Kirche gehalten wird und man auf diese Weise die regionale Vielfalt kennenlernt. Die Verantwortung für ein solches *konziliares Abendgebet* liegt entweder in den wechselnden Händen je einer konfessionellen Gemeinde oder – was angemessener wäre – einer ökumenischen Gruppe, die regelmäßig zusammenkommt. Träger einer solchen spirituellen Regionalinitiative sollte nicht nur eine Gruppe sein, sondern ein Gemeindeverband oder eine örtliche ACK. In der *Kölner Region* könnte das konziliare spirituelle Engagement etwa darin bestehen, dass die Kölner ACK die Trägerschaft für das seit über 25 Jahren in der evangelischen AntoniterCityKirche stattfindende monatliche Ökumenische Abendgebet übernimmt. Es könnte dann an den ältesten Kölner Taufort, das wiedereröffnete *Baptisterium* aus dem 6. Jahrhundert unterhalb des Kölner Domes, verlegt werden, damit die spirituelle Ausstrahlung dieses Ortes der konziliaren Gemeinschaft der Christen in der Kölner Region insgesamt zugutekommt.[91] In Altenberg bei Köln könnte z. B. das regelmäßige Taizé-Gebet in der Markus-Kapelle vom Ökumene-Ausschuss im rheinisch-bergischen Kreis übernommen und in den Altenberger Dom verlegt werden.

Die regionale konziliare *Gesprächsebene* wird belebt, indem die Mitglieder von Pfarrkonventen und Dekanatskonferenzen sich zumindest einmal jährlich, z. B. in der Woche vor oder nach Pfingsten, zu einem *ökumenischen Konvent* zusammenfinden, auf dem aktuelle inhaltliche ökumenische Themen oder Initiativen besprochen werden. Wenn das regelmäßig geschieht, hat es Auswirkungen zumindest auf den Bereich des jeweiligen Kirchenkreises und Dekanates. In (Groß-)Städten liegt es nahe, dass die Stadtakademie/-n 2017 zu reformationsorientierten *Gesprächsreihen* einladen: z. B. Luthers reformatorisches Programm (anhand seiner 5 Hauptschriften von 1520). Warum ist die Reformation nicht voll gelungen? Ist der Papst der Antichrist und Luther der Christ? Was verbindet Papst *Franziskus* mit *Martin Luther*?

Als regionale konziliare *Projekte* bieten sich im Jahr 2017 Regionale oder *Stadt-Ökumenetage* an. Themen könnten sein: Sind 500 Jahre Kirchenspaltung genug? Was können wir in unserer

Region und Stadt zu ihrer Überwindung beitragen? Man kann einen solchen Tag gut mit einem gemeinsamen Taufgedächtnis-Gottesdienst beginnen oder abschließen. Dabei könnte auch ein *regionaler konziliarer Bund* zwischen einem Dekanat und einem Kirchenkreis abgeschlossen werden: liturgisch mit dem Friedensgruß, schriftlich mit einer Erklärung, praktisch mit einem gemeinsamen Ausländer- oder Flüchtlingsprojekt. Wenn ein solcher Impuls im Jahr 2017 gesetzt wird, kann er in den folgenden Jahren mit einer regelmäßigen *ökumenischen Synode*, z. B. am 29. Juni, dem Peter-und-Paul-Tag, fortgesetzt und vertieft werden. Eine ökumenische Synode zu veranstalten ist leichter als einen regionalen oder Stadt-Kirchentag, macht aber nur Sinn, wenn sie in regelmäßigen Abständen, z. B. alle 3 Jahre, mit einem inhaltlichen Schwerpunkt durchgeführt wird.
In Städten und Regionen schwingt man sich gelegentlich zu solchen ökumenischen Ereignissen auf, um anschließend oft genug ermattet alle Flügel sinken zu lassen. Zum Beispiel gab es nach dem bis heute nachwirkenden Ökumenischen Kirchentag in *Altenberg* am 19./20. August 1994, an dem etwa 7.000 Menschen teilnahmen, noch einige Jahre lang Ökumenetage in der Umgebung. Aber der ins Auge gefasste zweite Altenberger Ökumenische Kirchentag wurde von Jahr zu Jahr verschoben, bis er schließlich ganz fallen gelassen wurde. Heute ist keine Rede mehr davon. Konziliares regionales Engagement bedeutet, einen langen Atem zu entwickeln und in Abständen zu regionalen konziliaren Zusammenkünften einzuladen, damit die ökumenischen Impulse nicht verpuffen, sondern einer den anderen aufnimmt, so dass eine konziliare regionale *Impulsreihe* entsteht. Ein schönes Beispiel dafür sind die *Kölner Ökumenetage*, die im Jahr 1984 begannen, anfänglich jährlich, dann alle zwei Jahre und später in noch größeren Abständen durchgeführt wurden. Im Jahr 2016 fand am Pfingstmontag bereits der 13. Kölner Ökumenetag zum Thema statt: „Miteinander unsere Welt verändern. Biblische und ökumenische Pro-Vokationen für unsere Stadt."

6.3 *Konziliarer Kirchen-Bund*

Bei den Kirchen sind drei Bereiche im Blick: zunächst die regionalen Landeskirchen und Diözesen, dann die EKD und Deutsche Bischofskonferenz auf Bundesebene, schließlich die internationalen und weltweiten Zusammenschlüsse der Christlichen Weltgemeinschaften (Christian World Communions, CWC) wie die „Gemeinschaft Evangelischer Kirchen in Europa“ (GEKE) und die europäischen Bischofskonferenzen (CCEE), der Lutherische Weltbund (LWB) und der Vatikan. Hier werde ich nur die ersten beiden Bereiche ansprechen. Jede *Landeskirche* hat einen Ökumene-Ausschuss für zwischenkirchliche Beziehungen, jede *Diözese* verfügt über eine Ökumene-Kommission. Wir haben im Rheinland schon vor Jahrzehnten begonnen, in den Ausschuss für Ökumene und Catholica-Fragen einen ständigen Vertreter der Diözesen auf dem Gebiet der rheinischen Landeskirche einzuladen, der gut und gern an den Beratungen regelmäßig teilnimmt. Soweit mir bekannt ist, ist diese Offerte von katholischer Seite bisher nicht erwidert worden.

Stattdessen hat vor einigen Jahren der damalige Kölner Erzbischof *Joachim Meisner* eine *spirituelle* Initiative ergriffen und den rheinischen Präses eingeladen, das Kirchenjahr jeweils am Vorabend in der Kölner Kirche St. Aposteln mit einer *ökumenischen Vesper* zu eröffnen und die Fastenzeit ebenso regelmäßig mit einem gemeinsamen Gottesdienst in der Düsseldorfer Johanneskirche zu beginnen. Das sind seltene öffentliche Zeichen ökumenischer Gemeinschaft von kirchenleitender Seite, die von den Gliedern beider Kirchen dankbar begrüßt werden, auch wenn man sich bei diesen beiden erwähnten Gottesdiensten noch erheblich mehr ökumenische Beteiligung der örtlichen ACKs wünscht, als nur die beiden Oberhäupter zu sehen und zu hören. Landeskirchliche und diözesane Bischöfe können auch einmal im Jahr einen gemeinsamen *Hirtenbrief* schreiben, z. B. zum 1. Advent, zu Ostern oder zu Pfingsten.

Es weckt positive Erwartungen, dass die *EKD* und die *Deutsche Bischofskonferenz* am Vorabend des zweiten Fastensonntags Reminiscere = Gedenke! 2017 zu einem Buß- und Versöhnungsgottesdienstes in die Michaeliskirche nach Hildesheim einladen, wo die *„Heilung der Erinnerungen“* im Mittelpunkt stehen wird. Es ist daran gedacht, dass die Liturgie von Hildesheim anschließend an vielen Orten in Deutschland gefeiert werden soll. „Denn eine wirkliche Heilung des Gedächtnisses wird nur dann möglich sein, wenn das Anliegen nicht auf der Ebene der Kirchenleitungen bleibt, sondern weithin auch von den Gemeinden aufgenommen wird.“[92]

Wann und wo aber wird das Zeichen gesetzt, dass EKD und Deutsche Bischofskonferenz einander als *„Kirchen im eigentlichen Sinn“ anerkennen*? Die verhängnisvolle Äußerung vom 6. August 2000[93] braucht im Jahr 2017 eine ebenso deutliche Erklärung mit gegenteiligem Inhalt, wenn nicht von Rom, dann von Fulda und Hannover. Man kann das mit einer *Kirchen-Partnerschaftserklärung* tun, deren Erarbeitung ich schon im Jahr 2014 vorgeschlagen habe.[94] Es muss im Land der Reformation und der Kirchenspaltung 2017 möglich werden, dass EKD und Deutscher Bischofskonferenz öffentlich und verbindlich erklären, dass sie nicht länger offiziell getrennt nebeneinander leben, sondern von jetzt ab den Weg zu konziliarer Gemeinschaft suchen und miteinander beschreiten wollen.

Auf der *Gesprächsebene* hat zunächst die EKD mit ihren Mitgliedskirchen eine wichtige Frage zu klären: *Ist die EKD Kirche im vollen Sinn oder nur ein Bund von Kirchen?* Zum vollen Kirchesein der EKD gehören eine gemeinsame Bekenntnisgrundlage, Kanzel- und Abendmahlsgemeinschaft und eine verbindliche Entscheidungsvollmacht. Kanzel- und Abendmahlsgemeinschaft sind mit der Leuenberger Konkordie 1973 erreicht worden. Die EKD-Synode besitzt eine gewisse Entscheidungskompetenz: Strukturell ist sie gegeben, kirchenrechtlich könnte sie erheblich ausgeweitet werden. Wie aber steht es mit der gemeinsamen *Bekenntnisgrundlage?* Es ist für nicht unmittelbar an dieser Fragestellung Beteiligte vollkommen unverständlich, wieso die EKD nicht längst eine geklärte und anerkannte Bekenntnisgrundlage besitzt.[95] Es muss doch möglich sein, die altkirchlichen (Nizänum, Apostolikum), reformatorischen (Augsburger Bekenntnis, Kleiner Katechismus, Heidelberger Katechismus) und neuen (Barmen 1934, Leuenberger Konkordie 1973) Bekenntnisse in abgestufter Rangfolge so miteinander zur Geltung zu bringen, dass sie der EKD zu einer klaren Bekenntnisgrundlage verhelfen. Man darf das und muss das vom Gesprächsprozess innerhalb der EKD erwarten, dass sie es im Gedenkjahr an den 500-jährigen Beginn der Reformation schafft, sich über ihre altkirchlichen, reformatorischen und heutigen Bekenntnisgrundlagen zu verständigen. Eine Kirche, die sich selbst ernst nimmt und von anderen ernst genommen werden will, wird schnellstens dafür sorgen, dass sie im Jahr 2017 eine klare Bekenntnisgrundlage erhält.

Im ökumenischen *Gesprächsprozess* hat die ACK auf Bundesebene mit der Initiative: „Lade deine Nachbarn ein" an der Jahrtausendwende einen wichtigen und wertvollen Dialog- und Handlungsakzent gesetzt. Runde Tische der Religionen bürgern sich mehr und mehr ein. Aber warum haben EKD und Deutsche Bischofskonferenz es nicht fertig gebracht, über die *„Gemeinsame Erklärung zur Rechtfertigungslehre"* von 1999 einen inhaltlichen Gesprächsprozess in Gang zu bringen, der evangelische und katholische Christen in der Mitte ihres Glaubens einander erheblich näher brächte? Können sie es nicht? Wollen sie es nicht? Oder interessiert es sie nicht? Welches öffentlich relevante theologische Gespräch führen die beiden großen Kirchen miteinander? Hier stehen offene Fragen im ökumenischen Raum, die im Land der Reformation und der Kirchenspaltung nicht unbeantwortet bleiben dürfen.

Welche *praktischen* Initiativen werden die Kirchen 2017 ergreifen? Was wird aus dem von Präses *Nikolaus Schneider* vor Jahren angeregten „Christusfest" werden? Bischof *Gerhard Feige* fragt: „Nichtssagende Floskel oder wirkliches Programm?"[96] Zumindest könnten die beiden Vorsitzenden, Bischof *Bedford-Strohm* und Kardinal *Marx*, in einer gemeinsamen Botschaft dazu anregen, am Ostermontag, Pfingstmontag oder am Erntedanktag *gemeinsame Christusfeste* zu begehen, und konkrete Gestaltungsvorschläge dazu liefern. In Koblenz wird es am Pfingstmontag 2017 zu einem solchen Ereignis kommen, zu dem das Bistum Trier und die Evangelische Kirche im Rheinland gemeinsam einladen. Wenn es aber um einen konziliaren Impuls von Deutscher Bischofskonferenz und EKD geht, dann ist es angemessen, ein *bundesweites* gemeinsames Christusfest mit neuen Akzenten zu feiern. Dazu eignet sich durchaus das alte Fest der Kreuzerhöhung am 14. September. Denn Thema und Lesungen dieses Tages (Numeri 21,4-9; Philipper 2,6-11; Johannes 3,13-17) treffen den Kern reformatorischer Kreuzesbotschaft. Die Präfation des Tages lautet: „Denn du hast das Heil der Welt auf das Holz des Kreuzes gegründet. Vom Baum des Paradieses kam der Tod, vom Baum des Kreuzes erstand das Leben."[97] Das Fest der Kreuzerhöhung könnte dann auch der Tag sein, an dem EKD und Deutsche Bischofskonferenz mit der *Erklärung zur Kirchenpartnerschaft* einen Konziliaren Kirchenbund miteinander eingehen.

Damit ein solcher Höhepunkt keine Eintagsfliege bleibt, sollte man ab dem Jahr 2017 *ökumenische Provinzialsynoden* vorsehen, die etwa alle 3 bis 5 Jahre stattfinden und jeweils ein wichtiges Thema zwischen den Kirchen und für die Welt aufgreifen. Es wird Zeit, dass die Würzburger Synode der siebziger Jahre eine konziliare Fortsetzung erhält.

500 Jahre „danach" werden von den beiden ehemaligen Kontrahenten im Ursprungsland der Reformation *konziliare Impulse* erwartet, die über den Tag und das Jahr hinaus mit konkreten Taten und Vorschlägen den Weg zu konziliarer Gemeinschaft der Kirchen erkennbar werden lassen. Die Kirchen im Land der Reformation und der Kirchenspaltung haben auch eine besondere *historische* Verantwortung, das Ihre zur Erneuerung des gemeinsamen Christusglaubens und zur Überwindung der Trennung zwischen den Konfessionen beizutragen.

Kapitel VI – Anmerkungen

1. Organisation-und Verfahrensregeln des Heiligen und Großen Konzils der Orthodoxen Kirche, 2016, Art. 1 – Einleitung, jetzt in: EiS (s. o. V, Anm. 17 a), S. 5.
2. Vgl. Die Botschaft des Heiligen und Großen Konzils der Orthodoxen Kirche, Z. 1, in: KNA-ÖKI 26, 28. Juni 2016, S. I, jetzt in: EiS, S. 37ff.
3. AaO. Z. 1, S. II; EiS, S. 31.
4. Vgl. CIC, Can. 338, § 1.
5. S. o. IV,2.4.
6. Vgl. seine Ansprache vom 17. Oktober 2015 zum Thema Synodalität in der Kirche und seine Predigt im Vatikan zum Jerusalemer Apostelkonzil (Apostelgeschichte 15) vom 28. April 2016: „Das ist der Weg der Kirche: die sogenannte Synodalität, in der sich die Gemeinschaft der Kirche ausdrückt."
7. In: Uppsala 1968, Genf 1968, Z. 19, S. 14.
8. S. o. III, 1.3; 2.2
9. So erstmals 1971: „Die Konziliarität und die Zukunft der ökumenischen Bewegung, in: K. Raiser (Hg.), Löwen 1971, BÖR 18/19, Stuttgart 1971, S. 226ff.
9 a Die Kirche. Auf dem Weg zu einer gemeinsamen Vision. Eine Studie der Kommission für Glauben und Kirchenverfassung des ökumenischen Rates der Kirchen, Gütersloh/Paderborn 2014, S. 53, S. 88.
10. AaO. S. 226.
11. Vgl. Art. 11,2 und 12 der Regeln Organisations- und Arbeitsweise.
12. Art. 13,2.
13. Toronto-Erklärung von 1950, Z. 3, in: L. Vischer (Hg.), Die Einheit der Kirche, ThB 30, München 1965, S. 253.
14. Chr. Link, Merkmale der Konziliarität, in: L. Vischer/U. Luz/Chr. Link, Ökumene im Neuen Testament und heute, Göttingen 2009, S. 322.
15. Botschaft des Panorthodoxen Konzils in Kreta, in: KNA-ÖKI 26, 28. Juni 2016, Z. 1, S. I.; jetzt in: B. Hallensleben (s.o. V, Anm. 17a), EiS, S. 30.
16. Schlusserklärung des internationalen Kongresses „Das Konzil ‚eröffnen'" vom 6. bis 8. Dezember 2015 an der Katholischen Akademie Bayern in München, Z. 4: Reform kirchlicher Strukturen.
17. Dazu H.-G. Link, Partnerschaften am Ort und zwischen verschiedenen Orten, in: ders., Unterwegs nach Emmaus (UnE), ökumenische Er-

fahrungen und Ermutigungen für evangelische und katholische Gemeinden, Leipzig/Paderborn 2014, S. 171ff.

18. Vgl. dazu UnE, S. 270ff.

19. In: H.-G. Wirtz/H.-G. Link/S. Schmitt, Mit Jesus Christus auf dem Weg. Unterwegs zur Gemeinschaft der Kirchen, Katholische Akademie Trier 1996, S. 70.

20 AaO. S. 14.

21. Apostolische Schreiben Tertio Millennio Adveniente von Papst Johannes Paul II. ... zur Vorbereitung auf das Jubeljahr 2000, VAS 119, Bonn 10. November 1994, Z. 55, S. 43.

22. Vgl. dazu K. Raiser, To be the Church. Challenges and Hopes for a New Millenium, Geneva 1997,26 ff; ders., Ökumene unterwegs zwischen Kirche und Welt. Erinnerungsbericht über 30 Jahre im Dienst der ökumenischen Bewegung, ÖS 42, Berlin 2013, S. 263ff; s.o. III, 2.3.

23. M. Rekowski / B. Rudolph (Hg.), Bericht der Ökumenischen Visite 11.-21. Juni 2015 in der Evangelischen Kirche im Rheinland, Dokumentation, Düsseldorf, Dezember 2015, S. 12; vgl. auch K. R. Durth, „Es fehlen das Salz und das Licht“. Die Evangelische Kirche im Rheinland im Spiegel ihrer Partnerkirchen, in: KNA-ÖKI 29, 14. Juli 2015, S. 3f.

24. Die Konziliarität und die Zukunft der ökumenischen Bewegung, in: K. Raiser (Hg.), Löwen 1971, Stuttgart 1971, S. 228.

25. In: H.-G. Link (Hg.), Gemeinsam glauben und bekennen (GGB). Handbuch zum Apostolischen Glauben, Neukirchen/Paderborn 1987, S. 89 f.

26. In: Neu-Delhi 1961, S. 130.

27. Gespräche über das Leben Jesu in Lateinamerika, 4 Bde, Gütersloh 1976-1980.

28. Dazu UnE (Anm. 17), S. 100f.

29. Dazu UnE, S. 88 ff, 101f.

30 In: Ökumenischer Gottesdienst 29. April 2007, 17:00 Uhr, Dom zu Magdeburg. Anerkennung der Taufe.

31. Zu Einzelheiten vgl. H.-G. Link, UnE S. 115ff.

32. In: Busan 2013, (s. o. Einführung, Anm. 1),S. 577, III.

33. S. o. III, 1.2.

34. Dazu H.-G. Link, Bekennen und Bekenntnis (BuB), ÖS 7, BH 86, Göttingen 1998, S. 125ff.

35. In: H.-G. Link, GGB, S. 116ff, hier S. 124.

36. J. N. D. Kelly, Altchristliche Glaubensbekenntnisse. Geschichte und Theologie, Göttingen 1972, S. 294.

37. Dazu H.-G. Link, BuB S. 31 ff.
38. Dazu empfehle ich: Gemeinsam den einen Glauben bekennen. Eine ökumenische Auslegung des apostolischen Glaubens, wie er im Glaubensbekenntnis von Nizäa-Konstantinopel (381) bekannt wird, Frankfurt/Main – Paderborn 1991, S. 79ff.
39. Ursprünglicher Wortlaut, aaO. S. 19.
40. Vgl. dazu die von C. S. Song und H.-G. Link herausgegebene Reihe: Confessing Our Fath around the World:
I. FOP104, Geneva 1980;
II. FOP 120, Geneva 1983;
III. FOP 123, Geneva 1984: The Carribean and Central America;
IV. FOP 126, Geneva 1985: South America.
41. Ökumenismus-Dekret Z. 2,1, in: KKK (s. o. Einführung, Anm.5), S. 230.
42. Vgl. dazu die Ausarbeitung und den Beschluss der Landessynode der Evangelischen Kirche im Rheinland vom 15. Januar 2004: „Eingeladen sind alle. Warum die Kirche nicht vom Mahl des Herrn ausschließen darf", Düsseldorf 2004.
43. W. H. Lazareth/N. Nissiotis (Hg.), Taufe, Eucharistie und Amt (TEA). Konvergenzerklärungen der Kommission für Glauben und Kirchenverfassung des Ökumenischen Rates der Kirchen, Frankfurt/Main – Paderborn 1982, S. 18 ff; vgl. auch M. Welker, Was geht vor beim Abendmahl?, Gütersloh 2012, 4. Aufl., 208 S.
44.TEA, Z. 28, S. 27.
45. Ausführlicher dazu in H.-G. Link, UnE S. 156ff.
46. AaO. Z. 3-14, S. 19-22, sowie Z. 27, S. 26.
47. Dazu W. J. Patzelt/G. Bach, Die Agapefeier. Sinn und Form einer ökumenischen Laienliturgie, Frankfurt/Main 2014; G. Fuchs, Agape-Feiern in Gemeinde, Gruppe und Familie. Hinführung und Anregungen, Regensburg 1997.
48. Taufe, Eucharistie und Amt (s. o. Anm.43), Amtserklärung Z. 4, S. 29.
49. MLAW I (s. o. I, Anm. 4), S. 156f.
50. TEA, Amtserklärung § 34 mit Kommentar und § 37, S. 42 und 44 (Hvg. v. m.).
51. In: GGB (s. o. Anm.25), S. 22.
52. Neu-Delhi 1961 (s. o. III, Anm. 72), S. 130.
53. Nairobi 1975 (s. o. III, Anm.49) S. 26.

54. Canberra 1991 (s. o. III, Anm..73) S. 174.
55. Uppsala 1968 (s. o. III, Anm35.) S. 15.
56. Ebd.
57. Vgl. dazu den gemeinsamen Eröffnungsvortrag von Elisabeth und Jürgen Moltmann, Menschwerden in einer neuen Gemeinschaft von Frauen und Männern, jetzt in: J. Moltmann, Hoffen und Denken. Beiträge zur Zukunft der Theologie, Neukirchen 2016, S. 279ff.
58. Bericht der IV. Sektion: Die Kirche und die internationale Unordnung, in: W. Visser´t Hooft (Hg.), Die erste Vollversammlung des Ökumenischen Rates der Kirchen (Amsterdam 1948), Genf/Zürich 1948, S. 117.
59. Dazu: D. F. Dornbaugh (Hg.), On Earth Peace. Discussions on War/Peace Issues between Friends, Mennonires, Brethren and European Churhes 1935-1975, Elgin/Ill./USA 1978.
60. In: Busan 2013 (s. o. Einführung, Anm.1), S. 398f.
61. 1. Hg. L. Vischer, Frankfurt/Main 1979; 2. Hg. H.-G. Link, Frankfurt/Main 1989; 3. Hg. Arbeitsgemeinschaften Christlicher Kirchen in Deutschland, Schweiz, Österreich, Frankfurt/Main – Paderborn 2008.
62. In: Busan 2013, S. 142 (Hvg.v.m.).
63. Vgl. dazu D. Heller/B. Rudolph, Die Orthodoxen im ÖRK, BÖR 74, Frankfurt/Main 2004, S. 32 ff.
64. In: Amsterdam 1948 (s. o. Anm.58, S. 7ff.
65. In: Vancouver 1983 (s. o. III, Anm.64, S. 98ff, 109ff.
66. AaO. S. 167; s.o. III, 2.3. sie
67. In: Busan 2013, S. 209ff, 221ff, 398ff.
68. Vgl. dazu Papst Franziskus, Apostolischen Schreiben Evangelii Gaudium … über die Verkündigung des Evangeliums in der Welt von heute, VAS 194, Bonn 24. November 2013, Z. 53, S. 45: „Diese Wirtschaft tötet."
69. Vgl. dazu: Ökonomie des Lebens: Habgier überwinden, in: Busan 2013 (s. o. Einführung, Anm. 1) S. 264ff.
70. In: Canberra 1991 (s. o. III, Anm..73, S. 53.
71. AaO. S. 72.
72. Porto Alegre 2006 (s. o. III, Anm.76), S. 76.
73. AaO. S. 288ff.
74. Busan 2013, S. 66.
75. AaO. S. 64.
76. AaO. S. 71.

77. In: Rundbrief der Internationalen Ökumenischen Gemeinschaft, deutsche Region, Nr. 72, März 2011, S. 27 ff.
78. In: Neu-Delhi 1961 (s. o. III, Anm72), S. 90.
79. In: Canberra 1991 (s. o. III, Anm.73), S. 49.
80. In: Harare 1998 (s. o. III, Anm.84), S. 317ff.
81. In: Porto Alegre 2006 (s. o. III, Anm.76), S. 326ff, 363ff.
82. In: Referenztexte für die 10. Vollversammlung des Ökumenischen Rates der Kirchen in Busan 2013, Genf 2013, S. 81ff.
83. In: Busan 2013, S. 486ff, 371ff.
84. H. Küng, Projekt Weltethos, München 1990, S. 97 ff, 137ff.
85. Erklärung über den Dialog in der Gemeinschaft, Chiang Mai/Thailand 1977, in: M. Mildenberger, Denkpause im Dialog. Perspektiven der Begegnung mit anderen Religionen und Ideologien, Frankfurt/Main 1978, S. 58.
86. Vgl. dazu: Local Churches in Covenant. A Paper approved by the Roman Catholic Bishops of England and Wales. Published on behalf of the Committee for Christian Unity, London 1983,1988; deutsch: Ortskirchen schließen einen Bund, in: H.-G. Link (Hg.), Ökumenische Gemeindepartnerschaft am Ort. Vorschläge – Modelle – Berichte, KÖB 42, Köln 2002, S. 66 ff.
87. Chr. Link, in: Ökumene im Neuen Testament und heute (s. o. Anm. 14), S. 318f.
88. Dazu s.o. II, 1.3 (2).
89. Vgl. dazu: Busan 2013, S. 142.
90. Dazu: H.-G. Link, UnE S. 190ff.
91. Dazu H.-G. Link, UnE S. 132f.
92. G. Feige, Auf der Zielgeraden zu 2017. Christusfest – nichtssagende Floskel oder wirkliches Programm?, in: KNA-ÖKI 30, 26. Juli 2016, S. V.
93. Erklärung Dominus Iesus. Über die Einzigartigkeit und Heilsuniversalität Jesu Christi und der Kirche, VAS 148, Bonn 6.August 2000, Z. 17, S. 23.
94. In: H.-G. Link, UnE S. 270 ff.
95. Vgl. dazu: H. Barth (Hg.), Soll das Augsburger Bekenntnis Grundbekenntnis der EKD werden? Ein Votum der Kammer der EKD für Theologie, EKD-Texte 103, Hannover 2009.
96. S. o. Anm. 92.
97. K.-H. Bieritz, Das Kirchenjahr, BR 447, München 1994, S. 271.

VII.
Ausblick auf drei notwendige konziliare Versammlungen

1. Eine deutsche ökumenische Provinzialsynode im Jahr 2021 zur Exkommunikation Martin Luthers und den gegenseitigen Lehrverurteilungen

1.1 Der Fall Martin Luther

Der römische Prozess gegen Martin Luther wurde in einem Dreischritt zum Abschluss gebracht: am 15. Juni 1520 erschien die päpstliche Bannandrohungsbulle „Exsurge Domine", am 3. Januar 1521 wurde die Bannbulle veröffentlicht und am 26. Mai 1521 trat das Wormser Edikt in Kraft. In der *Bannandrohungsbulle* von Papst *Leo X.* werden Luther 41 Irrtümer unterstellt, die schlecht recherchiert waren und deren Widerlegung zwar behauptet, aber nicht begründet wurde. „So ist diese Bulle eine sehr schwache Leistung, was auch die Zeitgenossen rügen."[1] Das hinderte Papst *Leo X.* in keinster Weise, von Luther innerhalb von 60 Tagen seinen mündlichen oder schriftlich notariell beglaubigten Widerruf aller seiner Lehren zu verlangen. Bekanntlich verweigerte Luther jeden Widerruf und ging stattdessen seinerseits zum Gegenangriff über, indem er am 10. Dezember 1520 vor dem Elsterntor in Wittenberg diese Bannandrohungsbulle mit den Worten ins Feuer warf: „Weil du die Wahrheit Gottes verderbt hast, verderbe dich heute der Herr."[2] Am 3. Januar 1521 erfolgte dann die förmliche *Exkommunikation* Luthers aus der Kirche mit der *Bannbulle* Leos X. „Decet Romanum Pontificem": „Demnach entscheiden wir, dass sie alle *(Luther und seine Anhänger)* der Strafe der Exkommunikation, dazu des Bannes, der ewigen Verdammnis, des Interdikts, des Verlustes ihrer und ihrer Nachkommen Würden, Ehren und Güter und der Majestätsbeleidigung verfallen sind ..." Luther und alle seine Anhänger wurden also offiziell zu Häretikern erklärt und zusätzlich wichtige Autoritäten zur Bekämpfung und Verurteilung aller Anhänger Luthers ausdrücklich aufgefordert. Am 26. Mai trat dann das von Kaiser *Karl V.* erlassene Wormser Edikt in Kraft: Wir gebieten auch allen, dass ihr „den vorgemelten Martin Luther nit hauset, hoffet, etzt, drenket, noch enthaltet … kainerlei hilf, anhang, beistand noch fürschub beweiset … Aber gegen seinen mitverwandten, anhengern… gönnern und nachvolgern … sollet ihr … sie niederwerfen … und ihre Güter zu euern handen nehmen …“[3] Da sich Luther seit dem 4. Mai 1521 auf der Wartburg in Sicherheit befand, traf ihn dieses kaiserliche Edikt nicht existenziell. Aber die päpstlichen und kaiserlichen Verurteilungen Luthers haben Folgen bis zum heutigen Tag.

1.2 Die Folgen der Exkommunikation Luthers

Martin Luther hat von 1521 bis zu seinem Tod 1546, also 25 Jahre lang, sein Leben unter dem *Verdikt des Ketzers* zugebracht, den jeder als Gott wohlgefälliges Werk leiblich oder geistig angreifen konnte und sollte. Als offiziell Gebannter, Geächteter und Ausgestoßener hat er die Reformation ins Werk gesetzt; das erklärt manche seiner Schärfen gegen seine Gegner. Praktisch konnte Luther das ihn schützende Kurfürstentum Sachsen nach 1521 nicht mehr verlassen. Daher kam er auf dem Weg zum Augsburger Reichstag 1530 nur bis zur Veste Coburg. Diese massive Einschränkung seines Wirkungsfeldes hat dazu beigetragen, dass er den Aufbau des evangelischen Kirchentums in Kursachsen nur umso energischer betrieben hat. Mit Luthers Exkommunikation war sein reformatorisches Programm, die *gesamte* Kirche an Haupt und Gliedern zu erneuern, praktisch unmöglich geworden. Luther hat nicht im Traum daran gedacht, seine Kirche zu verlassen; er ist, ohne in Rom ein einziges Mal eine reale Chance erhalten zu haben, von dort mit kirchenrechtlicher und politischer Gewalt aus der Kirche offiziell ausgestoßen worden. Schlimmer noch: nicht nur er allein, sondern mit gleicher juridischer Vollmacht auch *alle seine Anhänger*.

Das ist die offizielle kirchenrechtliche Lage bis zum heutigen Tag! Die römisch-katholische Kirche hat sich bis heute nicht in der Lage gesehen, an diesem Zustand offiziell irgendetwas zu ändern. Was bedeutet das für ihr Verhältnis zu den aus Reformation hervorgegangenen Kirchen? Zunächst stellt dieser Zustand eine objektive Diskriminierung aller reformatorischen Kirchen dar, insbesondere derer, die sich ausdrücklich auf Luther berufen wie die rund 70 Millionen, die im Lutherischen Weltbund zusammengeschlossen sind. Es leuchtet ein, dass die Angehörigen evangelisch-lutherischer Kirchen eine besonders intensive, auch emotionale Bindung an die Person Martin Luther haben und sich durch seine *nie zurückgenommene Exkommunikation* auch persönlich betroffen und belastet fühlen. Trotz vieler Fortschritte in den Beziehungen zwischen evangelisch-lutherischer und römisch-katholischer Kirche ist es doch nicht vorstellbar, dass sie in volle Kirchengemeinschaft miteinander eintreten können, solange der Begründer des evangelisch-lutherischen Kirchentums von römisch-katholischer Seite offiziell als Ketzer und Häretiker eingestuft wird.

1.3 Das Wormser Memorandum von 1971

450 Jahre nach den Vorgängen vor, auf und nach dem Wormser Reichstag von 1521 haben Vertreter von Laien und Klerus des römisch-katholischen Dekanates Worms am 6. März 1971 einen Offenen Brief an Papst *Paul VI.* geschrieben: das *Wormser Memorandum,* das in deutscher, französischer, spanischer, lateinischer und griechischer Sprache veröffentlicht wurde. Darin wurde der Papst um ein „klärendes Wort zu Person und Lehre Martin Luthers aus heutiger katholischer Sicht“ gebeten.[4] Mit dieser Bitte verbanden die Briefschreiber die Absicht, „eine der Ursachen für eine unzeitgemäße Belastung des Verhältnisses der Christen untereinander unwirksam“ werden zu lassen. Außerdem sollte die „persönliche Diskriminierung“ Luthers beseitigt werden.
Dieser Bitte von Vertretern aus ihren eigenen Reihen erteilte die römisch-katholische Kirche am 14. Juli 1971 eine *offizielle Absage*. Kardinal *Willebrands,* der damalige Präsident des Päpstlichen Rates zur Förderung der christlichen Einheit, be-

gründete in seinem Schreiben die Ablehnung damit, dass über die verurteilten Lehren Luthers ein Konsens der Kirchen zwar angestrebt werde, aber noch nicht erreicht sei.
So standen die Dinge im Jahr 1971. Seitdem sind nicht weniger als *15 Konsenstexte* vom Lutherischen Weltbund zusammen mit dem Vatikan veröffentlicht worden: angefangen vom berühmten Malta-Bericht 1972 über „Das Evangelium und die Kirche" bis zur vorläufig letzten Publikation „Vom Konflikt zur Gemeinschaft" 2013 mit einem ebenso betitelten Liturgievorschlag von 2016. Als weitere Höhepunkte dieser Entwicklung verweise ich lediglich auf das Projekt von 1985 „Lehrverurteilungen – kirchentrennend?" und die „Gemeinsame Erklärung zur Rechtfertigungslehre" von 1999. Es ist also in den vergangenen Jahrzehnten enorm viel inhaltlich-theologisch zwischen evangelisch-lutherischer und römisch-katholischer Kirche *aufgearbeitet* worden[5], aber in der offiziellen Stellungnahme des Vatikans zu Luthers Exkommunikation, seiner Theologie und seinem reformatorischen Programm hat sich seit 1521 bis zum heutigen Tag kein Jota geändert.
Was ist nun, 45 Jahre nach 1971, zu tun?

1.4 Eine deutsche ökumenische Provinzialsynode im Jahr 2021

Es gibt gute theologische *Vorarbeiten*, die den Weg zu einer kirchlich verbindlichen Klärung des „Falles Luther" und der gegenseitigen Lehrverurteilungen ebnen helfen. Schon 1983 ist anlässlich des 500. Geburtstages Martin Luthers von der Gemeinsamen römisch-katholischen/evangelisch-lutherischen Kommission auf Weltebene ein Wort veröffentlicht worden: „Martin Luther – Zeuge Jesu Christi", „das der Versöhnung und Verständigung dienen soll". Es mündet in die Erkenntnis, „heute ... gemeinsam von Luther zu lernen ... Er mahnt uns, dass es Versöhnung und christliche Gemeinschaft nur dort geben kann, wo man dem ‚Maßstab des Glaubens' wie dem ‚Maßstab der Liebe' folgt, die... alles Gute von dem Nächsten glaubt und ... jeden Getauften einen Heiligen nennt (Luther)."[6] Das 1971 erbetene „klärende

Wort“ kann heute auf diese Äußerungen von 1983 zurückgreifen und sie für die römisch-katholische Kirche verbindlich machen.

Auch für den heutigen evangelischen Umgang mit seinen Verwerfungen katholischer Positionen gibt es eine hilfreiche Vorlage: die Erklärung der Landessynode der Evangelischen Kirche im Rheinland vom 12. Januar 1993 zu „Lehrverurteilungen – kirchentrennend?“ Sie hat darin zu den Themen Rechtfertigung, Messe und Papsttum für die Evangelische Kirche im Rheinland verbindlich erklärt:

„Die Synode stellte daher fest: Auf eine Rechtfertigungslehre, wie sie in dem Dokument ‚Lehrverurteilungen – kirchentrennend?‘ zusammenfassend erläutert wird, trifft das Urteil nicht mehr zu: ‚So bleiben wir ewiglich geschieden und gegeneinander‘ (Schmalkaldische Art. II,2.5); es wird von uns insofern künftig nicht mehr verwendet.

Auf die römisch-katholische Messe, wie sie in dem Dokument ‚Lehrverurteilungen – kirchentrennend?‘ beschrieben wird, treffen die Verwerfungen der Schmalkaldischen Artikel sowie der Ausdruck des Heidelberger Katechismus (Frage 80) ‚vermaledeite Abgötterei‘ nicht zu; er wird von uns insofern künftig nicht mehr verwendet.

Auf ein Papsttum, dessen Amt dem Evangelium untergeordnet ist, trifft der Ausdruck ‚Antichrist‘ nicht zu; er wird von uns insofern künftig nicht mehr verwendet.“[7]

Daran kann die evangelische Seite anknüpfen und die Verbindlichkeit auf den Bereich der EKD ausweiten.

Im Blick auf die gegenseitigen „Verwerfungen des 16. Jahrhunderts“ insgesamt haben die Vorsitzenden der Gemeinsamen Ökumenischen Kommission (GÖK), die Bischöfe *Paul-Werner Scheele* und *Eduard Lohse*, im November 1985 einen Brief verfasst, in dem sie ankündigen, den Schlussbericht zur Überprüfung der Verwerfungen des 16. Jahrhunderts der Deutschen Bischofskonferenz und dem Rat der EKD „mit der Bitte (zu) übergeben ..., dem uns anvertrauten Dokument den höchstmöglichen Grad kirchlicher Anerkennung zukommen lassen zu wollen“. Dieser Schlussbericht bittet „die Leitungen der betroffenen Kirchen, verbindlich auszusprechen, dass die Verwerfungen des 16. Jahrhunderts den heutigen Partnern nicht tref-

fen …"[8] Dazu, wie das geschehen könnte, gibt es mit der Erklärung von Papst *Paul VI.* und Patriarch *Athenagoras* zur „Aufhebung der Bannbullen zwischen Rom und Konstantinopel" vom 7. Dezember 1965 eine Vorlage: „Außerdem wollen Wir den Beschluss der Exkommunikation aus dem Gedächtnis tilgen und dem Vergessen anheimfallen lassen."[9]
Die theologischen Vorarbeiten zur Überwindung von Exkommunikation und Lehrverurteilungen liegen also vor. Nun kommt es darauf an, in ein *Verfahren* einzutreten, das zu *verbindlichen kirchlichen Erklärungen* führt. Dazu möchte ich einen Vorschlag von *fünf Schritten* zur Diskussion stellen:

(1) Die Kontaktgruppe zwischen Deutscher Bischofskonferenz und EKD gibt im Jahr 2017 am Fest der Kreuzerhöhung (14. September) den Initialimpuls, auf die offizielle Außerkraftsetzung von Luthers Exkommunikation und der gegenseitigen Lehrverurteilungen hinzuarbeiten.
(2) Die Deutsche Bischofskonferenz wendet sich an ihre Ökumene-Kommission und die EKD an ihre Kammer für Theologie mit der Bitte, im Jahr 2018 eine Vorlage zu den genannten Themen jeweils auszuarbeiten und sie miteinander abzustimmen.
(3) Die Synode der EKD und die Vollversammlung des Zentralkomitees der deutschen Katholiken führen im Jahr 2019 getrennt und/oder gemeinsam öffentliche Diskussionen zum Thema anhand der erarbeiteten Vorlage/n durch.
(4) Die Vollversammlung der Deutschen Bischofskonferenz und der Rat der EKD laden im Jahr 2020 auf der Grundlage der erzielten Ergebnisse zu einer ersten deutschen ökumenischen Provinzialsynode ein.
(5) Diese *erste deutsche ökumenische Provinzialsynode* findet im Frühjahr 2021 (Stichtag: 3. Januar 1521) statt; z. B. am ersten Wochenende in der Fastenzeit (19. bis 21. Februar). Es sollten daran nicht nur Ordinierte oder gar nur Bischöfe teilnehmen, sondern auch Laien, Frauen und Jugendliche. Jedes Bistum und jede Landeskirche sind mit zwei Vertretern/innen anwesend. Ziel der Synode ist *ein verbindlicher Beschluss zur Außerkraftsetzung* von Luthers Exkommunikation und den gegenseitigen

Lehrverurteilungen. Dieser Beschluss wird nach Rom zum Vatikan und nach Genf zum Lutherischen Weltbund weitergeleitet mit der Bitte um Zustimmung und weltweite Inkraftsetzung.

2. Eine europäische konziliare Versammlung im Jahr 2030 zum gemeinsamen Glaubenszeugnis

2.1 Die ökumenische Orientierung des Augsburger Bekenntnisses von 1530

Schon in seiner *Vorrede* wird die ökumenische Zielsetzung deutlich. Denn sie greift das Einberufungsschreiben von Kaiser *Karl V.* zustimmend auf: Wir wollen uns „verständigen, damit ... Meinungsverschiedenheiten zu einer gemeinsamen wahren Religion zusammengeführt werden mögen ..., ‚wie wir alle unter einem Christus stehen und streiten‘ und Christus bekennen sollen“. Die Augsburger Verfasser wollen es an nichts fehlen lassen, was „der christlichen Einheit dienen kann“ und erklären deshalb ihre „Bereitschaft zu einem solchen allgemeinen, freien, christlichen Konzil“[10].
In diesem versöhnlichen Geist ist das gesamte Augsburger Bekenntnis abgefasst, besonders sein *erster Teil*, in dem grundlegende „Artikel des Glaubens und der Lehre“ erörtert werden, nämlich der trinitarische Gottesglaube (Art. 1-6), die Kirche (Art. 7-15) sowie Glauben und Leben in Kirche und Staat (Art. 16-21). Das geschieht im Rückgriff auf die Heilige Schrift und die „Schriften der Kirchenväter“, so dass „unsere Gegner in den oben aufgeführten Artikeln mit uns nicht uneinig sein können“[11]. Es ist also die erklärte Absicht des ersten Teils des Augsburger Bekenntnisses, keine konfessionelle Sonderlehre zu entwickeln, vielmehr im Gegenteil die gemeinsamen Glaubensgrundlagen herauszuarbeiten.
Das gilt grundsätzlich auch für den *zweiten Teil*, der sich mit „umstrittenen Artikeln über abgeschaffte Missbräuche“ befasst (Art. 22-28): Abendmahl unter beiderlei Gestalt, Zölibat und Ehestand, Messe und Beichte, Gebräuche, Klostergelübde und die Vollmacht der Bischöfe. Der Abschluss von Teil zwei weist

geradezu ängstlich beschwörend darauf hin, „dass wir mit größter Anstrengung und mit Gottes Hilfe … verhütet haben, dass ja keine neue und gottlose Lehre in unsere Gemeinden/Kirchen eindringe“[12].

Damit vertritt das Augsburger Bekenntnis die Position, den alten, ursprünglichen christlichen Glauben mit Hilfe von Schrift, altkirchlichem Bekenntnis und Kirchenvätern wieder zum Leuchten zu bringen und gerade nichts Neues eingeführt zu haben. Das Augsburger Bekenntnis ist in der erklärten Absicht von *Philipp Melanchthon* u.a. verfasst worden, die Einheit der Kirche zu bewahren. Diese *konziliare Ausrichtung* unterscheidet es von späteren evangelischen Bekenntnisschriften, die die eigene konfessionelle Position in den Vordergrund rücken.

2.2 Die Anerkennungsdiskussion über das Augsburger Bekenntnis um 1980

Diese konziliare Intention des Augsburger Bekenntnisses ist gelegentlich von katholischer Seite besser verstanden worden als von evangelischer. So ist es zu erklären, dass im Vorfeld des 450-jährigen Gedenktages der Confessio Augustana Ende der siebziger Jahre zunächst in der katholischen Kirche eine Diskussion darüber geführt wurde, das Augsburger Bekenntnis als gültigen Ausdruck des Glaubens der Christenheit anzuerkennen.[13] Dieses Gespräch ist dann ausgeweitet worden und hat zu einer Stellungnahme der Gemeinsamen römisch-katholischen/evangelisch-lutherischen Kommission zum Augsburger Bekenntnis in seinem Jubiläumsjahr 1980 geführt: „Alle unter einem Christus.“

Dort wird dem Augsburger Bekenntnis sein „ökumenischer Wille und die katholische Intention der Reformation“ (Z. 7) bescheinigt. Grundlegende Gemeinsamkeiten im trinitarischen Glauben, in der Rechtfertigungslehre, in den Sakramenten und dem Verständnis der Kirche werden zwischen dem Augsburger Bekenntnis und dem katholischen Glauben festgehalten (Z. 13-16). Sogar zu den strittigen Punkten des zweiten Teils bemerkt die Stellungnahme „Wandlungen“, die „die im Augsburger Bekenntnis ausgesprochene harte Kritik im Wesentlichen gegenstandslos machen“ (Z. 19). Zusammenfassend ist von einem „Grundkonsens ... in zentralen christlichen Glaubenswahrheiten“ (Z. 25) die Rede. Abschließend entwickelt die Stellungnahme zum Augsburger Bekenntnis folgende Sicht: *„Was wir als Ausdruck unseres gemeinsamen Glaubens wieder entdeckt haben, will sich neu artikulieren. Es will den Weg zeigen zu einem Bekennen hier und heute, in dem Katholiken und Lutheraner nicht mehr getrennt und gegeneinander, sondern miteinander die Botschaft vom Heil der Welt in Jesus Christus bezeugen und als erneutes Gnadenangebot Gottes verkündigen“* (Z. 28).[14]

Wenn es 1980 auch nicht zu einer formellen und offiziellen Anerkennung des Augsburger Bekenntnisses durch die römisch-katholische Kirche gekommen ist, so belegt diese Stellungnahme doch eine ganz erstaunliche inhaltliche Übereinstimmung, die den Boden für die Gemeinsame Erklärung zur Rechtfertigungslehre von 1999 mitbereitet hat.

2.3 Eine europäische konziliare Versammlung im Jahr 2030

Angesichts der Intensität und der bisherigen Früchte des lutherisch-katholischen Dialogs[15] braucht man kein Prophet zu sein, um vorauszusehen, dass im Jahr 2030 das Gedenken an die Entstehung des Augsburger Bekenntnisses vor dann 500 Jahren zumindest vom Lutherischen Weltbund und vom Vatikan öffentlich festlich begangen werden wird. Was könnte und was sollte dann – 50 Jahre nach 1980 – zur Sprache kommen? Grundsätzlich könnte man zunächst sagen: Was damals angedacht, aber noch nicht verwirklicht worden ist, kann im Jahr 2030 gelingen. Das betrifft zunächst den Augsburger Reichstag und das Augsburger Bekenntnis von 1530.

Es war den Kurfürsten, Fürsten und Ständen des Reichstages von Augsburg ebenso bewusst wie Kaiser *Karl V.* selbst, dass die „Sachen unseres heiligen Glaubens“[16] rechtmäßig nicht auf einem Reichstag, sondern auf einem Konzil zu verhandeln wa-

ren. Was 1530 wegen des Widerstandes des damaligen Papstes *Clemens VII.* nicht zustande kam, sollte 2030 zustande kommen: zwar nicht ein reguläres Konzil, wohl aber eine *europäische konziliare Versammlung*, die sich mit ökumenischen Fragen des Glaubens befasst. Dann könnte vollzogen werden, was 50 Jahre zuvor angedacht und angeregt worden ist: das *Augsburger Bekenntnis* als gültigen Ausdruck des Glaubens der Christenheit offiziell von der römisch-katholischen und anderen Kirchen anzuerkennen. Damit würde dann der ökumenische Charakter des Augsburger Bekenntnisses und der Neuerungen auf seiner Grundlage anerkannt und zugleich der Reformation der Stachel von gezielter Kirchenspaltung gezogen. Nach der Außerkraftsetzung von Luthers Exkommunikation und der gegenseitigen Lehrverurteilungen wäre die Anerkennung des Augsburger Bekenntnisses ein dritter Schritt zur Überwindung der kirchentrennenden Folgen der Reformation.
Das bräuchte und sollte nicht das einzige Ergebnis der konziliaren Versammlung 2030 „in Sachen unseres heiligen Glaubens“ sein. Sie könnte einen weiteren Schritt unternehmen und das *ökumenische Glaubensbekenntnis* von Nizäa-Konstantinopel aus dem Jahr 381 als gemeinsame altkirchliche Grundlage des christlichen Glaubens ausdrücklich bestätigen und den Kirchen zum regelmäßigen liturgischen Gebrauch ans Herz legen.[17] Dadurch würde eine Rückbesinnung auf die altkirchlichen Grundlagen des christlichen Glaubens vollzogen, die namentlich den evangelischen Kirchen ausgesprochen gut täte.
Wenn es auf der konziliaren Versammlung im Jahr 2030 gelänge, sich sowohl auf die altkirchliche Grundlage als auch auf das reformatorische Grundbekenntnis des christlichen Glaubens zu verständigen, dann könnte man als dritten Schritt versuchen, zu einer *gemeinsamen Formulierung des christlichen Glaubens für unsere Zeit* und mit den Worten unserer Tage zu gelangen. Versuche in diese Richtung sind vor allem 1978 in Bangalore während der Konferenz der Kommission für Glauben Kirchenverfassung unternommen worden: einmal mit dem Dokument: „Eine gemeinsame Rechenschaft von der Hoffnung“ – der in meinen Augen bisher überzeugendste Text; sodann mit dem Bericht: „Eine gemeinsame Erklärung über unseren Glauben“,

der sich u. a. für die Doxologie Epheser 1,3-14 als „vorläufiges" gemeinsames Glaubensbekenntnis ausspricht: *„Indem die getrennten christlichen Gemeinschaften in einem Glauben zusammenwachsen, sind sie schon jetzt bereit, in eine Doxologie einzustimmen, die unserem gemeinsamen Erbe, der Schrift, entnommen ist."*[18]

Demgegenüber haben sich viele sog. neue Glaubensbekenntnisse vom Ende des 20. Jahrhunderts als zu zeitgebunden herausgestellt, als dass sie über ihren Tag hinaus Geltung beanspruchen könnten. Denn dabei kommt es nicht auf Tagesaktualität, sondern auf Zeitgemäßheit an. Wenn ein neues gemeinsames Bezeugen und Bekennen des christlichen Glaubens um das Jahr 2030 herum gelingen soll, ist man gut beraten, den Faden des ökumenischen Projektes von Lima 1982 „Auf dem Weg zu einem gemeinsamen Ausdruck des apostolischen Glaubens heute"[19] rechtzeitig wieder aufzunehmen.

3. Ein Konzil der Versöhnung zwischen Ost- und Westkirche im Jahr 2054

3.1 Die Eckdaten 1054 und 1965

Der folgenreichste Bruch, den das Christentum in seiner zweitausendjährigen Geschichte erlitten hat, ist keineswegs die Reformation gewesen, vielmehr die Entfremdung zwischen Ost- und Westkirche, die im Jahr 1054 zum Abbruch der gegenseitigen Beziehungen geführt hat. Als offizielles Datum, das die Trennung zwischen West- und Ostkirche, zwischen Rom und Konstantinopel besiegelte, gilt der 16. Juli 1054. Damals drang der päpstliche Legat *Humbert von Silva Candida* nach erfolglosen Verhandlungen mit seinen beiden Begleitern in die Hagia Sofia-Kirche von Konstantinopel ein und legte die römische *Bannbulle* gegen den „Pseudopatriarchen" *Michael Kerularios* und seine Anhänger während der Feier der Göttlichen Liturgie auf dem Hauptaltar nieder. Acht Tage später, am 24. Juli, revanchierte sich Kerularios und belegte zusammen mit seiner Synode die drei römischen Legaten mit dem Anathema, dem Kirchenbann.[20]

Damit war zwar nicht kirchenrechtlich, wohl aber faktisch das Tischtuch zwischen Rom und Konstantinopel zerschnitten. Weitere westliche Aggressionen wie die Kreuzzüge und die Errichtung eines lateinischen Patriarchats in Konstantinopel (1204-1261) vertieften die Entfremdung zwischen den Kirchen des Ostens und des Westens bis zu gegenseitiger Verbitterung und Karikierungen. Am nachhaltigsten hat die Vandalisierung Konstantinopels im Rahmen des Vierten Kreuzzuges durch die Truppen von Venedig im April 1204 die Beziehungen vergiftet. Diese Untaten des Westens in der damaligen Hauptstadt des Ostens sind auch nach über 800 Jahren von orthodoxer Seite weder vergessen noch vergeben, während man im Einflussbereich der westlichen Täter kaum noch etwas von ihnen weiß. Als ich über die Vorgänge von 1054 am 16. Juli 2004 in der Kölner Antoniter-Kirche sprach, hatte ich den Eindruck, zu den Hörern von böhmischen Dörfern zu reden.
Es ist der Initiative von Patriarch *Athenagoras* und dem Geschichtsbewusstsein von Papst *Paul VI.* zu verdanken, dass es zum Abschluss des Zweiten Vatikanischen Konzils, am 7. Dezember 1965, zu einer ersten *Geste der Versöhnung* gekommen ist: „In Anwesenheit einer Delegation des Ökumenischen Patriarchats und vor der dicht besetzten Peterskirche zu Rom verkündete Papst Paul VI. bei der letzten öffentlichen Sitzung des Zweiten Vatikanischen Konzils unter dem spontanen und brausenden Beifall der Konzilsväter und der Gäste diesen Versöhnungsakt beider Kirchen, während zur selben Zeit der gleiche Akt in der patriarchalen Kirche des heiligen Georg zu Konstantinopel in Anwesenheit auch einer römisch-katholischen Delegation stattfand.“[21] Nach mehr als 900 Jahren schismatischer Trennung war es Patriarch Athenagoras und Papst Paul VI. jedoch völlig klar, „dass diese Geste der Gerechtigkeit und der wechselseitigen Vergebung nicht hinreichen kann, um den alten und neueren Differenzen, die zwischen der römisch-katholischen Kirche und der orthodoxen Kirche bestehen, ein Ende zu setzen.“[22] Sie war aber der offizielle Beginn eines nunmehr über fünfzigjährigen Annäherungsprozesses, der jährliche gegenseitige Besuche und Dialoge der Liebe und der Wahrheit mit sich gebracht hat, ohne dass ein Ende dieser Aufarbeitungsprozesse

auch nur von ferne abzusehen wäre. Der Ökumenische Rat der Kirchen und die EKD sind weitere Begegnungsfelder, auf denen sich eine stetige, sehr behutsame erstmalige Annäherung zwischen orthodoxen und reformatorischen Kirchen vollzieht.

3.2 Eine orthodoxe Vision für 2054

Dennoch grenzte es an ein Wunder, wenn es tausend Jahre nach dem Bruch in Konstantinopel um das Jahr 2054 herum, also in rund 40 Jahren gelänge, zu einem Konzil der Versöhnung zwischen Ost- und Westkirche zu kommen. Was müsste geschehen, damit ein solches konziliares Ereignis Wirklichkeit werden könnte?
Der orthodoxe Altmeister aus Münster in Westfalen, *Anastasios Kallis*, hat sich darüber anlässlich der Jahrtausendwende Gedanken gemacht und sie im Gewand einer fingierten Erzählung niedergeschrieben: *„Das Jerusalemer Konzil von 2054. Eine Vision der Kirchengemeinschaft.“*[23] In dieser „Chronik des Konzils“ beleuchtet er die gegenwärtige Zeit und einige von ihm vermutete Entwicklungen aus der Perspektive des Jahres 2054. So geht er in seiner geistreichen fiktiven Erzählung davon aus, dass alle orthodoxen Kirchen ihren Austritt aus dem Ökumenischen Rat der Kirchen erklärt haben, sodass dieser daraufhin zum „Evangelischer Weltrat“ mutiert ist. Er schreibt von katholischen Diözesanbischöfen, „die mit dem neuen Status ihrer Mündigkeit nicht zurechtkamen“. Papst *Benedikt XVI.*, wie Kallis ihn nennt, ohne den zeitgeschichtlichen zu meinen, „konnte die Diakoninnenweihe nicht mehr aufhalten“ und nach seinem plötzlichen Tod wird der Melkitische Patriarch *Ignatios*, also das Oberhaupt einer mit Rom unierten Ostkirche, zum neuen Papst gewählt.
Eindrücklich schildert Kallis die Begegnung von *Papst und Ökumenischem Patriarch* anlässlich seines Antrittsbesuchs am 16. Juli 2054 – in der Hagia Sofia: „Begleitet von seinen Kardinälen aus allen Kontinenten, betrat er die Kirche, warf sich zu Boden, zündete eine Kerze an, auf der in großen Lettern das Wort KATALLAGÄ (Versöhnung) stand, küsste die Ikonen der

Weisheit Gottes und der heiligen Apostelbrüder Andreas und Petrus, ging zum heiligen Altar, küsste das Evangeliar, ein kostbares Geschenk des Generalsekretärs der UNO, der kurz zuvor den Ökumenischen Patriarchen besucht hatte, legte auf den Altar das Breve Anno Reconciliationis (im Jahr der Versöhnung) und wendete sich dem Ökumenischen Patriarchaten zu. ‚Axios, Axios, Axios', rief das Volk. Viele weinten, warfen sich zu Boden, andere applaudierten, während Papst und Patriarch tränenüberströmt den Friedensgruß austauschten, der nicht zu Ende zu gehen schien."[24]
Der *Melkitische Papst* sorgt gleich am Eröffnungstag des Konzils in Jerusalem, dem 14. September 2054 – dem westlichen Fest der Kreuzerhöhung und dem Beginn des orthodoxen Kirchenjahres – in Jerusalem für revolutionäre Überraschungen: Er erklärt die Auflösung des Vatikan-Staates, der der UNO unterstellt wird, und verfügt stehend ex cathedra die Aufhebung von Unfehlbarkeit und Jurisdiktionsprimat des Papstes! Ab jetzt wird nur noch ex consensu ecclesiae entschieden. Zusammenfassend erläutert Kallis die ökumenische Bedeutung dieses fiktiven Konzils folgendermaßen: *„Dem Konzil war es gelungen, Subsidiarität und Primat in einer Art zu verbinden, die zwei Extreme – gegensätzliche Fehlentwicklungen der Vergangenheit – überwindet: den Individualismus des Autokephalismus und den Zentralismus des päpstlichen Universalismus. Dies war möglich infolge der Erkenntnis, dass weder die Eigenständigkeit der Ostkirchen noch der Dienst des Primats in sich selbst begründete Größen sind, sondern in Beziehung stehende Kategorien des Leibes Christi, dessen Leben eine Koinonia ist als Widerspiegelung der Gemeinschaft der göttlichen Dreieinigkeit."*[25]
Abschließend lässt Kallis noch einmal *evangelische Stimmen* zu Wort kommen: „Evangelische Kommentatoren wiesen übereinstimmend darauf hin, dass im Konzil zentrale Anliegen der Reformation von 1517 eine befriedigende Lösung gefunden hatten, betonten jedoch zugleich die biblische Legitimität der vielfältigen Strukturen der evangelischen Kirchen, die durch das Jerusalemer Konzil in Zugzwang geraten waren ... In einer eingehenden Auswertung der Ergebnisse der früheren bilateralen theologischen Dialoge der Reformationskirchen jeweils mit der

katholischen und der orthodoxen Kirche wird der Versuch unternommen, auf der Basis der ekklesiologischen Lösung des Konzils von 2054 einen Weg zu finden, um eine Entwicklung zu integrieren, die ihre Berechtigung in der Heiligen Schrift sieht."[26]

Es spricht für die produktive Einbildungskraft von *Anastasios Kallis*, seine Vision von Kirchengemeinschaft in dieser Erzählung ausgebreitet zu haben. Man kann es einem orthodoxen Theologen nicht verdenken, dass er die Lösung darin sieht, dass die Westkirche Anliegen der Ostkirche übernimmt und ein in orthodoxem Umfeld sich bewegender Papst seine Selbstentmachtung ex cathedra verkündet. Das ist eine geniale Idee für eine fingierte Erzählung, deren Wahrscheinlichkeit zu ihrer Realisierung ich im Blick auf die Geschichte des Papsttums jedoch nicht allzu hoch veranschlagen würde. Realitätsnäher scheinen mir dagegen zwei andere Gesichtspunkte der Erzählung zu sein: Erstens spielt sich die Versöhnung zwischen Ost- und Westkirche fast nur zwischen Papst und orthodoxen Personen ab. Der Wahrheitsgehalt dieser Darstellung liegt darin, dass römisch-katholische und orthodoxe Kirche sich schon heute – seit den Tagen *Pauls VI.* – als Schwesterkirchen verstehen, die wesentlich näher zueinander gehören als jede andere Kirche. Die freundschaftlichen Beziehungen zwischen Papst *Franziskus* und Patriarch *Bartholomäus I.* unterstreichen das.

Zweitens sieht Kallis in seiner Erzählung für die *Kirchen der Reformation* nur Probleme und Bedrängnis heraufziehen: Ihre Vielfalt lässt keine „ekklesiologische Qualität" aufkommen, die mit den beiden anderen Kirchen kompatibel wäre. Sie betonen zwar immer wieder ihre biblische Legitimität, aber das hatte sie zweitausend Jahre später zu keiner überzeugenden Kirchengestalt befähigt. So sieht Kallis für die reformatorischen Kirchen am Ende nur eine Zuschauerrolle im Versöhnungsprozess vor und den mühsamen Versuch, „auf der Basis der ekklesiologischen Lösung des Konzils von 2054 einen Weg zu finden, um eine Entwicklung zu integrieren, die ihre Berechtigung in der Heiligen Schrift sieht."

Es mag sein – und als evangelischer Theologe hoffe ich es! –, dass Kallis die Zukunft der reformatorischen Kirchen zu negativ dargestellt hat. Aber ihr Problem hat er messerscharf erkannt, dass sie es bei aller legitimen Berufung auf die Heilige Schrift nicht geschafft haben, zu einer umfassenden Gestaltung von Kirche zu gelangen, die in der Lage wäre, eine die Wirklichkeit unserer Welt gestaltende und verändernde Rolle zu übernehmen. Mit ihren kongregationalistischen Zerfallserscheinungen ist die evangelische Kirche unserer Tage von *Luthers* Programm einer Reform der Gesamtkirche an Haupt und Gliedern weiter entfernt denn je zuvor. In dieser Hinsicht ist die Reformation nicht nur un-vollendet geblieben, sondern in ihren eigenen Reihen nicht zum Zuge gekommen! Das 500-jährige Gedenkjahr 2017 ist daher eine gute Gelegenheit für Haupt und Glieder, sich darüber Gedanken zu machen, was innerhalb der evangelischen Kirchen schief gelaufen ist, dass sie sich heutzutage weniger als vom Evangelium reformierte Glaubensgemeinschaften in der Öffentlichkeit darstellen denn als ein mehr oder weniger lautstarkes Orchester, bei dem man den Cantus firmus des gespielten Stückes kaum noch hören kann.

3.3 Evangelische Besinnung auf ein „Konzil der Versöhnung" im Jahr 2054

Was können und sollten evangelische Kirchen zu einem „Konzil der Versöhnung" um die Mitte des 21. Jahrhunderts herum beitragen? *Philipp Melanchthon* und Tübinger Theologen haben im 16. Jahrhundert den Versuch unternommen, zur Stärkung ihrer Position gegenüber der katholischen Kirche mit orthodoxen Theologen und Patriarchen in Kontakt zu kommen. Melanchthon hat sogar versucht, die evangelische Rechtfertigungslehre mit dem orthodoxen Leitgedanken der Theopoiesis, der „Vergöttlichung" des Menschen, in Einklang zu bringen.[27] Dieser Versuch ist schiefgegangen, weil Patriarch *Jeremias II.* nicht bereit war, sich auf die westkirchlichen Auseinandersetzungen einzulassen. Zu deutlich standen ihm die Gewalttätigkeiten des Westens im Zusammenhang mit dem Vierten Kreuzzug gut 300 Jahre zuvor vor Augen, als dass er sich von einem neuerlichen Kontakt mit Vertretern der Westkirche – seien es Protestanten oder Katholiken – irgendetwas Positives versprechen konnte. Die Funkstille zwischen orthodoxen und reformatorischen Kirchen hat über 300 Jahre bis zum Beginn der ökumenischen Bewegung im 20. Jahrhundert angedauert.

Daher besteht die *erste* Aufgabe darin, auf beiden Seiten ein Bewusstsein der Zusammengehörigkeit als Christen zu entwickeln, denen zumindest das erste Jahrtausend gemeinsam ist und das dritte wieder gemeinsam werden soll. Vergegenwärtigt man sich diese Zeitmaße, zeichnet sich am fernen Horizont die Größe und Schwere der vor uns liegenden *Aufgabe erneuter gegenseitiger Annäherung* ab. Für evangelische Christen und Kirchen bedeutet das zunächst, ihr unbewusstes, unterschwelliges Gefühl, als aufgeklärte westliche Menschen den östlich-orthodoxen Christen überlegen zu sein, wahrzunehmen und es abzubauen zu versuchen. Jüngstes Beispiel ist das völlige evangelische Desinteresse am Panorthodoxen Konzil von Kreta im Juni 2016.

Immerhin leben inzwischen knapp zwei Millionen orthodoxer Christen in Deutschland. Das ist ein Geschenk seit den sechziger Jahren, dessen Potenzial es erst noch zu entdecken gilt. Wenn man sieht, wie stark viele orthodoxe Christen ihrer Heimatskirche und ihrer Ortsgemeinde in Deutschland verbunden sind und auch in der dritten Generation bleiben, stellt sich die Frage von selbst, wie diese tiefe Glaubensverbundenheit zu erklären ist, die man so im evangelischen Bereich nur noch selten antrifft.

Zweitens: Je näher sich Christen der westlichen und östlichen Tradition des Christentums berühren, desto mehr können sie voneinander lernen. Das betrifft auch die *altkirchliche Grundlage* orthodoxer Kirchen, die die konziliare Gemeinschaft entwickelt und gelebt haben: in gegenseitigen Besuchen, Beratungen, in örtlichen, regionalen und schließlich ökumenischen Synoden. Inzwischen ist im Westen deutlich geworden, dass das Konstantinische Zeitalter der gegenseitigen Stützung von Thron und Altar im Grunde schon seit dem Ende des Ersten Weltkriegs 1918 beendet ist – auch mit seinen früher vom Kaiser einberufenen ökumenischen Konzilen. Unsere *nach*konstantinische Zeit ähnelt in mancher Hinsicht der *vor*konstantinischen, in der das Christentum keine Staatsreligion war und sich gegenüber anderen Religionen wie dem militärischen Mithras-Kult zu behaupten hatte. Umso wichtiger ist es für uns heute, die altkirchlichen Strukturen der vorkonstantinischen Zeit zu kennen und von ihnen für die Gestaltung unseres heutigen Zusammenlebens zu lernen. Dieser Rückgang auf die altkirchliche vorkonstantinischen Zeit ist für westliche Christen heute das Gebot der Stunde und zugleich ein Bindeglied zwischen Ost- und Westkirche.

Es wird Zeit, dass reformatorische Kirchen den Rückgriff der Reformatoren auf die Theologie und Praxis der Alten Kirche heute existenziell mitvollziehen und die *Kirchenväter* nicht als Konkurrenten, sondern als Interpreten des Neuen Testaments zu schätzen lernen. Auf diesem Hintergrund könnte und müsste dann ein selbstkritisches westkirchliches *Wort zu den Vorgängen von 1054 und 1204* gegenüber unseren orthodoxen Schwestern und Brüdern offiziell gesprochen werden, das die gegenseitigen Beziehungen nachhaltig verbessern würde. Hier ist die katholische Kirche seit dem Zweiten Vatikanischen Konzil vorangegangen; die Kirchen der Reformation befinden sich in dieser Hinsicht in einem erheblichen Nachholbedarf.

Drittens: Auch auf der *gottesdienstlichen Ebene* gibt es von der orthodoxen Tradition für Westchristen manches zu lernen. Wer die *Göttliche Liturgie* mitfeiert, dem kann die Erkenntnis aufgehen, dass diesem orthodoxen Gottesdienst jenseits von evangelischem Aktualismus und katholischem Formalismus eine Ruhe, Tiefe und Kraft eignet, die etwas mit altkirchlicher Geisterfahrung zu tun hat. Ich habe es mehr als einmal beobachtet, dass westliche Christen mehr oder weniger unruhig auf die Uhr schauen, wenn ein Gottesdienst wesentlich länger als eine Stunde dauert, während es östlichen Christen nicht das Geringste ausmacht, einer Liturgie von mehreren Stunden hingebungsvoll zu folgen. Darin zeigt sich der Unterschied von quantitativer und qualitativer Zeit, in der sich ein Gottesdienst bewegt. Es ist die Kairos-Dimension der heiligen Zeit, die wir im Westen von der Göttlichen Liturgie des Ostens wieder neu lernen können.

Schließlich gibt es in der orthodoxen Tradition die Feier des nicht-sakramentalen Brotbrechens, die *Artoklasia*, die ein Bindeglied zur westlichen Gottesdiensttradition werden kann. Seit sie während des Zweiten Ökumenischen Kirchentages 2010 auf den Münchener Odeonsplatz unter freiem Himmel mit mehreren Tausend Beteiligten an langen Tischen gefeiert worden ist, haben viele Menschen einen Begriff davon bekommen, wie man beim Teilen von Brot, Öl, Früchten und Wein am Tisch neue beglückende Gemeinschaftserfahrungen zwischen Christen der östlichen und westlichen Tradition machen kann.

3.4 Epilog

Wenn es nach dem Zeitraum einer Generation um die Mitte des 21. Jahrhunderts zu einem *„Konzil der Versöhnung"* zwischen Ost- und Westkirche kommen sollte, wäre das überhaupt nur unter drei Voraussetzungen denkbar:

1. Die *Kirchen der Reformation* wenden sich grundsätzlich ihren orthodoxen Schwesterkirchen und damit zugleich altkirchlichen Strukturen von Konziliarität zu.
2. Die *Römisch-katholischen Kirche* begrenzt den Jurisdiktionsprimat des Papstes auf ihren eigenen Bereich, sodass der Papst wieder zum „Patriarchen des Westens"[28] wird, mit dem die anderen Patriarchen des Ostens auf Augenhöhe kommunizieren.
3. Die *orthodoxen Kirchen* gehen über ihre ökumenische Position von Kreta 2016 hinaus und anerkennen, dass auch katholische und reformatorische Kirchen Glieder der einen, heiligen, katholischen und apostolischen Kirche sind.

Ob die ökumenische Entwicklung der nächsten Zeit sich in diese Richtung bewegen wird oder in gegenseitige Abgrenzungen zurückfallen wird, ist im Jahr 2016 schwer auszumachen. Die Bemühungen von Patriarch *Bartholomäus I.* und Papst *Franziskus* weisen deutlich in die erste Richtung, während Patriarch *Kyrill* von Moskau und manche evangelische Kirche mehr auf Abgrenzung bedacht sind. Wenn *Martin Luthers* Programm der Erneuerung der ganzen Kirche an Haupt und Gliedern doch noch eine Chance erhalten soll, dann tun alle Kirchen, und insbesondere die von ihm angestoßene evangelische, gut daran, das Gedenkjahr an den Beginn der Reformation vor 500 Jahren dazu zu nutzen, sich auf den *Weg zu konziliarer Gemeinschaft* miteinander zu begeben. Er steht unter der Verheißung: „Der Geist der Wahrheit wird euch in alle Wahrheit leiten“ (Johannes 16,13). Dieser Weg wird dann vollendet sein, wenn evangelische, katholische und orthodoxe Christen und Kirchen in der Lage sind, gemeinsam in den Lobpreis, die Doxologie, Gottes einzustimmen und danach zu handeln:

„Ehre sei Gott in der Höhe
und Friede auf Erden
unter den Menschen seines Wohlgefallens.“
(Lukas 2,14)

Kapitel VII - Anmerkungen

1. Text in: U. Köpf (Hg.), Deutsche Geschichte in Quellen und Darstellung. Bd. 3: Reformationszeit 1495-1555, RUB 17003, Stuttgart 2010, S. 153ff; vgl.. auch: Efg-hohenstaufenstr.de/exsurge _domine_dt.html.

2. H. Schilling, Martin Luther. Rebell in einer Zeit des Umbruchs. Eine Biografie, München 2014, 3. Aufl., S. 201.

3. AaO. (Anm. 1) S. 165 und 179; vgl. auch: F. Dickmann (Hg.), Geschichte in Quellen, III. Renaissance, Glaubenskämpfe, Absolutismus, München 1966, S. 127.

4. Wikipedia. org/wiki/Wormser _ Memorandum.

5. Zu Einzelheiten s. o. IV, 3.

6. In: Einheit vor uns. Modelle, Formen und Phasen katholisch-lutherischer Kirchengemeinschaft, Paderborn-Frankfurt/Main 1985, Z. 26, S. 94.

7. In: P. Beier (Hg.), Landessynode 1993. Bibelarbeit und ökumenische Beschlüsse, Düsseldorf Januar 1993, S. 34 f.

8. In: K. Lehmann/W. Pannenberg (Hg.), Lehrverurteilungen – kirchentrennend? I, DdK4, Freiburg i. Br./Göttingen 1986, S. 187,195.

9. In: HThK (s. o.IV, Anm.7), Bd. 5, Freiburg i. Br. 2009, S. 572.

10. In: G. Gassmann, Das Augsburger Bekenntnis Deutsch (ABD)1530-1980, Göttingen/Mainz 1980, 4. Aufl., S. 20 ff; zu Einzelheiten s.o. II, 2.1.

11. ABD, S. 38.

12. ABD, S. 69.

13. Dazu s. o. Kap. II, 2.1.

14. In: Wege zur Gemeinschaft. Alle unter einem Christus, Paderborn-Frankfurt/Main 1980, S. 55 ff.

15. Dazu s. o. IV, 3.

16. Vgl. die Vorrede des Augsburger Bekenntnisses, in ABD (s. o. Anm. 10), S. 21.

17. Vgl. dazu H.-G. Link, Apostolischer Glaube in ökumenischer Gemeinschaft. Ein unvollendetes Projekt, in: H.-G. Link./G. Müller-Fahrenholz (Hg.), Hoffnungswege. Wegweisende Impulse des Ökumenischen Rates der Kirchen aus sechs Jahrzehnten, Frankfurt/Main 2008, S. 189ff.

18. In: H.-G. Link (Hg.), Gemeinsam glauben und bekennen (GGB).. Handbuch zum Apostolischen Glauben, Neukirchen-Vluyn/Paderborn 1987, S. 129; Rechenschaft von der Hoffnung, S. 116ff.

19. In: GGB, S. 278ff, bes. S. 289ff.
20. Zu Einzelheiten vgl. A. Kallis, Brennender, nicht verbrennender Dornbusch. Reflexionen orthodoxer Theologie, Münster 1999, S. 51 ff, 315ff.
21. A. Kallis, Das Jerusalemer Konzil von 2054 (Jerusalem 2054). Eine Vision der Kirchengemeinschaft, OP 9, Münster 2012, S. 126.
22. Gemeinsame Erklärung von Papst Paul VI. und Patriarch Athenagoras, Jerusalem 2054, 131.
23 Jerusalem 2054, S. 13-31.
24. Jerusalem 2054, S. 25 f.
25. Jerusalem 2054, S. 29.
26. Jerusalem 2054, S. 30 f.
27. Vgl. dazu R. Slenczka, Melanchthon und die orthodoxe Kirche des Ostens, in: J. Haustein (Hg.), Philipp Melanchthon. Ein Wegbereiter für die Ökumene, BH 82, Göttingen 1997, S. 96ff.
28. Gerade diesen Titel hat Papst Benedikt XVI. abgeschafft und damit eine der wenigen Brücken zwischen West- und Ostkirche zum Einsturz gebracht.

Zusammenfassung:

500 Jahre Kirchenspaltung sind genug – Zur ökumenischen Zukunft in konziliarer Gemeinschaft

12 Thesen zum Jahr 2017

I. Problem und Chance von 2017

1. Das ökumenische Gedenkjahr 2017 lässt deutlich werden, dass die von Martin Luther beabsichtigte Reform der gesamten Kirche an Haupt und Gliedern nur *teilweise* gelungen ist und zu zwei konfessionellen Kirchen geführt hat. Insofern ist die Reformation *un-vollendet* geblieben.

2. Das Jahr 2017 bietet die Chance, sich gemeinsam auf die *Mitte des christlichen Glaubens* zu konzentrieren: die Rechtfertigung von uns Menschen durch Christus, wie Jesus sie gelebt und Paulus sie verkündigt hat, von Luther wieder entdeckt und in der *Gemeinsamen Erklärung zur Rechtfertigungslehre* vom 31. Oktober 1999 neu zur Sprache gebracht worden ist.

II. Rechtfertigung und Gerechtigkeit

3. *Rechtfertigung* bedeutet unsere voraussetzungslose Annahme von Gott und wird in bedingungsloser gegenseitiger Akzeptanz gelebt: „Du bist geliebt trotz deines Versagens und vor aller Leistung“ (Paul Zulehner).

4. Heute kommt es darauf an, persönliche Rechtfertigung und weltumspannende *Gerechtigkeit* so miteinander in Beziehung zu setzen, dass Ungerechtigkeit so weit wie möglich beseitigt und stattdessen eine Kultur des Teilens und der Akzeptanz – *Willkommenskultur* – entwickelt wird.

III. Evangelische und Katholische Kirche

5. Für die evangelische und katholische Kirche gehört im Jahr 2017 dazu, dass *Wunden der Vergangenheit,* die sie sich gegenseitig zugefügt haben, erkannt, benannt, bekannt und geheilt werden. Das gilt in besonderer Weise für die Verbrennung von Jan Hus in Konstanz am 6. Juli 1415 und für die Exkommunikation Martin Luthers und seiner Anhänger durch Papst Leo X. am 3. Januar 1521. Die Hussiten- und Hugenotten-Kriege sowie der Dreißigjährige Krieg bedürfen einer gemeinsamen Aufarbeitung.

6. Die beiden großen Konfessionskirchen stehen 500 Jahre nach dem Beginn ihrer Trennung voneinander vor der Aufgabe, sich gegenseitig als *„Kirchen im eigentlichen Sinn"*, d. h. als gleichrangige Glieder des einen Leibes Christi anzuerkennen. Indem sie offiziell, öffentlich und verbindlich miteinander Frieden schließen, gewinnen sie an Glaubwürdigkeit und geben unserer friedlosen Welt ein Modell, wie aus Feinden Freunde werden.

IV. Konziliare Gemeinschaft

7. Die *Leitvorstellung* und das *Ziel* der ökumenischen Arbeit für das künftige Zusammenleben und -wirken der beiden sowie anderer Kirchen und Gemeinden heißt *„konziliare Gemeinschaft"*.

8. Konziliare Gemeinschaft beginnt auf der *Gemeindeebene* mit regelmäßigen Abendgebeten der Versöhnung, Bundesschlüssen miteinander und Willkommensangeboten für Fremde.

9. Konziliare Gemeinschaft führt auf der *regionalen* Ebene zu Stadt- bzw. Landkirchentagen, ökumenischen Regionalsynoden und Flüchtlingsinitiativen.

10. Konziliare Gemeinschaft bedeutet für *Diözesen und Landeskirchen* den Abschluss von Kirchenpartnerschaftserklärungen,

Durchführung von ökumenischen Provinzialsynoden und gemeinsame Initiativen zur Integration von Migranten.

V. Ökumenische Reformation

11. Das Gebot der Stunde heißt 2017 *„rezeptiver Ökumenismus“,* in dem Kirchen miteinander lernen, Abgrenzungen voneinander in Geschenke füreinander zu verwandeln.

12. Nach fast 500 Jahren Kirchenspaltung geht es im Jahr 2017 um den Beginn einer *ökumenischen Reformation*, in der die beteiligten Kirchen und Gemeinden miteinander einen Lernprozess beginnen, *konziliar* zu denken, zu leben und zu handeln.